CBAC TGAU HANES

Newidiadau ym maes
Iechyd a Meddygaeth
tua 1340 hyd heddiw

R. Paul Evans
Alf Wilkinson

HODDER
EDUCATION
AN HACHETTE UK COMPANY

CBAC TGAU Hanes: Newidiadau ym maes Iechyd a Meddygaeth, tua 1340 hyd heddiw

Addasiad Cymraeg o 'Changes in Health and Medicine, c.1340 to the present day' sy'n adran o *WJEC GCSE History: Changes in Health and medicine, c.1340 to the present day and Changes in Crime and Punishment* a gyhoeddwyd yn 2018 gan Hodder Education

Ariennir yn Rhannol gan
Lywodraeth Cymru
Part Funded by
Welsh Government

Cyhoeddwyd dan nawdd Cynllun Adnoddau Addysgu a Dysgu CBAC

Gwnaed pob ymdrech i olrhain pob deiliad hawlfraint, ond os oes unrhyw rai wedi'u hesgeuluso'n anfwriadol bydd y Cyhoeddwr yn barod i wneud y trefniadau angenrheidiol ar y cyfle cyntaf.

Ymdrechwyd i sicrhau bod cyfeiriadau gwefannau yn gywir adeg mynd i'r wasg, ond ni ellir dal Hodder Education yn gyfrifol am gynnwys unrhyw wefan a grybwyllir yn y llyfr hwn. Mae weithiau yn bosibl dod o hyd i dudalen we a adleolwyd trwy deipio cyfeiriad tudalen gartref gwefan yn ffenestr LlAU (*URL*) eich porwr.

Polisi Hachette UK yw defnyddio papurau sy'n gynhyrchion naturiol, adnewyddadwy ac ailgylchadwy o goed a dyfwyd mewn coedwigoedd cynaliadwy. Disgwylir i'r prosesau torri coed a chynhyrchu papur gydymffurfio â rheoliadau amgylcheddol y wlad y mae'r cynnyrch yn tarddu ohoni.

Archebion: cysylltwch â Bookpoint Ltd, 130 Milton Park, Abingdon, Oxon OX14 4SB. Ffôn: +44 (0)1235 827720. Ffacs: +44 (0)1235 400454. Ebost education@bookpoint.co.uk Mae llinellau ar agor o 9 am tan 5 pm, rhwng dydd Llun a dydd Sadwrn, gyda gwasanaeth ateb negeseuon 24 awr. Gallwch hefyd archebu trwy ein gwefan: www.hoddereducation.co.uk

ISBN: 978 1 5104 3521 6

© R. Paul Evans, Alf Wilkinson 2018 (yr Argraffiad Saesneg)

© CBAC (yr Argraffiad Cymraeg hwn)

Cyhoeddwyd am y tro cyntaf yn 2018 gan
Hodder Education,
An Hachette UK Company
Carmelite House
50 Victoria Embankment
London EC4Y 0DZ

www.hoddereducation.co.uk

Ffotograff y clawr © Trinity Mirror/Monoprix/Alamy Stock Photo

Darluniau esboniadol gan Aptara, Inc.

Cysodwyd yn India gan Aptara Inc.

Argraffwyd yn yr Eidal

Mae cofnod catalog ar gyfer y teitl hwn ar gael gan y Llyfrgell Brydeinig.

CYNNWYS

Cyflwyniad

Cyflwyniad

Ynglŷn â'r cwrs

Yn ystod y cwrs hwn mae'n rhaid i chi astudio **pedair** uned, ac mae pob un yn cyfrannu pwysoliad gwahanol i'r cymhwyster TGAU:

- **Uned 1** Astudiaethau Manwl (Cymru a'r persbectif ehangach) – pwysoliad o 25 y cant o'r cymhwyster TGAU
- **Uned 2** Astudiaethau Manwl (Hanes yn canolbwyntio ar Ewrop/y byd) – pwysoliad o 25 y cant o'r cymhwyster TGAU
- **Uned 3** Astudiaeth Thematig, sy'n cynnwys astudiaeth o safle hanesyddol – pwysoliad o 30 y cant o'r cymhwyster TGAU
- **Uned 4** Gweithio fel hanesydd – asesiad di-arholiad – pwysoliad o 20 y cant o'r cymhwyster TGAU.

Bydd yr astudiaethau hyn yn cael eu hasesu drwy dri phapur arholiad ac un uned ddi-arholiad.

Mae Unedau 1 a 2 yn cynnwys un arholiad awr o hyd yr un sy'n cynnwys cyfres o gwestiynau gorfodol. Bydd y rhain yn canolbwyntio ar ddadansoddi a gwerthuso ffynonellau a dehongliadau hanesyddol, yn ogystal â phrofi cysyniadau hanesyddol trefn dau.

Mae Uned 3 yn cynnwys arholiad 1 awr 15 munud o hyd sy'n cynnwys cyfres o gwestiynau gorfodol. Bydd y rhain yn canolbwyntio ar gysyniadau hanesyddol trefn dau fel parhad, newid, achos, canlyniad, arwyddocâd, tebygrwydd a gwahaniaeth.

Bydd Uned 4 yn cynnwys asesiad di-arholiad. Bydd yn cynnwys cwblhau dwy dasg, un yn canolbwyntio ar werthuso ffynonellau a'r llall yn canolbwyntio ar ffurfio dehongliadau hanesyddol gwahanol o hanes.

Ynglŷn â'r llyfr

Mae'r llyfr hwn yn ymdrin ag un opsiwn ar gyfer Astudiaeth Thematig Uned 3 – *Newidiadau ym maes Iechyd a Meddygaeth ym Mhrydain, tua 1340 hyd heddiw.*

Sut bydd y llyfr hwn yn eich helpu gyda TGAU Hanes CBAC

Bydd yn eich helpu i ddysgu'r cynnwys

Wrth baratoi ar gyfer arholiad, ai eich prif bryder yw na fyddwch chi'n gwybod digon i ateb y cwestiynau? Mae llawer o bobl yn teimlo fel hyn – yn enwedig pan fydd cwrs yn ymdrin â dros 500 mlynedd o hanes! Ac mae'n wir; bydd angen gwybodaeth dda arnoch chi am y prif ddigwyddiadau a'r manylion er mwyn gwneud yn dda yn yr Astudiaeth Thematig hon. Bydd y llyfr hwn yn eich helpu i gael y trosolwg a'r manylion.

Mae'r **testun** yn esbonio'r cynnwys allweddol yn glir. Mae'n eich helpu i ddeall pob cyfnod a phob testun, a'r themâu sy'n cysylltu'r testunau. Mae diagramau hefyd yn eich helpu i weld a chofio testunau. Mae lluniadu eich diagramau eich hun hyd yn oed yn ffordd well o ddysgu!

Mae'r llyfr hwn yn llawn **ffynonellau**. Mae'r cwrs yn delio â rhai materion pwysig ac mae'r ffynonellau yn helpu i dynnu sylw at y materion hynny. Mae hanes ar ei orau pan allwch chi weld beth gwnaeth pobl go iawn ei ddweud, ei wneud, ei ysgrifennu, ei ganu neu ei wylio, a beth wnaethon nhw chwerthin ar ei ben neu grio o'i herwydd. Gall ffynonellau fod o help i ddeall y stori'n well a'i chofio gan eu bod nhw'n eich helpu i weld beth roedd y cysyniadau a'r syniadau mawr yn eu golygu i'r bobl ar y pryd.

Mae'r cwestiynau **meddyliwch** yn eich cyfeirio at y pethau dylech chi sylwi arnyn nhw neu feddwl amdanyn nhw yn y ffynonellau a'r testun. Maen nhw hefyd yn eich helpu i ymarfer y sgiliau dadansoddol sydd eu hangen i wella ym maes hanes.

Mae'r **crynodeb o'r testun** ar ddiwedd pob pennod yn crynhoi'r holl gynnwys i nifer o bwyntiau, ac fe ddylai eich helpu i ddeall pob agwedd ar y cynnwys mwyaf cymhleth. Gallech chi ddarllen y crynodeb cyn i chi hyd yn oed ddechrau'r testun er mwyn i chi wybod i ba gyfeiriad byddwch chi'n mynd.

Mae pob pennod yn cynnwys **termau allweddol** sy'n eich helpu i ddeall ystyr y geiriau, er mwyn i chi allu eu deall a'u defnyddio yn hyderus wrth ysgrifennu am y pwnc. Maen nhw i gyd wedi'u diffinio mewn Geirfa ar dudalen 129.

Bydd yn eich helpu i gymhwyso'r hyn byddwch chi'n ei ddysgu

Prif nod arall y llyfr hwn yw eich helpu i gymhwyso'r hyn byddwch chi'n ei ddysgu, hynny yw, eich helpu chi i feddwl o ddifrif am y cynnwys, datblygu eich barn eich hun am y themâu, a gwneud yn siŵr eich bod yn gallu cefnogi'r farn honno â thystiolaeth a gwybodaeth berthnasol. Dydy hi ddim yn dasg hawdd. Fyddwch chi ddim yn datblygu'r sgìl hwn yn sydyn. Dylech chi ymarfer astudio mater, gan benderfynu beth yw eich barn ac yna dewis, o'r hyn rydych chi'n ei wybod, y pwyntiau sydd wir yn berthnasol i'ch dadl. Un o'r sgiliau pwysicaf yn hanes yw'r gallu i ddewis, trefnu a defnyddio gwybodaeth i ateb cwestiwn penodol.

Y brif ffordd y byddwn yn eich helpu chi i wneud hyn yw drwy'r **tasgau ffocws**. Dyma'r tasgau mawr sy'n ymddangos ar ddechrau pob pennod er mwyn eich helpu i adeiladu eich llun mawr eich hun o'r stori dros amser. Yna, byddwn yn gofyn i chi ailymweld â'r dasg ffocws ar ddiwedd y bennod er mwyn eich helpu chi i ystyried y prif faterion.

Bydd hyn yn eich helpu i baratoi ar gyfer eich arholiad

Os darllenwch chi'r testun cyfan a chwblhau pob un o'r **tasgau ffocws** yn y llyfr dylech chi fod yn barod ar gyfer heriau'r arholiad, ond er mwyn eich helpu yn fwy penodol:

Mae'r **cwestiynau ymarfer** ar ddiwedd pob pennod yn cynnwys cwestiynau tebyg i rai arholiad.

Mae'r **arweiniad ar arholiadau** ar ddiwedd y llyfr (tudalennau 118-128) yn cynnwys papur arholiad enghreifftiol yn ogystal ag arweiniad cam wrth gam, atebion enghreifftiol a chyngor ar sut i ateb mathau penodol o gwestiynau yn y papur thematig.

Newidiadau ym maes Iechyd a Meddygaeth ym Mhrydain, tua 1340 hyd heddiw

Y Stori Fawr: newidiadau ym maes iechyd a meddygaeth ym Mhrydain, tua 1340 hyd heddiw

Mae'r uned thematig hon yn astudio cyfnod amser hir iawn – dros 650 o flynyddoedd – ac mae'n cynnwys llawer o fanylion. Mae pob pennod yn ymdrin â stori barhaus datblygiad iechyd a meddygaeth ym Mhrydain. Bydd yn rhaid i chi barhau i gysylltu'r straeon bach hyn â'r stori fawr. Gall yr adran hon eich helpu i wneud hyn. Mae'n rhoi trosolwg o'r themâu byddwch chi'n eu hastudio a rhai gweithgareddau fydd yn eich helpu i weld y patrymau dros amser. Pob lwc!

Teimlo'n sâl

Beth sy'n digwydd heddiw pan fyddwch chi'n teimlo'n sâl? Ble byddwch chi'n mynd i gael help? Efallai eich bod yn gwneud eich diagnosis eich hun. Rydych chi'n mynd i'r archfarchnad neu i'r fferyllfa i brynu meddyginiaeth, neu efallai yn gofyn am farn y fferyllydd. Sut rydych chi'n gwybod bod y feddyginiaeth rydych chi'n ei phrynu yn ddiogel i'w defnyddio? Sut rydych chi'n gwybod y bydd yn gweithio? Mae'n debyg eich bod wedi gweld yr hysbysebion ar y teledu neu yn y papur newydd, ond sut rydych chi'n gwybod ei bod yn ddiogel i'w chymryd a'i defnyddio? Pwy sy'n rheoli'r gwaith o ddatblygu a marchnata meddyginiaethau heddiw? Pwy oedd yn gwneud hynny yn yr oesoedd canol? A oedd ganddyn nhw feddyginiaethau yn yr oesoedd canol hyd yn oed?

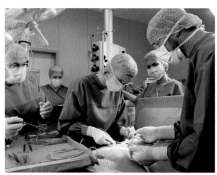

Efallai y byddwch chi'n mynd i weld darparwr 'meddygaeth amgen'. Mae'n well gan rai pobl 'ddulliau naturiol', a defnyddio perlysiau a thriniaethau traddodiadol, fel aciwbigo Tsieineaidd, **homeopathi** neu **osteopathi**. Mae mwy a mwy o bobl yn credu'n gryf mai'r ffordd orau o wneud diagnosis a gwella afiechyd yw defnyddio meddyginiaethau naturiol.

Mewn argyfwng efallai y byddech chi'n mynd yn syth i adran damweiniau ac achosion brys eich ysbyty lleol, neu'n ffonio ambiwlans i'ch cludo chi yno. Efallai y bydd yn rhaid i chi aros am gyfnod ond mae triniaeth frys ar gael yno 24 awr y dydd, 7 diwrnod yr wythnos, ac mae staff nyrsio a meddygon ymgynghorol wrth law i ddelio â phob math o argyfwng.

Mae'n debygol iawn y byddwch chi'n gwneud apwyntiad gyda'ch meddyg teulu. Mae'n bosibl cael apwyntiad ymhen diwrnod neu ddau fel arfer. Ar ôl i chi fynd yno, efallai y byddwch chi'n gweld meddyg, ymarferydd nyrsio neu hyd yn oed nyrs y feddygfa. Bydd pwy bynnag y byddwch chi'n ei weld yn ceisio penderfynu beth sy'n bod arnoch chi gan ddefnyddio amrywiaeth o dechnegau. Efallai y byddan nhw'n cymryd eich tymheredd: pryd cafodd y thermomedr ei ddyfeisio? Sut roedden nhw'n cymryd eich tymheredd cyn i'r thermomedr gael ei ddyfeisio? Efallai y byddan nhw'n gwrando ar eich anadlu gan ddefnyddio stethosgop. Sut roedden nhw'n gwneud hynny cyn i'r stethosgop gael ei ddyfeisio? Efallai y byddan nhw'n gofyn am sampl wrin: mae hwn yn ddull cyffredin o brofi ar gyfer rhai afiechydon. Neu efallai y byddan nhw'n gwneud prawf gwaed. Efallai y byddan nhw'n edrych arnoch chi, neu'n gwrando ar yr hyn sydd ganddoch chi i'w ddweud. Os byddan nhw'n gallu penderfynu beth sy'n bod arnoch chi efallai y byddan nhw'n rhoi presgripsiwn ar gyfer meddyginiaeth ac yn dymuno'r gorau i chi.

Ond beth os na fyddan nhw'n gallu penderfynu? Beth fydd yn digwydd wedyn? Mae'n debyg y byddwch chi'n cael eich anfon i weld arbenigwr, ac yn cael mwy o brofion. Profion llygaid, sganiau *MRI*, profion ffisiotherapi; mae pob math o brofion ar gael i'r arbenigwyr er mwyn ceisio darganfod beth sy'n achosi eich iechyd gwael. Gall fod yn broses gyflym, ond weithiau mae'n cymryd amser hir i ddarganfod beth yw *achos* eich afiechyd.

Meddwl am iechyd a meddygaeth

GWEITHGAREDDAU

Isod gallwch chi weld rhai o'r digwyddiadau sydd yn ein helpu i adrodd stori iechyd a meddygaeth dros y 3000 o flynyddoedd diwethaf neu ragor. Allwch chi roi'r digwyddiadau hyn yn y lle cywir ar y llinell amser?

1 Lluniwch eich fersiwn eich hun o'r llinell amser isod a rhowch bob un o'r digwyddiadau, mewn pensil, yn y lle cywir.

2 Gallwch chi ddod o hyd i'r dyddiadau cywir ar gyfer pob un o'r digwyddiadau hyn ar waelod tudalen 10. Plotiwch y dyddiadau cywir ar eich llinell amser.

3 A yw rhai o'r atebion hyn yn eich synnu? Os felly, pam?

4 Beth mae eich llinell amser yn ei ddweud wrthon ni am iechyd a'r bobl?

Byddwch chi'n dod yn ôl at y llinell amser hon ar ôl i chi orffen y testun ac yna bydd cyfle i chi newid eich meddwl.

DIGWYDDIAD A: TRINIAETHAU – PENISILIN, Y GWRTHFIOTIG CYNTAF

'Roedd gennym lawer iawn o filwyr clwyfedig â heintiau, ac achosion o losgi difrifol ymhlith criwiau'r ceir arfog. Chafodd y meddyginiaethau arferol ddim effaith o gwbl. Y peth olaf i mi ei drio oedd penisilin. Dyn ifanc o'r enw Newton oedd y gŵr cyntaf. Roedd wedi bod yn y gwely am chwe mis ar ôl torri esgyrn yn ei ddwy goes. Roedd ei ddillad gwely yn socian gan grawn (pus). Fel arfer, byddai wedi marw mewn amser byr. Rhoddais dri phigiad o benisilin y dydd iddo ac astudio'r effeithiau o dan ficrosgop. Roedd y peth fel gwyrth. Mewn deg diwrnod roedd y goes wedi gwella ac mewn mis roedd y bachgen ifanc yn ôl ar ei draed. Roedd gen i ddigon o benisilin ar gyfer deg o gleifion. Cafodd naw eu gwella'n llwyr.'

DIGWYDDIAD B: TRINIAETHAU – MEDDYGINIAETH LYSIEUOL

'Meddyginiaeth ar gyfer llygaid gwan: cymerwch sudd y planhigyn llym y llygad, ei gymysgu â mêl cacwn, ei roi mewn dysgl efydd a'i gynhesu nes ei fod wedi coginio ac yna ei roi ar y llygaid.'

DIGWYDDIAD C: ESBONIO CLEFYDAU – Y PEDWAR GWLYBWR

Ysgrifennodd Hippocrates: 'Mae'r corff dynol yn cynnwys Pedwar Gwlybwr – gwaed, fflem, bustl melyn a bustl du (melancoli). Pan fydd cydbwysedd rhwng y pedwar gwlybwr, bydd dyn yn teimlo'n hollol iach. Mae afiechyd yn cael ei achosi pan mae gormod neu ddim digon o un o'r pedwar gwlybwr neu pan mae'r corff wedi gwaredu un o'r rhain yn llwyr.'

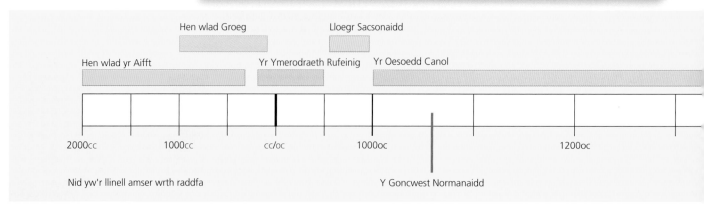

Hen wlad Groeg

Lloegr Sacsonaidd

Hen wlad yr Aifft

Yr Ymerodraeth Rufeinig

Yr Oesoedd Canol

2000cc 1000cc cc/oc 1000oc 1200oc

Nid yw'r llinell amser wrth raddfa

Y Goncwest Normanaidd

DIGWYDDIAD CH: ESBONIO CLEFYDAU – DUW SY'N ANFON CLEFYDAU

'Mae Duw yn trin dynion yn ofnadwy. Mae'n anfon plâu o glefydau a'u defnyddio i boeni a chodi arswyd ar ddynion a hel allan eu pechodau. Dyna pam mae plâu yn effeithio ar deyrnas Loegr – oherwydd pechodau'r bobl.'

DIGWYDDIAD DD: ESBONIO CLEFYDAU – PASTEUR A DAMCANIAETH GERMAU

Cyhoeddodd Louis Pasteur, gwyddonydd o Ffrainc, ei 'ddamcaniaeth germau' gan awgrymu mai bacteria neu 'germau' oedd yn achosi clefydau mewn gwirionedd. Daeth ei ddamcaniaeth germau i ddisodli pob syniad blaenorol am achosion clefydau.

DIGWYDDIAD F: TRINIAETHAU – YMOLCHI, YMARFER CORFF, DEIET

'Golchwch eich wyneb a'ch llygaid bob dydd â'r dŵr puraf a glanhewch eich dannedd â phowdr mintys poeth mân. Ewch am dro ar ddechrau'r diwrnod. Mae cerdded yn bell rhwng prydau bwyd yn clirio'r corff, yn ei baratoi ar gyfer derbyn bwyd ac yn rhoi mwy o egni iddo er mwyn treulio bwyd.'

DIGWYDDIAD G: IECHYD Y CYHOEDD – DŴR FFRES, BADDONDAI A CHARTHFFOSYDD

Ysgrifennodd Sextus Julius Frontinus: 'Roedd cynnydd mawr yn nifer y cronfeydd dŵr, ffynhonnau a basnau dŵr. O ganlyniad, mae'r aer yn llawer mwy pur. Mae dŵr nawr yn cael ei gario drwy'r ddinas i **geudai**, baddondai a thai.'

DIGWYDDIAD D: IECHYD Y CYHOEDD – DECHRAU'R GIG

'Ar y diwrnod cyntaf o driniaeth am ddim ar y Gwasanaeth Iechyd Gwladol (GIG), aeth Mam i gael prawf ar gyfer sbectol newydd. Yna aeth i lawr y stryd at y **ciropodydd** i gael trin ei thraed. Yna aeth yn ôl at y meddyg oherwydd roedd hi wedi bod yn cael trafferth gyda'i chlustiau a dywedodd y meddyg y byddai'n rhoi teclyn clywed iddi.'

DIGWYDDIAD E: TRINIAETHAU – MEDDYGINIAETH Y GATH DDU

'Roedd y llefelyn/llyfrithen (*sty*) ar fy llygad dde yn dal i fod wedi chwyddo ac roedd yn edrych yn boenus iawn. Yn ôl pob sôn mae rhwbio'r llygad â chynffon cath ddu yn gwneud lles iddo, felly, gan fod gen i gath ddu fe wnes i roi cynnig arni cyn cinio ac yn fuan iawn ar ôl cinio roedd y chwydd ar fy llygad yn llawer llai a doedd bron dim poen.'

DIGWYDDIAD FF: LLAWFEDDYGAETH – HEB ANAESTHETIG

Un tro, torrodd Robert Liston, llawfeddyg enwog o Lundain, goes dyn yn ei hanner mewn dau funud a hanner, ond gweithiodd mor gyflym fe dorrodd geilliau ei glaf hefyd ar ddamwain. Yn ystod llawdriniaeth gyflym arall torrodd Liston fysedd ei gynorthwyydd a chôt rhywun oedd yn gwylio'r llawdriniaeth. Gan gredu ei fod wedi cael ei drywanu, dychrynodd hwnnw am ei fywyd a bu farw. Bu farw'r cynorthwyydd a'r claf ar ôl dal haint yn ystod y llawdriniaeth neu ar ward yr ysbyty. Roedd Liston yn gweithio'n gyflym iawn oherwydd doedd dim **anaesthetig**.

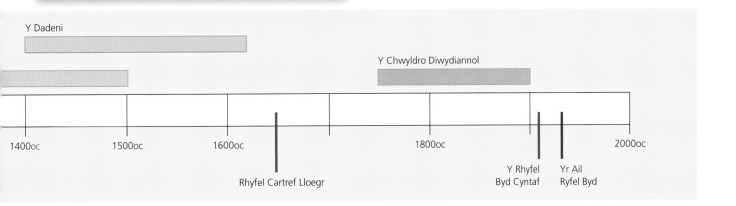

Y Dadeni

Y Chwyldro Diwydiannol

1400oc 1500oc 1600oc 1800oc 2000oc

Rhyfel Cartref Lloegr

Y Rhyfel Byd Cyntaf

Yr Ail Ryfel Byd

Trin pobl sâl

Ond hanner y frwydr yn unig yw penderfynu beth sy'n bod arnoch chi. Sut mae gwella pobl? Pa *driniaeth* dylai'r meddyg ei defnyddio i wella unrhyw afiechyd? Mae dewis mawr o driniaethau ar gael. Mae diwydiannau cyfan wedi datblygu er mwyn cynhyrchu meddyginiaethau, tabledi a thechnoleg i drin cleifion, ac i wneud elw o'r cyfan. Sut gall y meddyg neu'r arbenigwr benderfynu pa un yw'r driniaeth orau i'w defnyddio? Efallai y bydd rhywbeth sy'n gweithio'n dda i un person, ddim yn gweithio i berson arall. Hefyd, sut maen nhw'n penderfynu beth yw'r dos cywir ar gyfer pob achos unigol? Mewn geiriau eraill, sut maen nhw'n penderfynu ar y 'driniaeth' gywir?

Teimlo'n sâl yn yr ail ganrif ar bymtheg

Ar ddechrau 1685 roedd Siarl II yn teimlo'n sâl. Galwodd ar ei feddygon. Yn ôl rhai adroddiadau roedd 14 ohonyn nhw, a bydden nhw'n aml yn dadlau dros achos y salwch a sut i'w drin. Wrth gwrs, nhw oedd y meddygon gorau yn y wlad yn ôl pob sôn! Ar 2 Chwefror llewygodd Siarl felly roedd yn rhaid i'r meddygon benderfynu beth i'w wneud ag ef. Yn gyntaf fe wnaethon nhw ei waedu, gan gymryd dros 400 ml o waed o'i fraich dde. Gan nad oedd y brenin yn ymateb i'r driniaeth, fe wnaethon nhw gymryd 200 ml ychwanegol o waed, a rhoi cyfoglyn iddo, i wneud iddo chwydu. Roedd hwn yn gymysgedd o antimoni, chwerwon, halen, dail hocys, fioled, betys, blodau camomil, hadau ffenigl, had llin, sinamon, had cardamom, saffrwm, cochbryf ac aloewydd. Y syniad oedd y byddai hyn yn clirio unrhyw amhureddau o'i system. Y diwrnod canlynol fe wnaethon nhw gymryd mwy o waed (300 ml y tro hwn), a gofyn iddo garglo cymysgedd o ddŵr barlys a surop. Hefyd, cafodd mwy o garthyddion i glirio ei berfedd. Mae'n ymddangos mai'r driniaeth a roddwyd oedd tynnu gwaed yn barhaus, carthyddion a chyfoglynnau. Doedd dim syndod iddo fynd yn fwy a mwy gwan. Ni wnaeth ymateb i'r triniaethau a bu farw'r Brenin Siarl II ar fore 6 Chwefror.

Mae ymchwil diweddar yn awgrymu bod y Brenin Siarl II wedi marw oherwydd diffyg ar yr arennau, ac mae'n debyg bod hyn yn gysylltiedig â gowt. Roedd gowt yn glefyd cyffredin ymhlith y dosbarthiadau uchaf ar y pryd. Y driniaeth waethaf bosibl ar gyfer diffyg ar yr arennau yw gwaedu claf, felly mae'n ymddangos bod meddygon y Brenin Siarl yn gyfrifol i raddau helaeth am ei farwolaeth! Felly pam gwnaethon nhw ei waedu? Beth roedden nhw'n ceisio ei wneud? A oedd meddygon yr ail ganrif ar bymtheg mor dwp nad oedden nhw ddim yn gwybod beth oedd achos yr afiechydon roedden nhw'n eu trin? A yw'r sefyllfa yn wahanol heddiw? Mae meddygon heddiw yn dal i'w chael yn anodd gwybod beth yn union sy'n achosi rhai afiechydon, a'u trin yn effeithiol.

GWEITHGAREDD: GEIRIADUR BACH MEDDYGAETH

Wrth i chi weithio drwy'r llyfr hwn byddwch chi'n dod ar draws gwahanol berlysiau, meddyginiaethau, clefydau neu lawdriniaethau na fyddwch chi wedi clywed amdanyn nhw o'r blaen efallai. Pan fyddwch chi'n dod ar draws un o'r rhain, gwnewch eich gwaith ymchwil eich hun i ddarganfod mwy amdanyn nhw. Ysgrifennwch eich diffiniad eich hun ar gyfer pob un, ynghyd â nodiadau, i greu eich geiriadur bach eich hun o feddygaeth ar hyd yr oesoedd.

MEDDYLIWCH

1 Yn eich barn hi, a oedd meddygon y Brenin Siarl yn gwybod beth oedd *achos* ei afiechyd? Ydych chi'n meddwl bod ganddyn nhw syniad clir sut i *wella*'r afiechyd?

2 Pa mor debyg a pha mor wahanol yw'r ffyrdd mae meddygon Siarl a meddygon heddiw yn trin rhywun sydd yn teimlo'n sâl?

3 Yn eich barn chi, a yw'r dull o drin afiechyd wedi gwella, neu wedi gwaethygu, rhwng 1685 a heddiw? Esboniwch eich ateb.

Ond mae pobl yn fwy iach heddiw, yn dydyn nhw?

Byddech chi'n meddwl bod pobl yn fwy iach yn ein byd heddiw. Mae pobl yn bwyta'n well, yn cael prydau bwyd rheolaidd, yn cael mwy o incwm, mae cymaint mwy o fwyd ar gael, mae pawb yn byw mewn tai da a chynnes, mae pawb yn cael eu haddysgu i wneud dewisiadau iach. Oherwydd hynny, mae'n rhaid bod pobl yn fwy iach heddiw. Ond dydy pawb ddim yn cytuno.

Dannedd Pobl yn Fwy Iach yn Oes y Cerrig na Heddiw

(*Health Magazine*, 19 Chwefror 2013)

Roedd deiet yr oesoedd canol yn llawer mwy iach. Os oedden nhw'n llwyddo i oroesi'r pla a heintiau, mae'n bosibl y byddai pobl yr oesoedd canol wedi byw bywydau mwy iach na'u disgynyddion heddiw.

(Gwefan Newyddion y BBC, 18 Rhagfyr 2007)

Mae'r DU ymhlith y gwaethaf yng Ngorllewin Ewrop o ran nifer y bobl sydd dros eu pwysau ac sy'n ordew. Yn y DU, mae 67% o ddynion a 57% o fenywod naill ai dros eu pwysau neu'n ordew. Mae mwy na chwarter o blant hefyd dros eu pwysau neu'n ordew – 26% o fechgyn a 29% o ferched.

(*Guardian*, 29 Mai 2014)

Mae'r straeon uchod yn taflu amheuon ar y syniad bod pobl yn fwy iach heddiw nag erioed o'r blaen. Mae'r stori o *Health Magazine* yn seiliedig ar archwiliad archaeolegol o ddannedd. Cafwyd tystiolaeth bod llai o geudodau (*cavities*) mewn dannedd, llai o glefydau'r geg a llai o anhwylderau esgyrn nag sydd heddiw. Mae stori gwefan Newyddion y BBC yn seiliedig ar waith ymchwil i gofnodion canoloesol gan feddyg teulu o Swydd Amwythig. Mae stori papur newydd y *Guardian* yn seiliedig ar ystadegau GIG Lloegr. Ydy hi'n wir bod pobl heddiw yn llai iach na phobl yn yr oesoedd canol? Sut gallwn ni ymchwilio ymhellach i'r syniad hwn? Sut gallwch chi fesur a yw pobl yn fwy iach heddiw nag yn ystod cyfnodau cynharach mewn hanes?

Un ffordd o fesur hyn yw edrych ar ba mor hir mae pobl yn byw – os yw pobl yn byw'n hirach heddiw yna mae'n rhaid eu bod yn fwy iach?

Mae'r dystiolaeth yn eithaf amlwg o'r data. Mae dynion, ar gyfartaledd, yn byw ddwywaith yn hirach heddiw nag yn ystod amser yr Eingl-Sacsoniaid. Does bosibl bod hynny'n dweud wrthon ni fod dynion, o leiaf, yn fwy iach heddiw na 1000 o flynyddoedd yn ôl? Ond a fyddwn ni'n newid ein meddwl wrth ddefnyddio set arall o ddata ystadegol?

MEDDYLIWCH ?

1 Beth yw cryfderau ffigurau tebyg i'r rhai sy'n dangos oedran cyfartalog pobl yn marw?

2 Beth yw cyfyngiadau ffigurau o'r fath? Cofiwch, tan yn ddiweddar iawn roedd marwolaethau babanod mor uchel (yn aml doedd 33 y cant o blant ddim yn cyrraedd saith oed) roedd y ffigurau *cyfartalog* ar gyfer disgwyliad oes yn is.

3 Yn ôl y data yn y tabl, pryd oedd dynion Prydain y mwyaf iach? Sut rydych chi'n gwybod?

4 Yn ôl y data hyn, pryd oedd dynion Prydain y lleiaf iach? Sut rydych chi'n gwybod?

5 Yn eich barn chi, beth fydd taldra cyfartalog dynion Prydain yn:
a) 2100
b) 2200
c) 2500?

Cyfnod	Taldra cyfartalog dynion
Eingl-Sacsonaidd	5 troedfedd 6 modfedd (168 cm)
Normaniaid	5 troedfedd 8 modfedd (173 cm)
Yr oesoedd canol	5 troedfedd 8 modfedd (173 cm)
17eg ganrif	5 troedfedd 5 modfedd (165 cm)
Oes Fictoria	5 troedfedd 5 modfedd (165 cm)
20fed ganrif	5 troedfedd 8 modfedd (168 cm)
Heddiw	5 troedfedd 10 modfedd (178 cm)

▲ Tabl: Taldra cyfartalog dynion Prydain, wedi'i lunio o wahanol ffynonellau, ond data esgyrn yn bennaf

Eingl-Sacsonaidd   Yr oesoedd canol   Ail ganrif ar bymtheg   Oes Fictoria   1930au   1950au   Heddiw

▲ **Ffynhonnell A:** Pyramid bwyta'n iach llywodraeth Awstralia yn dangos cyfrannau'r grwpiau bwyd gwahanol mewn deiet iach

Gwneud synnwyr o'r holl ddata

Mae pobl yn byw'n hirach, ac yn tyfu'n dalach, o leiaf yn ôl y data sy'n cael eu dangos yma. A yw hynny'n golygu ein bod ni'n fwy iach? Mae'r ffigurau ar y dudalen flaenorol yn cyfeirio at ddynion yn unig, a chyfartaleddau ydyn nhw. Rhan o'r darlun yn unig yw'r ffigurau hyn felly. (Mae llawer llai o ddata ysgerbydol ar gyfer menywod, er enghraifft, felly does dim digon o wybodaeth ddibynadwy ar gael i lunio rhestr 'taldra' menywod ar gyfer y cyfnod rydyn ni'n ei astudio.) Heb ystyried cyfyngiadau'r data, rydyn ni'n wynebu cyfres o dystiolaeth wrthgyferbyniol; ar un llaw, mae rhywfaint o'r dystiolaeth yn awgrymu bod pobl yn fwy iach heddiw, ond ar yr un pryd mae rhywfaint o'r dystiolaeth yn awgrymu bod pobl yn byw'n hirach ond dydyn nhw ddim o reidrwydd yn fwy iach. Sut gallwn ni gysoni'r pos hwn, a dechrau dod i gasgliad?

Mae'n hawdd iawn cael data ar gyfer heddiw, neu'r ddwy ganrif ddiwethaf. Ers y cyfnod Fictoraidd mae'r llywodraeth wedi casglu llawer iawn o ddata am bob agwedd ar fywydau pobl. Ond sut mae dod o hyd i ddata ystyrlon o'r ail ganrif ar bymtheg, neu'r drydedd ganrif ar ddeg? A fyddai'n fwy defnyddiol i ni edrych ar farwolaethau plant, neu farwolaethau wrth eni plant, gan eu bod mor gyffredin ar hyd hanes? Pa agweddau eraill ar fywydau pobl gallen ni eu hystyried?

Heddiw mae pobl yn cael llawer iawn o gyngor ar sut i fyw bywyd mwy iach; yfed llai o alcohol, rhoi'r gorau i ysmygu, gwneud mwy o ymarfer corff, bwyta llai o siwgr a braster, ac ati. Bron pob wythnos mae'n ymddangos bod cyngor newydd yn cael ei roi er mwyn helpu pobl i ddelio â'u dewisiadau afiach o ran ffordd o fyw. Mae deiet newydd yn cael ei awgrymu o hyd. Un o'r diweddaraf yw 'Deiet Oes y Cerrig', lle gallwch chi fwyta a chadw'n heini fel helwyr-gasglwyr Oes y Cerrig.

MEDDYLIWCH ?

1. Allwch chi feddwl am unrhyw fesuriadau eraill gallen ni eu defnyddio er mwyn penderfynu a yw pobl yn fwy iach heddiw nag oedden nhw ganrifoedd yn ôl?
2. Ceisiwch ddarganfod beth byddech chi'n ei fwyta petai chi'n dilyn 'Deiet Oes y Cerrig'.
3. Os yw pobl yn fwy iach nag erioed o'r blaen, pam mae angen yr holl gyngor hyn arnyn nhw?
4. Pam mae pobl yr oes fodern mor ordew?
5. Pa fwydydd rydyn ni'n eu bwyta sy'n ddrwg i ni? Pwy sy'n penderfynu beth sy'n dda ac yn ddrwg?

GWEITHGAREDDAU ?

1. Ar eich fersiwn eich hun o'r tabl isod, cadwch 'ddyddiadur bwyd' am wythnos. Gwnewch nodyn o'r pethau rydych chi'n eu bwyta a phryd.

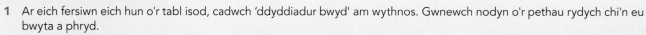

	Llun	Mawrth	Mercher	Iau	Gwener	Sadwrn	Sul
Bwyd brecwast							
Diod brecwast							
Bwyd cinio							
Diod cinio							
Bwyd swper							
Diod swper							
Byrbrydau							

2. Astudiwch y 'pyramid bwyta'n iach' yn Ffynhonnell A. Defnyddiwch liw gwahanol ar gyfer pob adran o'r pyramid, ac yna uwcholeuwch eich dyddiadur bwyd i ddangos faint o fwyd rydych chi'n ei fwyta o bob grŵp gwahanol.

3. Nawr defnyddiwch y pyramid i benderfynu a ydych chi'n bwyta'n iach neu beidio.

4. Os nad ydych chi'n bwyta'n iach, gwnewch restr i ddangos sut gallech chi newid eich deiet i'w wneud yn fwy iach.

Cadw'n lân

Rydych chi wedi darganfod yn barod, yn eich gweithgaredd llinell amser (gweler tudalennau 8–9), bod yr Hen Roegiaid yn amlwg yn gwybod am y cysylltiad rhwng glendid a bod yn iach. Felly pam roedd hi mor anodd i gadw'n lân ar hyd y rhan fwyaf o hanes?

Mae'r ateb yn debyg i'r rheswm pam roedd y rhan fwyaf o bobl yn yfed cwrw neu 'gwrw bach' yn lle dŵr – nid oherwydd eu bod nhw'n gaeth i alcohol ond oherwydd bod dŵr yn ddrud ac yn fudr iawn! Roedd yn gyffredin iawn i waredu gwastraff mewn afon ac yna yfed dŵr o'r un afon. Doedd dim llawer o gyfreithiau a rheoliadau iechyd. Roedd corfforaethau lleol (cynghorau) a meiri yn amharod i gymryd camau er mwyn darparu dŵr glân gan y byddai hynny'n costio arian, a gan fod y rhan fwyaf o bobl yn gymharol dlawd, y criw bach o'r bobl fwyaf cyfoethog fyddai wedi gorfod talu am hyn. Roedd yn rhaid i bobl nôl eu dŵr ble bynnag y gallen nhw. Ac roedd hynny'n aml yn golygu afon neu nant leol. Mae'n syndod faint o ymdrech roedd pobl yn ei wneud i geisio eu cadw eu hunain a'u tai yn lân. Roedd gan rai trefi faddondai cyhoeddus o ddechrau'r 1500au ac, wrth gwrs, os oeddech chi'n gyfoethog gallech chi gael eich cyflenwad dŵr preifat i'ch cartref.

Mae pawb yn cael eu trin yr un peth heddiw, yn dydyn nhw?

Os ydych chi'n sâl, yna o dan y Gwasanaeth Iechyd Gwladol (GIG) mae gan bawb hawl cyfartal i dderbyn gofal, o leiaf mewn egwyddor. Os ydych chi'n gyfoethog neu'n dlawd, yn byw yn y dref neu yng nghefn gwlad, yn ifanc neu'n hen, rydych chi'n cael eich trin gan y GIG. Fodd bynnag, ystyriwch y pennawd papur newydd hwn, o fis Ionawr 2015, sy'n tynnu sylw at yr anghyfartaledd yng ngofal canser. Mae'n debyg nad yw cleifion mewn ardaloedd difreintiedig weithiau'n cael cystal triniaeth â'r hyn sydd ar gael mewn ardaloedd cyfoethog.

> ### Adroddiad yr Archwilydd Cenedlaethol yn tynnu sylw at y bwlch rhwng y cyfoethog a'r tlawd a allai atal 20,000 o farwolaethau y flwyddyn
> (*Daily Mirror*, 15 Ionawr 2015)

A oedd y sefyllfa yr un peth yn y gorffennol? A oedd pawb yn cael y driniaeth briodol os oedden nhw'n gallu talu amdani neu beidio? Rydyn ni wedi gweld yn barod fod y Brenin Siarl II wedi cael ei drin yn wahanol iawn i unrhyw glaf heddiw, ac mae'n debyg iawn fod ganddo ddigon o arian i dalu am ofal meddygol.

Pa mor llwyddiannus fyddai eich triniaeth chi?

Byddai'r rhan fwyaf o feddygon heddiw yn synnu'n fawr os na fyddai eu 'triniaethau' ar gyfer gwahanol afiechydon yn gweithio. Efallai y byddai'n cymryd peth amser i ddod o hyd i'r dos cywir, neu'r feddyginiaeth gywir, ond fel arfer, yn y rhan fwyaf o achosion, mae cleifion yn gwella. Mae rhai afiechydon yn fwy tebygol o achosi marwolaeth nag eraill. Er enghraifft, mae cyfraddau gwella rhai mathau o ganser yn dal i fod yn isel iawn. Ond mae afiechydon eraill oedd ar un adeg yn lladd pobl, fel y frech goch, wedi cael eu dileu'n llwyr i bob pwrpas.

Ffynhonnell B: Clefydau oedd yn lladd ar ddiwedd yr ugeinfed ganrif ym Mhrydain

- Canser
- Clefyd y galon
- Clefyd resbiradol (er enghraifft, ffliw)
- Clefyd yr afu/iau
- Dementia/clefyd Alzheimer
- Damweiniau

MEDDYLIWCH ?

1 Pam roedd hi mor anodd i'r rhan fwyaf o bobl gadw'n lân ar hyd y rhan fwyaf o hanes?

2 Ydych chi'n cytuno bod pobl yn fwy iach heddiw nag yr oedden nhw mewn cyfnodau eraill mewn hanes?

3 Astudiwch Ffynhonnell B.
   a) Yn eich barn chi, pa glefydau yw'r 'clefydau hen bobl'?
   b) Yn eich barn chi, pa glefydau yw'r 'clefydau pobl ifanc'?
   c) Yn eich barn chi, pa glefydau yw'r clefydau 'ffordd o fyw' neu glefydau 'byw'n fras'?
   ch) Yn eich barn chi, pa glefydau oedd yn lladd pobl flynyddoedd yn ôl?

1 Achosion afiechyd a chlefydau

Mae'r bennod hon yn canolbwyntio ar y cwestiwn allweddol: Beth oedd achosion afiechyd a chlefydau dros amser?

Nid yn annisgwyl, doedd pobl yr oesoedd canol ddim yn deall achosion y rhan fwyaf o glefydau. Mae'n bosibl mai newyn a rhyfel oedd prif laddwyr y cyfnod hwn. Roedd cynhaeaf gwael a achoswyd gan sychder neu lifogydd, tywydd rhy boeth neu rhy oer, yn golygu diffyg maeth i lawer. Ac mae pobl sy'n dioddef o ddiffyg maeth yn dal clefydau yn haws. Roedd dysentri, teiffoid, y frech wen a'r frech goch yn gyffredin iawn. Mae rhai haneswyr yn amcangyfrif bod tua 10 y cant o boblogaeth Cymru a Lloegr ar ddechrau'r bedwaredd ganrif ar ddeg wedi marw o'r clefydau hyn. Roedd geni plant yn amser peryglus iawn i fenywod, ac mae'n debygol bod 30 y cant o blant wedi marw cyn eu bod yn saith oed. Fodd bynnag, efallai mai tlodi oedd y lladdwr mwyaf. Mae'r bennod hon yn archwilio sut mae achosion clefydau yn newid yn ystod y cyfnod, ond yn aros yr un fath hefyd i raddau annisgwyl.

TASG FFOCWS

Wrth i chi weithio drwy'r bennod hon, lluniwch gerdyn 'Achos afiechyd a chlefyd' ar gyfer pob achos rydych chi'n dod ar ei draws. Ar y cerdyn, rhowch bwyntiau bwled i ddangos yr effaith gafodd hyn. Bydd angen y cardiau hyn arnoch chi ar gyfer y penodau sy'n dilyn. Mae'r un cyntaf wedi'i wneud i chi.

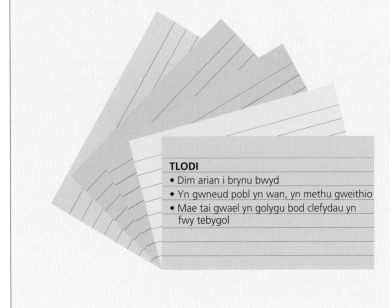

TLODI
- Dim arian i brynu bwyd
- Yn gwneud pobl yn wan, yn methu gweithio
- Mae tai gwael yn golygu bod clefydau yn fwy tebygol

Problemau yn yr oesoedd canol – tlodi, newyn a rhyfela

Tlodi

Roedd y rhan fwyaf o bobl yng Nghymru a Lloegr yn yr oesoedd canol yn dibynnu ar y caeau i gael eu bwyd. Roedd cynhaeaf gwael yn golygu llwgu neu newynu; roedd cynhaeaf da yn golygu digon o fwyd ac weithiau rhywfaint dros ben i'w werthu i'r bobl oedd yn byw yn y trefi. Erbyn 1300 roedd poblogaeth Cymru a Lloegr tua 4.75 miliwn, y nifer mwyaf erioed o bosibl. Cafwyd 30 mlynedd o gynaeafau da. Roedd y rhan fwyaf o bobl yn byw yn y wlad ac yn gweithio ym myd amaethyddiaeth. Efallai fod gan 25 y cant o deuluoedd gwledig ddigon o dir i'w cynnal eu hunain, ond doedd gan lawer o bobl ddim digon. Doedd gan lawer o bobl ddim tir o gwbl. Amcangyfrifir bod 40 y cant o deuluoedd gwledig yn gorfod prynu rhywfaint neu'r cyfan o'u bwyd. Weithiau roedd yn rhaid gweithio am gyflog yn ogystal â gweithio ar y fferm er mwyn ennill digon o arian i fyw. Gan fod tirfeddianwyr yn cau mwy a mwy o dir ar gyfer defaid – roedd llawer o gyfoeth y wlad yn dod o'r fasnach wlân – roedd yn anodd dod o hyd i waith â thâl.

Felly roedd y rhan fwyaf o bobl yn byw ar y llinell dlodi neu'n agos ati, ac yn bwyta bara a photes, math o stiw oedd yn cael ei wneud o ffa, pys a cheirch, ac yn cynnwys perlysiau neu ychydig o gig neu bysgod os oedd rhywfaint ar gael. Byddai pobl yn bwyta cwningod, cyw iâr a physgod weithiau, ond roedd cosbau llym am botsio. Roedd cynhaeaf gwael yn golygu amseroedd anodd i lawer o bobl. Byddai'r rhan fwyaf o anifeiliaid yn cael eu lladd yn yr hydref oherwydd diffyg bwyd ar eu cyfer yn y gaeaf. Roedd marwolaethau plant yn uchel a diffyg maeth yn gyffredin, hyd yn oed mewn blwyddyn dda.

Newyn

Roedd newyn yn ddigwyddiad rheolaidd, ond roedd yn lladd mwy o bobl ar rai adegau na'i gilydd. Gallai gaeafau caled a hafau gwlyb ac oer ddifetha'r gwaith plannu a chynaeafu, gan adael llawer o bobl yn newynu. Cafwyd yr achos gwaethaf o newyn yng Nghymru a Lloegr rhwng 1315–17, pan amcangyfrifir bod hyd at ddeg y cant o'r boblogaeth wedi marw. Roedd sôn am achosion (heb eu cadarnhau) o ganibaliaeth, a chafodd llawer o blant eu gadael gan rieni oedd yn methu eu bwydo. Yn ystod newyn yng Nghaer rhwng 1437 ac 1449, cofnodwyd bod gwerinwyr wedi gorfod defnyddio pys i wneud bara. Pan fyddai'r cnydau yn methu roedd llawer o bobl yn wan oherwydd diffyg maeth a doedd ganddyn nhw ddim egni i weithio ar y tir. Yn ystod cyfnodau o newyn, roedd yn rhaid i bobl ladd eu ceffylau a'u hanifeiliaid fferm i gael bwyd yn ogystal â bwyta hadau grawn roedd eu hangen ar gyfer cynhaeaf i wneud yn iawn am y diffyg blaenorol. Felly, hyd yn oed ar ôl i'r tywydd wella gallai effaith newyn barhau am nifer o flynyddoedd.

MEDDYLIWCH

1 Beth oedd prif effeithiau newyn?
2 Pam roedd y tlodion mor agored i ddioddef o newyn?

Rhyfela canoloesol

Mae gwaith cloddio archaeolegol ar safleoedd canoloesol yn dangos cyrff â chlwyfau heb eu gwella a wnaed gan gleddyf neu fwyell. Roedd madredd (*gangrene*) yn y clwyfau yn aml iawn. Ar ddechrau'r cyfnod canoloesol roedd byddinoedd yn eithaf bach ac felly doedd dim llawer o bobl yn marw mewn brwydrau. Tua diwedd y cyfnod, roedd byddinoedd yn llawer mwy. Ym Mrwydr Townton, yn 1461, amcangyfrifir bod rhwng 22,000 a 28,000 o filwyr wedi cael eu lladd wrth ymladd. Roedd rhyfeloedd hefyd yn beryglus os oeddech chi mewn tref, dinas neu gastell dan warchae. Os oeddech chi'n dal eich tir am amser hir neu'n gwrthod galwadau i ildio, unwaith y byddai'r fyddin ymosodol yn torri i mewn byddai'r trigolion yn aml yn cael eu lladd neu'n cael eu gyrru i ffwrdd heb ddim. Yn olaf, ceisiodd y rhan fwyaf o fyddinoedd canoloesol ddarparu ar eu cyfer eu hunain wrth deithio ar draws y wlad. Roedd angen llawer iawn o wellt, grawn a bwyd. Gallai brenhinoedd canoloesol gipio beth bynnag roedden nhw'n ei ddymuno – gan addo talu'n ddiweddarach fel arfer, ond doedd llawer ohonyn nhw ddim yn gwneud – ac felly roedd pentrefi, ffermydd a threfi yn aml yn cael eu gadael heb ddigon o fwyd. Pan fyddai byddin yn teithio drwy eich ardal chi, gallai eich tŷ gael ei roi ar dân, gallai eich da byw neu eich cnydau gael eu dwyn. Roedd milwyr canoloesol yn cael eu talu'n afreolaidd felly roedden nhw wedi arfer eu helpu eu hunain i fwyd!

Marwolaethau damweiniol

Roedd damweiniau yn gyffredin ac yn aml yn angheuol fel yn achos Maud Fras, er enghraifft, a laddwyd yn ddamweiniol gan garreg fawr a ollyngwyd ar ei phen yng Nghastell Trefaldwyn yng Nghymru yn 1288. Yn Aston, Swydd Warwick ym mis Hydref 1387, cwympodd Richard Dousyng pan dorrodd cangen o'r goeden roedd wedi ei dringo. Glaniodd ar y ddaear, gan dorri ei gefn, a bu farw yn fuan wedyn. Neu achos Johanna Appulton a gwympodd i'r ffynnon wrth iddi dynnu dŵr yn Coventry ym mis Awst 1389. Roedd gwas wedi gweld y ddamwain a rhedodd draw i'w helpu, ond wrth gynnig help llaw cwympodd ef i'r ffynnon hefyd. Clywodd trydydd unigolyn yr helynt ac aeth draw i gynnig cymorth – ond cwympodd ef i'r ffynnon hefyd – a boddwyd y tri.

Roedd storio cnydau dros y gaeaf yn achosi problemau hefyd. Er enghraifft, achoswyd 'Clefyd Sant Anthony' gan ffwng oedd yn tyfu ar ryg a storiwyd mewn amodau llaith. Ar ôl i'r rhyg gael ei falu i wneud blawd a'i bobi yn fara, byddai'r rhai oedd yn ei fwyta yn datblygu brech boenus ar y croen a hyd yn oed yn marw mewn rhai achosion.

▲ Ffynhonnell A: Llythyr addurnedig canoloesol yn dangos rhywun yn cael ei grogi

MEDDYLIWCH

1 Yn eich barn chi, pam roedd pobl ifanc mewn cymaint o berygl o farw oherwydd iechyd gwael yn yr oesoedd canol?

2 Pa un o'r clefydau oedd yn lladd pobl yn yr oesoedd canol sydd yn dal i fod yn beryglus heddiw?

3 A oedd taith byddin ganoloesol yn fwy peryglus i'r milwyr, neu i'r pentrefwyr hynny roedd y milwyr yn croesi eu tiroedd?

4 Astudiwch Ffynhonnell A. Pam byddai llyfr gweddi addurnedig yn dangos rhywun yn cael ei grogi?

Beth roedd pobl yr oesoedd canol yn ei feddwl oedd yn eu gwneud nhw'n sâl?

Yn ystod y cyfnod hwn, roedd pobl yn credu bod pob math o bethau yn achosi afiechyd.

Duw

Roedd crefydd yn chwarae rhan enfawr ym mywydau'r rhan fwyaf o bobl, felly does dim syndod bod pobl yn credu bod gan Dduw ran i'w chwarae yn lledaeniad clefydau. Byddai Cristnogion Eingl-Sacsonaidd yn aml yn beio Duw am afiechydon a chlefydau, gan ddweud ei fod yn atgoffa pobl o'r angen i fyw bywyd da. Os oedd pobl yn byw bywyd pechadurus, yna ffordd Duw o'u cosbi am eu pechodau oedd rhoi afiechyd cas iddyn nhw. Ac os oedd y gymdeithas gyfan yn bechadurus, neu'n gwyro oddi ar lwybr cywir ffydd a chyfarwyddyd y Pab, yna roedd epidemig neu bla yn wobr deg, a anfonwyd gan Dduw, i atgoffa pobl o'u dyletswyddau i'r eglwys.

Arogleuon drwg

Dechreuodd rhai pobl sylwi bod cysylltiad rhwng clefydau a gwynt drwg, neu arogleuon drwg. Roedd mwy o farwolaethau yn y trefi a'r dinasoedd nag yn yr ardaloedd gwledig. Roedd pobl yn byw yn agosach at ei gilydd, wrth ymyl eu hanifeiliaid a'u budreddi. Yn ôl teithwyr, gallech chi arogli tref ymhell cyn i chi ei gweld. Felly, doedd hi ddim yn syndod bod llawer o bobl yn credu bod clefydau yn cael eu lledaenu gan arogleuon drwg a fyddai'n heintio cymdogion a ffrindiau.

Bywyd bob dydd

Roedd y rhan fwyaf o bobl yn credu bod afiechyd a marwolaeth cynnar yn anorfod. Gan gofio bod cymaint o blant wedi marw cyn eu bod yn saith oed, roedd yn ymddangos yn eithaf naturiol mewn sawl ffordd. Hefyd, roedd geni plant yn amser peryglus iawn i fenywod a phe bai gwraig yn marw, roedd disgwyl i'r dyn ailbriodi er mwyn rhoi mam newydd i'w blant. Roedd rhyfela a newyn yn digwydd yn aml. Roedd bywyd bob dydd yn ansicr.

Y goruwchnaturiol

Defnyddiwyd dirgelwch, hud a'r goruwchnaturiol gan rai pobl i esbonio digwyddiadau annisgwyl. Awgryma sagâu y Llychlynwyr fod llawer o bobl yn credu bod clefydau yn cael eu hachosi gan hud, neu gan goblynnod ac ysbrydion hyd yn oed. Roedd pobl yn ofni dewiniaeth ac roedd llawer yn credu bod y byd yn llawn demoniaid oedd yn ceisio achosi drygioni a marwolaeth. Roedd yn hawdd beio unrhyw glefydau neu helyntion annisgwyl ar y goruwchnaturiol, yn enwedig gan fod yr eglwys yn portreadu bywyd fel brwydr rhwng 'da' a 'drwg'.

Y pedwar gwlybwr

Heb os, y gred fwyaf gyffredin oedd bod pobl yn sâl oherwydd anghydbwysedd yn y *pedwar gwlybwr*. Roedd pob meddyg yn cytuno â Hippocrates a Galen bod afiechyd yn cael ei achosi gan anghydbwysedd yn y pedwar gwlybwr. Roedd gan bob meddyg siart oedd yn dangos pa afiechydon fyddai'n cael eu hachosi gan bob gwlybwr. Bydden nhw'n ei ddefnyddio ochr yn ochr â siart y Sidydd (*Zodiac chart*) oedd yn dangos yr amser gorau i drin afiechydon, cynllunio llawdriniaeth neu hyd yn oed gasglu'r perlysiau ar gyfer y feddyginiaeth. (Gweler Pennod 4 am fwy o wybodaeth am y pedwar gwlybwr a siart y Sidydd.)

GWEITHGAREDDAU

1 Yn eich barn chi, pa rai yw'r esboniadau gorau ar y dudalen hon ar gyfer achosion afiechyd? Rhowch nhw yn eu trefn ar hyd llinell fel hon:

Esboniad gorau   Esboniad gwaethaf

2 Gwnewch y gweithgaredd unwaith eto, ond y tro hwn dangoswch pa esboniadau fyddai'n fwyaf tebygol o argyhoeddi pobl yr oesoedd canol. Allwch chi esbonio unrhyw wahaniaethau?

Diffyg hylendid yn yr oesoedd canol a'r cyfnod modern cynnar

GWEITHGAREDD

Edrychwch yn ofalus ar y llun hwn o Lundain yn 1347. Mae rhai o'r pethau oedd yn gwneud bywyd yn afiach wedi'u nodi mewn blwch testun. Mae rhai pethau heb eu nodi. Gwnewch restr o'r holl bethau y gallwch chi eu gweld.

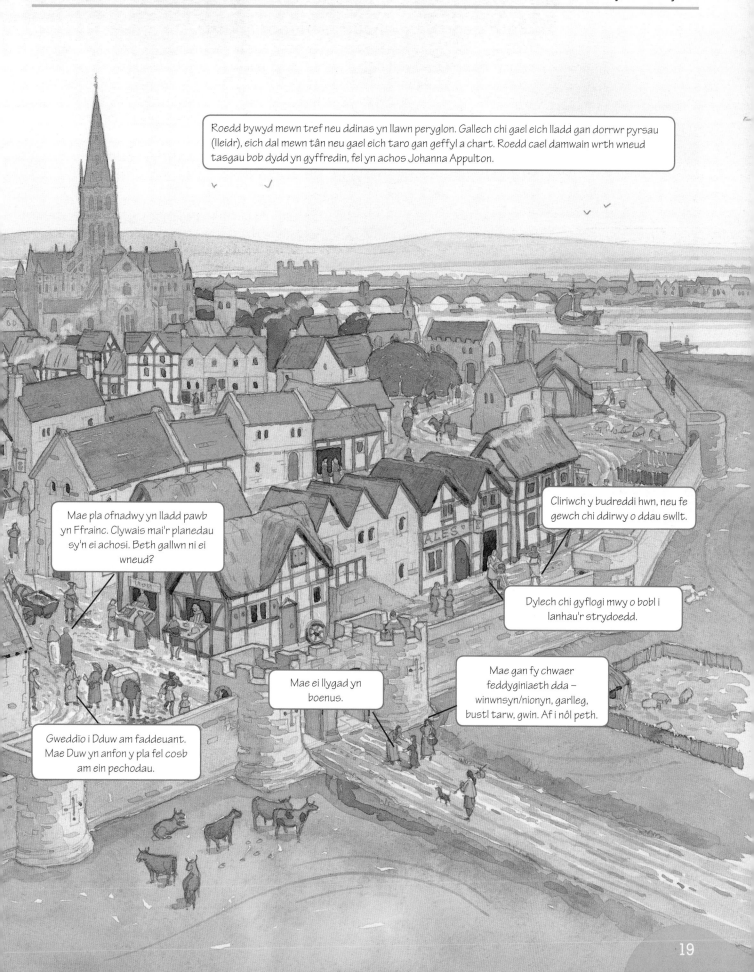

Beth oedd yn gwneud trefi mor afiach?

Yn yr oesoedd canol roedd trefi yn llawer llai na heddiw, ac roedd llai ohonyn nhw, eto i gyd roedden nhw'n lleoedd afiach iawn. Doedd dim llawer o reoliadau na chyfyngiadau ar yr hyn y gallech chi ei adeiladu na'r hyn na allech chi ei adeiladu. Byddai tai yn agos iawn at ei gilydd heb gyfleusterau glanweithdra digonol. Roedd gwelliannau yn dibynnu ar y gorfforaeth oedd yn rhedeg y dref ac roedd y rhan fwyaf o'r rhain eisiau cadw costau mor isel â phosibl.

▲ Ffynhonnell B: Tref ganoloesol, o'r cylchgrawn *Look and Learn* yn 1976

Roedd bywyd mewn tref neu ddinas yn llawn peryglon. Gallech chi gael eich lladd gan dorrwr pyrsau, neu gael eich taro gan geffyl a chart. Gallech chi gael eich dal mewn tân. Roedd tanau yn lledaenu'n gyflym iawn gan fod y rhan fwyaf o'r tai wedi'u hadeiladu o bren â thoeau gwellt.

Roedd tai yn afiach hefyd. Roedd lloriau yn cael eu gorchuddio â gwellt neu frwyn ac ni fydden nhw'n cael eu newid yn aml iawn. Roedd hwn yn berffaith i lygod mawr, llygod, llau a chwain fridio – y lle delfrydol i ledaenu clefydau a heintiau. Doedd dim llawer o ffenestri, a byddai'n rhaid i'r mwg o'r tân – oedd yn hanfodol ar gyfer coginio – ddod allan drwy dwll yn y to. Pobl gyfoethog yn unig oedd â ffenestri gwydr a simneiau, felly roedd cartrefi yn dywyll a myglyd – ddim yn iach o gwbl!

Roedd y trefi yn afiach oherwydd bod cymaint o bobl yn byw mor agos at ei gilydd. Doedd dim llawer o reoliadau yn ymwneud ag adeiladu neu waredu gwastraff. Roedd dŵr glân yn brin, ac yn aml iawn roedd yn dod o afonydd a nentydd oedd wedi'u halogi â gwastraff. Byddai cigyddion yn dod ag anifeiliaid byw i'r dref neu'r ddinas i'w lladd – roedd hyn yn golygu bod yn rhaid cael gwared ar y gwastraff rhywsut. Roedd diwydiannau fel y diwydiant trin lledr wedi'u lleoli gerllaw, gan greu arogl gwastraff. Doedd dim 'parthau' mewn trefi – roedd diwydiant a thai yn gymysg, ar draws ei gilydd. Doedd dim biniau sbwriel na chasglwyr sbwriel – byddai'n pentyrru yn y strydoedd nes i'r glaw ei olchi i ffwrdd. Byddai carthbyllau (*cesspits*) weithiau'n cael eu cloddio wrth ymyl ffynhonnau, gan olygu bod y naill yn llygru'r llall – neu byddai'r carthbwll yn cael ei wagio'n anaml – roedd yn rhaid talu pobl i gario'r gwastraff i ffwrdd.

Roedd anifeiliaid ym mhobman – ceffylau ar gyfer cludiant, ac roedden nhw'n creu tomenni o dail bob wythnos; neu foch yn crwydro o amgylch yn bwyta sbarion cyn cael eu lladd. Doedd dim carthffosydd, felly byddai gwastraff y cartref yn cael ei daflu i'r stryd a'i adael i bydru. Os oeddech yn anlwcus, gallai cynnwys y pot piso a ddefnyddiwyd yn y nos gael ei daflu drwy ffenestr llofft wrth i chi fynd heibio. Roedd yn anodd cadw bwyd yn ffres, felly roedd yn rhaid siopa am fwyd bob dydd a byddai perchenogion siopau yn ceisio gwerthu bwyd oedd yn dechrau llwydo yn hytrach na'i daflu. Doedd hi ddim yn hawdd cael gafael ar ddŵr i ymolchi a golchi dillad, felly doedd pobl ddim mor lân ag y gallen nhw fod. Roedd dŵr yfed hefyd yn brin, felly byddai'r rhan fwyaf o bobl yn yfed 'cwrw bach' yn hytrach na mentro yfed y dŵr. Roedd yr hyn oedd yn dderbyniol yng nghefn gwlad neu mewn pentref bach yn berygl bywyd yn y dref. Roedd clefydau yn lledaenu'n gyflym. Does dim rhyfedd bod pobl feddygol yn credu mai arogleuon drwg oedd yn gyfrifol am ledaenu clefydau!

MEDDYLIWCH

1 Yn eich barn chi, pam roedd trefi mor afiach yn yr oesoedd canol?

2 Sut roedd hyn yn achosi afiechydon a chlefydau?

3 Edrychwch ar Ffynhonnell B. Nodwch yr holl beryglon iechyd sydd i'w gweld yn y llun hwn. Allwch chi ddod o hyd i o leiaf chwech?

4 I ba raddau mae Ffynhonnell B yn cyd-fynd â'r testun ar y dudalen hon? Pa un sy'n cynnig y dehongliad gorau o drefi canoloesol – Ffynhonnell B neu'r testun? Pam?

Astudiaeth achos o'r Pla Du: beth mae'r clefyd hwn yn ei ddweud wrthon ni am achosion clefydau yn yr oesoedd canol?

Yn 1348 cyrhaeddodd llong borthladd Melcombe, Dorset, gan gludo'r Pla Du gyda hi. Mae'n rhaid bob pobl yn gwybod bod y pla ar ei ffordd gan ei fod wedi lledaenu ar draws y byd hysbys o Asia. Cafodd effaith drychinebus. Mewn rhai mannau, dinistriwyd pentrefi cyfan. Mae haneswyr yn anghytuno ynglŷn â faint yn union o bobl gafodd eu lladd gan epidemig 1348–49, ond mae amcangyfrifon yn amrywio o 50 i 66 y cant o boblogaeth Prydain.

Yn ôl y bobl, beth oedd wedi achosi'r Pla Du?

Y gwirionedd yw nad oedd pobl ar y pryd yn gwybod llawer o gwbl am achosion iechyd gwael, ond roedd ganddyn nhw sawl damcaniaeth! Dyma rai o'r awgrymiadau am achosion y Pla Du yn Lloegr.

Mae arogleuon drwg, o'r toiled gorlawn neu fwyd wedi pydru, yn llygru'r aer.

Doedd dim cydbwysedd ym mhedwar gwlybwr pob un o'r rhai a fu farw.

Gall y planedau esbonio'r cyfan. Mae Sadwrn mewn cysylltiad â Mawrth ac Iau ac mae hynny bob amser yn arwydd drwg.

Mae Duw yn flin wrthon ni – does dim digon o bobl wedi bod yn mynd i'r eglwys neu'n ymddwyn yn iawn.

Mae mwg anweledig yn lledaenu ar draws y wlad.

Mae pobl wedi bod yn gwisgo dillad crand, newydd a thynnu sylw at eu cyfoeth. Mae hyn wedi gwneud Duw yn flin iawn ac felly mae wedi anfon pla, fel y gwnaeth yn ystod cyfnod y Beibl, er mwyn ein dysgu sut i ymddwyn yn well.

Roedd daeargryn enfawr yn China yn 1347. Dechreuodd y Pla Du yn China yn 1347.

Mae'r Iddewon wedi gwenwyno'r ffynhonnau a'r tarddellau.

Mae'n bwysig cofio bod haneswyr heddiw yn dal i ddadlau am union achosion y Pla Du. Y farn gyffredinol yw ei fod yn bla biwbonig oedd yn cael ei gario gan lygod mawr. Fodd bynnag, mae eraill yn awgrymu ei fod yn cael ei ledaenu drwy gysylltiad agos rhwng pobl. Dydy archaeolegwyr ddim wedi dod o hyd i lawer o esgyrn llygod mawr, gan awgrymu nad llygod mawr oedd yn cario'r pla, ac mae'r ffaith bod mwy o farwolaethau yn y gaeaf yn awgrymu y gallai'r Pla Du fod yn rhywbeth hollol wahanol i bla biwbonig. Os ydyn ni'n ei chael yn anodd deall beth achosodd y clefyd, yna pa obaith oedd gan bobl yr oesoedd canol o ddeall achos clefyd mor heintus a sut i'w drin yn effeithiol?

> **MEDDYLIWCH** ❓
>
> A yw rhai o'r achosion hyn yn eich synnu? Os felly, pam?

Effaith y Pla Du ar Gymru

Erbyn 1349, roedd y Pla Du wedi cyrraedd Cymru ac ar ôl dechrau yn y de-orllewin, lledaenodd yn gyflym ar draws y wlad. Mae haneswyr yn credu bod dros un rhan o dair o boblogaeth Cymru (tua 100,000 o bobl) wedi marw o ganlyniad i'r pla ac mewn rhai achosion, cafodd rhai aneddiadau (*settlements*) eu gadael yn gwbl wag. Lledaenodd y clefyd yn gyflym ar draws Cymru:

■ Credir mai ym mhorthladd fasnachol Hwlffordd ar arfordir Sir Benfro, tref â chysylltiadau masnachol â Bryste, y gwelwyd yr achos cyntaf o'r pla. Bu farw dros hanner poblogaeth y dref, gan arwain at leihad sylweddol o ran masnach a gadael rhannau mawr o'r dref yn gwbl wag.

■ Yn fuan wedyn, effeithiwyd ar drefi cyfagos Penfro a Chaerfyrddin, oedd hefyd â chysylltiadau morol â Bryste. Yn achos Caerfyrddin, cafodd y pla effaith ddifrifol ar fasnach y dref, canslwyd y ffeiriau a doedd dim modd casglu trethi o'r melinau, pysgodfeydd a'r marchnadoedd.

■ Yn y de-ddwyrain, cafodd tref Caldicot ei tharo'n wael, ac roedd ganddi hi hefyd gysylltiadau agos â Bryste.

■ Ymhen ychydig fisoedd, roedd y pla wedi taro aneddiadau yng Ngogledd Cymru; yn Negannwy yn Sir Gaernarfon bu farw'r holl **daeogion**, ac yn Nantconwy lle'r oedd 147 o daeogion cyn y pla, 47 yn unig oedd yno wedyn. Lle bynnag roedd y clefyd yn mynd, roedd llawer iawn o bobl yn marw (gweler Ffynhonnell C).

■ Cafodd y pla effaith ddifrifol iawn ar drefi marchnad Rhuthun a Dinbych yn y gogledd-ddwyrain yn benodol (gweler Ffigur 1.1).

■ Effeithiwyd yn wael iawn ar y cymunedau mwyngloddio plwm gerllaw Treffynnon yn Sir y Fflint ac mae cofnodion ariannol Siambrlen Caer yn cofnodi gostyngiad dramatig yn y refeniw oedd yn ddyledus i Iarll Caer o'r trethi. Cyn 1348 roedd arglwyddiaeth Tegeingl yn cynhyrchu incwm o dros 100 swllt o'r trethi ond 4 swllt yn unig a gasglwyd ar ôl 1349, ac yn ôl y cofnodion roedd hyn oherwydd bod 'y rhan fwyaf o'r mwynwyr yno wedi marw, ac mae'r rhai sydd wedi goroesi yn gwrthod gweithio yno'.

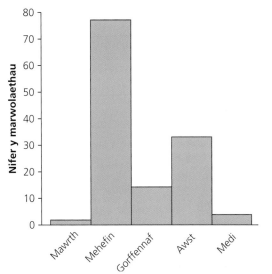

▲ **Ffigur 1.1:** Graff yn dangos nifer y marwolaethau o'r pla yn nhref Rhuthun yn ystod 1349

Ffynhonnell C: Detholiad o gerdd o'r bymthegfed ganrif gan Llywelyn Fychan o'r enw 'Haint y Nodau' [Y Pla Du]

'Haint y Nodau'

Nid oes drugaredd, gwedd gwiw,
gan y nod, gwenwyn ydiw.

Y nod a ddug eneidiau
y dillynion mwynion mau.

Trist y'm gwnaeth, trwy arfaeth trais,
ac unig, neur fawr gwynais.

Dwyn Ieuan wiwlan ei wedd
ymlaen y lleill naw mlynedd;
ac weithian fu'r twrn gwaethaf,
oera' swydd yn aros haf,
dihir fy nghol a'm gofeg:

dwyn Morfudd, dwyn Dafydd deg,
dwyn Ieuan, llond degan lu,
dwyn â didawddgwyn Dyddgu,
a'm gadaw, frad oerfraw fryd,
yn freiddfyw mewn afrwyddfyd.

Astudiaeth achos: Pentref canoloesol diffaith Cosmeston

Roedd pentref canoloesol bach Cosmeston ger Penarth ym Mro Morgannwg yn enghraifft nodweddiadol o faenor Normanaidd. Adeiladwyd y pentref o amgylch maenordy a godwyd yn y ddeuddegfed ganrif gan y teulu Normanaidd, de Costentin. Roedd yno nifer o dai cerrig bach â thoeau gwellt lle'r oedd tua 100 o bobl yn byw. Roedd llawer o'r gwerinwyr yn byw mewn adeiladau un-ystafell, lle byddai'r teulu cyfan yn coginio, bwyta a chysgu. Roedd rhai o'r ffermydd gerllaw yn cynnwys tai hir lle byddai'r ffermwr a'i deulu yn rhannu'r tŷ gyda'u hanifeiliaid. Byddai gardd gan bawb lle byddai llysiau fel cennin, winwns/nionod, garlleg, pys, ffa a pherlysiau yn tyfu. Roedd tŷ odyn yn y pentref hefyd lle'r oedd odyn ar gyfer sychu grawn y cynhaeaf a ffwrn i bobi bara.

Credir bod mwyafrif y pentrefwyr wedi marw yn ystod Pla Du 1348–49 neu yn ystod achos diweddarach o'r pla, gan adael Cosmeston yn bentref canoloesol diffaith.

▲ Ffynhonnell CH: Yn dilyn cloddiad archaeolegol yn yr 1970au, cafodd pentref canoloesol diffaith Cosmeston ei ail-greu i edrych fel pentref yn 1350

MEDDYLIWCH

1 Pa ffactorau gallwch chi eu nodi i esbonio:
   a) sut gwnaeth y Pla Du gyrraedd Cymru yn 1349
   b) sut lledaenodd y pla ar draws Cymru yn ystod 1349?

2 Pa mor ddefnyddiol yw Ffynhonnell CH i hanesydd sy'n astudio effaith y Pla Du?

3 Defnyddiwch Ffigur 1.1 a'r hyn rydych chi'n ei wybod i ddisgrifio sut gwnaeth dyfodiad y Pla Du effeithio ar Gymru.

4 Diolch i waith archaeolegwyr a haneswyr, mae pentref canoloesol Cosmeston wedi cael ei ail-greu i edrych fel pentref yn 1350. Gan weithio mewn parau, meddyliwch am rai o'r dadleuon sy'n gallu cael eu cyflwyno i gyfiawnhau ail-greu safleoedd fel hyn.

Bod yn sâl yn yr ail ganrif ar bymtheg

Y clefydau oedd yn lladd y nifer mwyaf o bobl yn yr ail ganrif ar bymtheg oedd: 'twymyn, darfodedigaeth, dannedd, poenau yn y bol, a ffitiau'. Mae'r disgrifiadau eu hunain yn dweud wrthon ni cyn lleied roedd meddygon a llawfeddygon yn ei ddeall am achosion clefydau, heb sôn am sut i'w gwella. Dydy'r clefydau hyn ddim mor wahanol â hynny i'r clefydau oedd yn lladd llawer o bobl yn yr unfed ganrif ar bymtheg neu'r bymthegfed ganrif, neu o ran hynny, yn ystod cyfnodau cynharach.

MEDDYLIWCH

1 Edrychwch yn ofalus ar fil marwolaethau Llundain, Chwefror 1664 (Ffynhonnell D). Pa glefydau
   a) sy'n lladd y nifer mwyaf o bobl
   b) sy'n lladd y nifer lleiaf o bobl?

2 Sut mae'r rhestr hon wedi newid ers yr oesoedd canol?

3 Beth sydd wedi digwydd i boblogaeth Llundain yn ystod yr wythnos 21–28 Chwefror 1664? Beth mae hyn yn ei ddweud wrthon ni am ba mor iach oedd bywyd yn Llundain?

4 Pam mae'r bil marwolaethau yn cyfeirio at 'y pla'? Beth oedd effaith y pla yn ystod yr wythnos honno?

The Diseases and Casualties this Week.

Disease	Count
Imposthume	1
Infants	7
Kingsevill	1
Mouldfallen	1
Kild accidentally with a Carbine, at St. Michael Wood-street	1
Overlaid	1
Abortive	2
Aged	32
Rickets	9
Bleeding	1
Rising of the Lights	2
Childbed	5
Rupture	2
Chrisoms	9
Scalded in a Brewers Mash, at St. Giles Cripplegate	1
Collick	1
Scurvy	4
Consumption	65
Spotted Feaver	2
Convulsion	41
Stilborn	13
Cough	5
Stopping of the Stomach	11
Dropsie	43
Suddenly	1
Drowned at S Kathar. Tower	1
Surfeit	7
Feaver	47
Teeth	27
Flox and Small-pox	15
Tissick	12
Flux	3
Ulcer	1
Found dead in the Street at Stepney	1
Vomiting	1
Winde	1
Griping in the Guts	15
Wormes	1

Christned { Males — 121, Females — 111, In all — 232 }
Buried { Males — 195, Females — 198, In all — 393 } Plague · 0

Decreased in the Burials this Week — 69
Parishes clear of the Plague — 130   Parishes Infected — 0

The Assize of Bread set forth by Order of the Lord Maior and Court of Aldermen, A penny Wheaten Loaf to contain Eleven Ounces, and three half-penny White Loaves the like weight.

▲ Ffynhonnell D: Bil marwolaethau wythnosol, Llundain, 21–28 Chwefror 1664

Astudiaeth achos o Lundain yn 1665: beth mae'r Pla yn ei ddweud wrthon ni am newidiadau ym marn pobl am sut roedd clefyd yn cael ei achosi?

Roedd y pla yn effeithio ar drefi a dinasoedd mawr yn aml iawn. Yn 1604, bu farw 30 y cant o boblogaeth Efrog yn ystod achos o'r pla. Yn 1665 bu farw tua 100,000 o bobl o'r pla yn Llundain. Roedd hynny'n cyfrif am tua 25 y cant o'r boblogaeth. Effeithiwyd ar drefi a dinasoedd eraill hefyd, er enghraifft Eyam yn Swydd Derby. Gwnaeth y rhan fwyaf o feddygon ffoi am eu bywydau. Gadawodd y bobl gyfoethog y dinasoedd a mynd i'w tai yn y wlad nes i'r pla ddiflannu, ond mewn sawl achos arweiniodd hynny at ledaenu'r pla i leoedd newydd. Mae astudio'r pla a barn pobl am yr hyn oedd yn ei achosi, yn rhoi cyfle gwych i ni benderfynu beth oedd wedi newid rhwng yr achos o'r Pla Du yn 1348–49 a'r Pla yn 1665.

Beth roedd pobl ar y pryd yn ei feddwl oedd wedi achosi'r pla?

Y gwirionedd yw nad oedd pobl yn y cyfnod modern cynnar yn gwybod llawer iawn am achosion y pla, ond roedd ganddyn nhw sawl damcaniaeth. Isod mae llun o feddyg y pla yn gwisgo'r wisg amddiffynnol a gynlluniwyd gan Charles de Lorme yn yr Eidal yn 1619.

MEDDYLIWCH

1 Edrychwch yn ofalus ar ddillad ac offer meddyg y pla yn Ffigur 1.2. Beth maen nhw'n ei ddweud wrthoch chi am yr hyn roedd pobl ar y pryd yn ei feddwl oedd wedi achosi'r Pla?

2 Edrychwch unwaith eto ar dudalen 21 i weld beth roedd pobl ym Mhrydain yr oesoedd canol yn ei feddwl oedd wedi achosi'r Pla Du yn 1348.

3 Ar sail eich gwaith ar y bennod hon, pa rai o'r achosion hyn, yn eich barn chi, roedd pobl yn 1665 yn dal i gredu oedd yn achosi'r Pla?

Ffon

Côn trwyn yn llawn perlysiau persawrus

Gwydr lliw pinc ym mwgwd yr wyneb

Mwgwd

Het gadarn ag ymyl lydan

Gwisg drwchus iawn â chwyr arni

Esgidiau cadarn

Menig trwchus

Amwled (gemwaith i gadw ysbrydion drwg draw) wedi ei guddio o dan lewys y got

◄ Ffigur 1.2: Meddyg y pla yn gwisgo gwisg amddiffynnol a gynlluniwyd gan Charles de Lorme yn yr Eidal yn 1619

MEDDYLIWCH ?

1 Edrychwch ar Ffynhonnell DD. Ceisiwch ddychmygu sut beth fyddai byw yn un o'r tai hyn. Sut rydych chi'n cadw'n lân a thaclus? O ble rydych chi'n cael eich dŵr? Ble rydych chi'n mynd i'r toiled? Pa mor debygol yw hi y bydd eich dillad ar y lein yn sychu neu'n aros yn lân? Beth fyddai'n digwydd petai eich cymydog yn cael ei daro'n wael?

2 I ba raddau mae ysgythriad Doré yn cyd-fynd â'r holl dystiolaeth sydd gennym o'r cyfnod Fictoraidd am fywyd yn y trefi newydd?

3 Beth oedd y 'clefydau oedd yn lladd' yn y bedwaredd ganrif ar bymtheg?

4 Sut daeth swyddi diwydiannol ag achosion newydd o afiechyd a chlefydau?

5 Pa mor debyg, a pha mor wahanol, oedd achosion afiechyd a chlefydau yn nhrefi'r oesoedd canol ac yn y trefi diwydiannol newydd?

Effeithiau diwydiannu ac achosion o golera a theiffoid yn y bedwaredd ganrif ar bymtheg

A oedd y trefi diwydiannol newydd yn lleoedd mor wael â hynny i fyw ynddyn nhw?

Roedd pobl oes Fictoria yn wych am gasglu data, ac mae hyn o gymorth mawr wrth geisio darganfod sut roedd bywyd yn y trefi diwydiannol. Er enghraifft, rydyn ni'n gwybod bod y bobl gyfoethocaf yn Bethnal Green, Gorllewin Llundain, yn 1842 yn byw tan eu bod yn 45 oed ar gyfartaledd, ond roedd labrwyr yn byw tan eu bod yn 16 oed yn unig. Ym Manceinion ar yr un adeg, roedd 57 y cant o blant yn marw cyn eu bod yn bump oed. Mae arolygon cymdeithasol o'r cyfnod yn dangos bod teuluoedd cyfan yn aml yn byw mewn un ystafell, neu mewn seler oedd mewn perygl o gael llifogydd; byddai llawer o blant yn rhannu gwely ac roedd sawl teulu yn rhannu toiledau a chyflenwad dŵr. Gallen ni ddefnyddio llawer o ystadegau eraill, ond mae'r enghreifftiau hyn yn dweud wrthon ni bod y trefi diwydiannol newydd yn lleoedd diflas iawn i fyw ynddyn nhw.

Roedd clefydau cyffwrdd-ymledol, fel teiffoid, teiffws, dolur rhydd, y frech wen, twbercwlosis, twymyn goch, y pas, y frech goch a brech yr ieir, i gyd yn lledaenu'n gyflym iawn mewn amodau mor wael a gorlawn. Doedd dim rhyfedd bod 57 y cant o blant wedi marw cyn eu bod yn bump oed. Ond efallai mai'r hyn sy'n amlygu pa mor wael oedd yr amodau oedd yr achosion o'r llech (*rickets*), oedd yn cael ei alw yn 'Glefyd Seisnig' yn y bedwaredd ganrif ar bymtheg. Clefyd esgyrn niweidiol yw hwn sy'n gyffredin ymhlith babanod. Mae'n cael ei achosi gan ddiffyg calsiwm, awyr iach a golau haul, ac mae'n ddangosydd amlwg o ddiffyg maeth.

Peryglon newydd bywyd diwydiannol

Yn ogystal â'r gorlenwi roedd nifer o glefydau diwydiannol newydd hefyd. Roedd bechgyn ifanc a orfodwyd i ddringo simneiau yn dod i gysylltiad â huddygl a nwyon. Sylwodd Percivall Pott, llawfeddyg o Loegr, ar sawl achos o ganser ceillgydol ymhlith y bechgyn hyn. Datblygodd merched ifanc oedd yn gwneud matsis mewn ffatrïoedd ar draws Llundain gyflwr o'r enw 'phossy-jaw' a achoswyd gan nwyon o'r ffosfforws a roddwyd ar bennau'r matsys. Byddai rhannau o'u gên yn pydru, neu'n goleuo yn wyrdd neu'n wyn yn y tywyllwch. Gallai hyn achosi niwed i'r ymennydd hefyd. Datblygodd glowyr niwmoconiosis, clefyd oedd yn effeithio ar yr ysgyfaint, ar ôl iddyn nhw anadlu llwch o dan ddaear. Doedd dim giardiau ar y peiriannau yn y ffatrïoedd tecstilau newydd fel arfer, a byddai dwylo a breichiau yn aml yn cael eu dal yn y peiriannau. Doedd dim llawer o reoliadau i reoli amodau gwaith felly roedd damweiniau yn gyffredin, doedd dim iawndal a dim llawer o obaith o ddod o hyd i waith arall.

▲ **Ffynhonnell DD:** Ysgythriad gan Gustave Doré o ran o Lundain yn 1872

Dyfodiad colera

Efallai mai'r hyn oedd yn achosi'r pryder mwyaf ar y pryd oedd epidemigau colera 1831–32, 1848, 1854 ac 1866. Haint bacteriol yw colera sy'n cael ei achosi drwy yfed dŵr neu fwyd wedi'i halogi. Roedd yn tarddu o Bengal, India, a lledaenodd yn araf ar draws y llwybrau masnach, yn debyg iawn i'r Pla Du yn 1347. Roedd pobl yn gwybod ei fod ar ei ffordd, ond roedden nhw'n gobeithio na fyddai'n cyrraedd. Ar y pryd, doedd neb yn gwybod beth oedd yn achosi colera, na sut i'w drin.

Ffynhonnell E: Marwolaethau o golera yn y DU	
1831–32:	50,000
1848:	60,000
1854:	20,000

▲ Ffynhonnell F: Hysbysiad a gyhoeddwyd yn Limehouse yn 1866 yn rhoi cyngor ynglŷn â sut i ddelio â cholera

Teiffoid

Haint bacteriol yw teiffoid sy'n cael ei ledaenu gan bobl drwy ddŵr a bwyd wedi'u halogi neu ysgarthion. Mae'n cael ei achosi gan ddiffyg glanweithdra a glendid, yn enwedig diffyg golchi dwylo a dillad. Roedd wedi lladd pobl ers cyfnod yr Hen Roegiaid, ac roedd yn gyffredin iawn ymhlith byddinoedd. Roedd y dinasoedd diwydiannol newydd, lle'r oedd yn anodd iawn cadw'n lân a chael cyflenwad dŵr glân, yn lle perffaith ar gyfer teiffoid ac roedd yn endemig – yn bresennol drwy'r amser bron iawn. Doedd gan y clefyd hwn ddim parch at swydd na safle. Yn 1861 bu farw'r Tywysog Albert, gŵr y Frenhines Fictoria, o deiffoid. Roedd wedi dal y clefyd o'r draeniau yng Nghastell Windsor.

Roedd achos o'r clefyd teiffoid yn Maidstone, Caint yn 1897–98. Daliodd dros 1800 o bobl, o boblogaeth o 34,000, y clefyd a bu farw 132. Hwn oedd yr epidemig unigol mwyaf o'r clefyd ym Mhrydain hyd heddiw. Cofnodwyd dros 200 achos yn yr wyth diwrnod cyntaf yn unig. Llethwyd y gwasanaethau meddygol lleol; anfonwyd am feddygon a nyrsys o rannau eraill o'r wlad er mwyn trin y clefyd. Yn y pen draw, canfuwyd bod y clefyd yn tarddu o gronfa ddŵr gerllaw – Cronfa ddŵr Borming – oedd yn cyflenwi'r dref. Ar ôl cau'r gronfa ddŵr llwyddwyd i reoli'r afiechyd.

▲ Ffynhonnell FF: Medal a gyflwynwyd i nyrsys a fu'n gweithio yn Maidstone 1897–98

MEDDYLIWCH

1 Astudiwch Ffynhonnell F. Pa gyngor mae'n ei roi i bobl sy'n meddwl eu bod yn dioddef o golera?

2 Sut mae'r cyngor hwn yn cymharu â syniadau cyfoes am ledaeniad y clefyd?

3 Edrychwch ar Ffynhonnell FF. Yn eich barn chi, pam cafodd medalau eu rhoi i'r nyrsys oedd yn trin teiffoid yn Maidstone?

4 Beth mae hynny yn ei ddweud wrthon ni am farn pobl ar y pryd am:
a) nyrsys a
b) teiffoid?

Epidemigau colera yng Nghymru

Yn ystod misoedd yr haf yn 1832, 1849, 1854 ac 1866, cafodd Cymru ei heffeithio'n ddifrifol gan achosion o golera a laddodd gannoedd o bobl. Yn ystod epidemig 1832, tref ddiwydiannol Merthyr Tudful gafodd ei heffeithio fwyaf a chofnodwyd 160 marwolaeth yno; dioddefodd Abertawe hefyd, ac yno bu farw 152 o bobl. Yn y gogledd-ddwyrain cofnodwyd 47 marwolaeth yn nhref farchnad Dinbych a 49 marwolaeth yn nhref ddiwydiannol Treffynnon. Fodd bynnag, epidemig 1849 gafodd yr effaith fwyaf dramatig.

Colera yn cyrraedd Caerdydd, 1849

Roedd haf hir a phoeth 1849 yn berffaith er mwyn i golera fridio. Oherwydd y sychder doedd dim cyflenwadau dŵr ffres ac roedd yn rhaid i bobl ddefnyddio ffynonellau dŵr llai diogel, fel afonydd a chamlesi wedi'u heintio.

Cofnodwyd yr achos cyntaf o epidemig 1848–49 yng Nghymru yng Nghaerdydd ar 13 Mai 1849. Erbyn dechrau Mehefin, roedd y clefyd wedi lledaenu'n eang a chofnodwyd 14 marwolaeth o golera ar 7 Mehefin. Cyrhaeddodd ei anterth ym mis Awst pan fu farw 91 o bobl, ac erbyn i'r clefyd ddiflannu ym mis Tachwedd roedd dros 396 o bobl wedi marw ar ôl ei ddal (gweler Ffynhonnell G). I ddarllen mwy am achosion o golera yng Nghaerdydd yn y bedwaredd ganrif ar bymtheg, gweler Pennod 7.

Colera yn cyrraedd Merthyr Tudful, 1849

Yn ystod misoedd yr haf yn 1849, lledaenodd colera yn gyflym iawn y tu hwnt i Gaerdydd i gymoedd De Cymru. Effeithiwyd yn ddifrifol ar dref ddiwydiannol Merthyr Tudful, lle bu farw'r nifer mwyaf o bobl o'r clefyd yng Nghymru a Lloegr: cofnodwyd dros 1682 o farwolaethau erbyn mis Tachwedd y flwyddyn honno.

Cofnodwyd yr achos cyntaf yn y dref ar 21 Mai yn Heol-y-Giller pan heintiwyd plentyn pedair oed. Cyflwynodd y **Bwrdd Gwarcheidwaid** fesurau i lanhau'r dref ond ni chafodd eu hymdrechion lawer o effaith. Fel yn achos Caerdydd, cyrhaeddodd yr haint ei hanterth ym mis Awst, ac ni ddiflannodd yn llwyr tan fis Tachwedd (gweler Ffynhonnell G).

Doedd dim ysbyty ym Merthyr ar y pryd, ond agorodd y meistr haearn Josiah John Guest loches ar gyfer pobl iach a fferyllfa nos ar gyfer pobl oedd yn dioddef o golera lle'r oedd yn bosibl cael meddyginiaeth am ddim.

Ffynhonnell G: Cyfraddau misol marwolaethau colera a gofnodwyd yng nghynghorau dosbarth Caerdydd a Merthyr Tudful rhwng Mai a Thachwedd 1849

	Mai	Mehefin	Gorffennaf	Awst	Medi	Hydref	Tachwedd
Caerdydd	39	135	69	91	55	3	1
Merthyr Tudful	16	349	539	548	190	37	3

Ffynhonnell NG: Darn o ddyddiadur yr Arglwyddes Charlotte Guest, dyddiedig 31 Gorffennaf 1849

Mae'n ddrwg gennyf ddweud bod yr adroddiadau am y clefyd colera yn Nowlais (ardal o Ferthyr) yn wael iawn. Maen nhw tu hwnt i unrhyw beth roeddwn yn gallu eu dychmygu: weithiau bydd mwy nag ugain o bobl yn marw mewn diwrnod, ac mae wyth o ddynion yn brysur yn gwneud coffinau drwy'r amser. Mae Miss Diddams druan, athrawes yn yr ysgol fabanod, wedi marw. Mae un o'r cynorthwywyr meddygol a anfonwyd o Lundain yn marw, ac mae'r holl le mewn cyflwr truenus. Rwyf yn gofidio'n fawr am yr amodau yn fy nghartref truenus.

Colera yn lledaenu i rannau eraill o Gymru

Fel y mae Ffynhonnell H yn ei ddangos, nid Caerdydd a Merthyr Tudful yn unig a ddioddefodd yn sgil epidemig colera 1849. Effeithiwyd yn ddifrifol ar drefi eraill yn Ne Cymru fel Caerfyrddin, Llanelli, Castell-nedd ac Abertawe. Er na chafodd cymaint o bobl eu lladd yn y Gogledd, cofnodwyd 42 marwolaeth ym mhorthladd Caergybi, a 46 a 35 o farwolaethau yn nhrefi diwydiannol Treffynnon a'r Fflint, yn y drefn honno.

Ffynhonnell H: Marwolaethau colera a gofnodwyd mewn trefi ar draws Cymru yn ystod 1849

Casnewydd	209	Ystradgynlais	107
Pont-y-pŵl	61	Dosbarth Llanelli	45
Tredegar	203	Abertawe	262
Aberystwyth	223	Caerfyrddin	102
Crucywel	95	Y Trallwng	34
Caerdydd	396	Y Drenewydd	6
Castell-nedd	245	Treffynnon	46
Margam	241	Y Fflint	35
Maesteg	33	Caernarfon	16
Pen-y-bont ar Ogwr	50	Caergybi	42
Dosbarth Merthyr	1,682	Amlwch	22

MEDDYLIWCH

1 Pa ffactorau gallwch chi eu nodi er mwyn helpu i esbonio pam roedd epidemig colera yng Nghaerdydd a Merthyr Tudful yn 1849?

2 Defnyddiwch y wybodaeth yn Ffynonellau G, NG ac H, yn ogystal â'r hyn rydych chi'n ei wybod, i ddisgrifio effaith yr epidemig colera ar Gaerdydd a Merthyr Tudful yn 1849.

3 Yn eich barn chi, pam roedd cymaint o ofn colera ar bobl oes Fictoria?

▲ Ffynhonnell I Cerrig beddau pobl fu farw o golera yng Nghymru

Lledaeniad clefydau bacteriol a firol yn ystod yr ugeinfed ganrif

Yn yr ugeinfed ganrif parhaodd clefydau bacteriol a firol i ledaenu. Mae'r achosion o'r ffliw ar ôl y Rhyfel Byd Cyntaf ac ymddangosiad AIDS yn fwy diweddar yn ddwy enghraifft o hyn. (Gallwch chi ddysgu mwy am sut mae bacteria yn achosi clefydau ar dudalen 44).

Astudiaeth achos: ymweliad 'Arglwyddes Sbaen' yn 1918–19. A oedd yn fwy dinistriol na'r Pla Du?

Yn 1918 lledaenodd **pandemig** ffliw ar draws byd a oedd wedi ei lethu gan ryfel. Amcangyfrifir bod 20-40 miliwn o bobl wedi marw o ganlyniad. Roedd yn straen difrifol iawn, oedd wedi esblygu o ffliw adar a tharddu o China yn ôl pob sôn. Mae'n debyg iddo heintio 20 y cant o boblogaeth y byd, gan ladd pobl rhwng 20 a 40 oed yn bennaf. Yn y lle cyntaf roedd pobl yn credu ei fod yn ganlyniad rhyfela biolegol yr Almaenwyr, neu'n effaith rhyfela am gyfnod mor hir yn y ffosydd a'r defnydd o nwy mwstard. Yr hyn sy'n amlwg yw bod symud cymaint o filwyr yn 1918 ar ddiwedd y Rhyfel Byd Cyntaf wedi helpu i ledaenu'r clefyd yn gyflym ar draws y byd. Yna wrth i'r milwyr ddychwelyd i'w cartrefi, roedden nhw'n lledaenu'r clefyd ymhlith sifiliaid.

Yn y Deyrnas Unedig (DU) cyflwynodd y llywodraeth sensoriaeth wrth adrodd am ledaeniad yr haint, mewn ymgais i atal panig, ond rhoddwyd caniatâd i'r papurau newydd adrodd am y saith miliwn o farwolaethau yn Sbaen, gan esbonio'r enw a roddwyd i'r clefyd: ffliw Sbaen neu 'Arglwyddes Sbaen'. Gallai ymweliad gan yr 'Arglwyddes' fod yn angheuol: yn ôl pob sôn, gallai pobl oedd yn berffaith iach amser brecwast fod yn farw erbyn amser te. Lledaenodd yn gyflym iawn ymhlith poblogaeth oedd yn wan a blinedig ar ôl y rhyfel, ond doedd neb yn gwybod pam. Roedd y symptomau yn eithaf cyffredinol yn y lle cyntaf: cur pen, dolur gwddf a diffyg chwant bwyd. Roedd y bobl oedd yn gwella yn gwella'n gyflym, felly cafodd y salwch ei alw'n 'Twymyn Tridiau' i ddechrau. Doedd yr ysbytai ddim yn gallu ymdopi. Mewn ychydig fisoedd bu farw tua 280,000 o bobl yn y DU, dynion a menywod ifanc yn bennaf. Bu farw hyd at 20 y cant o'r rhai oedd wedi eu heintio. Roedd milwyr o Awstralia yn aros yn Sutton Veny yn Wiltshire rhwng 1915 ac 1919, ac roedd ysbyty milwrol yno. Mae rhan o'r fynwent bellach yn safle Comisiwn Beddau Rhyfel y Gymanwlad. Bu farw sawl milwr o Awstralia yn ystod yr epidemig ffliw ac maen nhw wedi eu claddu yno.

Ffynhonnell J: Cân sgipio plentyn, 1918–19

I had a little bird,

it's name was Enza.

I opened a window

and in-flu-enza

MEDDYLIWCH ?

1 A yw hi'n iawn cymharu pandemig ffliw 1918–19 â'r Pla Du (gweler tudalen 21)?

2 Beth gallwn ni ei ddysgu o'r pandemig ffliw am achosion afiechyd a chlefydau yn yr ugeinfed ganrif?

Ffynhonnell L: Cerrig beddau milwyr o Ganada a fu farw yn yr epidemig ffliw, Eglwys St Margaret, Bodelwyddan, Sir Ddinbych ▶

Astudiaeth achos: y frwydr yn erbyn AIDS

Cafodd AIDS, neu syndrom diffyg imiwnedd caffaeledig, ei adnabod gyntaf yn UDA yn 1981. Sylwodd meddygon fod llawer iawn o ddynion cyfunrywiol yn marw o achosion nad oedd yn hawdd eu hadnabod. Bu'n rhaid aros tan 1983 i wyddonwyr ddarganfod bod haint firol yn ymosod ar y system imiwnedd sy'n amddiffyn y corff rhag clefydau. Ers hynny mae AIDS, yn ôl rhai awdurdodau, wedi dod yn bandemig gan ledaenu ar draws y byd fel y Pla Du neu golera. Erbyn 2014 amcangyfrifwyd bod 40 miliwn o bobl ar draws y byd wedi marw o AIDS, a bod 40 miliwn ychwanegol yn byw gyda'r clefyd. Yn y DU mae dros 100,000 o bobl, pobl ifanc yn bennaf, yn byw gydag AIDS a chredir nad oes gan 25 y cant ohonyn nhw ddim syniad eu bod yn dioddef o'r clefyd.

Y gred yw bod AIDS wedi tarddu o brimatiaid yng nghanolbarth Affrica a'i fod wedi lledaenu i'r bobl yno ar droad yr ugeinfed ganrif. Dydy pobl ddim yn marw o AIDS, ond yn hytrach maen nhw'n marw o heintiau cyffredin, fel annwyd, gan nad yw'r system imiwnedd gwan yn gallu ymladd heintiau. Mae AIDS, fel arfer, yn cael ei achosi drwy'r ffyrdd hyn: cael rhyw heb ddiogelwch gyda gwryw neu fenyw sy'n dioddef o'r clefyd; rhannu nodwydd hypodermig; trallwysiad gwaed wedi'i halogi; ac o fam i'w phlentyn yn ystod beichiogrwydd neu fwydo ar y fron. Mae Freddie Mercury, prif ganwr y band roc Queen, yn un o nifer o bobl enwog sydd wedi marw o'r clefyd.

Fel y gallwch chi weld, mae AIDS yn glefyd sy'n cael ei gysylltu â ffordd o fyw yr oes fodern. Mae rhyw a chyffuriau yn chwarae rhan bwysig o ran lledaenu AIDS yn y DU ac ar draws y byd, ond nid dyna'r unig reswm. Mewn gwledydd lle mae ymddygiad rhywiol yn cael ei reoli'n fwy caeth, mae llai o achosion o AIDS. Mae llai o bobl ag AIDS mewn cymunedau mwy ynysig hefyd.

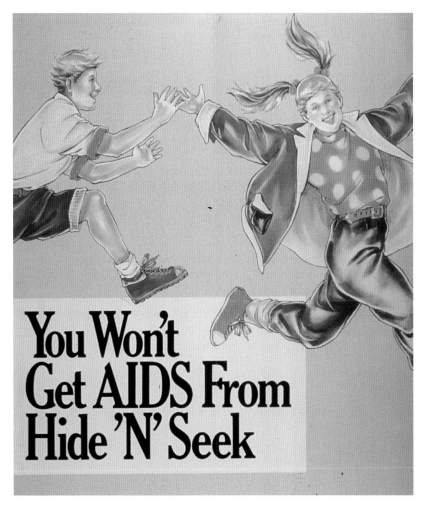

You Won't Get AIDS From Hide 'N' Seek

◀ Ffynhonnell LL: Poster AIDS o'r 1980au

MEDDYLIWCH

1 Pa neges mae Ffynhonnell LL yn ceisio ei chyfleu?

2 Ym mha ffordd mae'r neges hon yn debyg ac yn wahanol i negeseuon gafodd eu rhoi am y Pla Du (tudalen 21)?

Ymateb i AIDS

Mae'r swigod siarad isod yn dangos rhai o'r ffyrdd mae pobl wedi ymateb i ledaeniad AIDS.

Os byddwn yn edifarhau am ein pechodau byddwn yn cael gwellhad llwyr.

Mae AIDS yn gosb gan Dduw am ein ffordd o fyw bechadurus.

Dylai pobl sy'n dioddef o AIDS gael eu cadw ar wahân i'r gymuned fel na allan nhw achosi niwed i eraill.

Gallwch ddal AIDS drwy gyffwrdd ag eraill.

Mae pobl eraill wedi dangos tosturi ac wedi sefydlu elusennau i drin dioddefwyr a cheisio dod o hyd i ffyrdd o wella'r clefyd. Mae llywodraethau a sefydliadau rhyngwladol, fel **Sefydliad Iechyd y Byd**, wedi gwario miliynau o bunnoedd ar ymgyrchoedd codi ymwybyddiaeth mewn ymgais i arafu lledaeniad y clefyd. O ystyried yr amrywiaeth o ymatebion, a yw ein hagweddau at glefydau wedi newid rhyw lawer dros y 1000 o flynyddoedd diwethaf?

Mae AIDS yn cael ei ystyried fel clefyd cyfoes sy'n cyfateb i'r Pla Du, colera neu ffliw Sbaen, yn lledaenu'n ddidrugaredd ar draws y byd, gan adael miliynau yn farw yn ei sgil. Ond ai dyma'r sefyllfa mewn gwirionedd? Beth fyddech chi'n gallu ei wneud er mwyn osgoi cael y Pla Du, colera neu ffliw Sbaen? Dim llawer. Doedd gan yr epidemigau hyn ddim parch i oedran, dosbarth na rhyw. Mae AIDS yn *wahanol*. Mae'n cael ei ledaenu mewn ffordd sydd wedi cael ei nodi'n glir ac sy'n bosibl ei hosgoi. Mae rhai pobl yn dadlau nad oes *angen* i unrhyw un ddal AIDS. Hynny yw, mae pobl yn 'dewis' ffordd o fyw penodol sy'n golygu eu bod yn fwy tebygol o ddal yr haint. Hefyd, rydyn ni'n gwybod sut i atal AIDS rhag lledaenu. Yn 1918, 1831–32 neu 1348 doedd gan neb unrhyw syniad sut i atal yr epidemigau hynny rhag lledaenu.

Mae rhai pobl yn ystyried bod stori AIDS yn un besimistaidd. Bydd clefydau ac epidemigau newydd yn dod i'r amlwg bob amser, a fydd gwyddoniaeth a thechnoleg ddim bob amser yn gallu eu rheoli. Mae rhai pobl yn tynnu llun 'apocalyptaidd' o ddiwedd y byd lle bydd cymdeithas yn cael ei dinistrio gan epidemigau.

Mae eraill yn ystyried AIDS mewn ffordd fwy gadarnhaol. Ydy, mae'n epidemig sydd wedi lladd miliynau o bobl, ond mae llywodraethau a sefydliadau rhyngwladol yn cydweithio'n galed er mwyn rheoli lledaeniad y clefyd a byddan nhw'n dod o hyd i ffordd o'i wella.

GWEITHGAREDDAU

1 Lluniwch ddwy restr: un yn rhestru pob tebygrwydd rhwng AIDS a'r epidemigau eraill rydych chi wedi'u hastudio, a'r llall yn rhestru'r holl wahaniaethau rhwng AIDS a'r epidemigau eraill.
2 Cymharwch y ddwy restr. Pa gasgliadau gallwch chi eu gwneud?

AILYMWELD Â'R DASG FFOCWS

1 Eich tasg ffocws oedd llunio cerdyn 'achos afiechyd a chlefyd' ar gyfer pob achos gwnaethoch chi ddod ar ei draws wrth weithio drwy'r bennod hon.

2 Cymerwch eich cardiau 'achos afiechyd a chlefyd' a'u trefnu yn gategorïau – sef, yr achosion *pwysicaf*, a'r rhai lleiaf pwysig yn eich barn chi.

3 Aildrefnwch eich cardiau 'achos afiechyd a chlefyd' yn ôl y cyfnod roedden nhw bwysicaf – er enghraifft, efallai mai'r pla oedd y pwysicaf yn yr oesoedd canol ond nid heddiw.

4 Pa *batrymau* gallwch chi eu gweld yn yr achosion afiechyd a chlefydau?

5 Edrychwch unwaith eto ar 'clefydau oedd yn lladd ar ddiwedd yr ugeinfed ganrif ym Mhrydain' (Ffynhonnell B, tudalen 13), ym mhennod Stori Fawr y llyfr hwn. Lluniwch gardiau 'achos afiechyd a chlefyd' ar gyfer pob un o'r clefydau hyn hefyd.

6 Sut mae achosion afiechyd a chlefydau wedi newid o'r oesoedd canol hyd heddiw?

GWEITHGAREDDAU

Drwy gydol hanes, tlodi yw un o brif achosion afiechyd a chlefydau. A ydych chi'n cytuno?

1 Gan weithio mewn parau, paratowch nodiadau ar gyfer dadl ddosbarth ynglŷn ag achosion afiechyd a chlefydau. Gall un ohonoch chi wneud nodiadau yn cytuno mai tlodi oedd y prif achos, gall y llall baratoi nodiadau yn awgrymu rhesymau eraill.

2 Ar ôl i chi baratoi eich nodiadau, ymunwch ag eraill sy'n cytuno â chi, ac ewch ati i baratoi set o nodiadau rydych chi'n cytuno arnyn nhw. Rhannwch eich dadleuon yn ddau gategori, 'prif ddadleuon' a 'mân ddadleuon', ac yna dewiswch ddau siaradwr i gyflwyno eich syniadau i weddill y dosbarth.

3 Ar ôl y ddadl gall y dosbarth cyfan benderfynu ai tlodi oedd prif achos afiechyd a chlefydau neu beidio.

CRYNODEB O'R TESTUN

- Yn ystod y rhan fwyaf o'r cyfnod hwn, doedd pobl ddim yn gwybod neu ddim yn deall beth oedd llawer o achosion clefydau.

- Drwy gydol y cyfnod, roedd tlodi ac amodau byw gwael yn helpu i achosi afiechyd a chlefydau.

- Mae damweiniau yn parhau i fod yn brif achos afiechyd, clefydau a marwolaethau.

- Roedd trefi yn aml yn fwy afiach nag ardaloedd cefn gwlad.

- Mae epidemigau yn parhau i fod yn brif achos afiechyd a chlefydau.

- Roedd plentyndod yn amser peryglus iawn.

- Roedd yn anodd iawn i bobl gadw'n lân hyd yn oed os oedden nhw'n ceisio gwneud hynny.

- Roedd rhyfela a newyn yn brif achosion clefydau drwy gydol y cyfnod.

- Yn sgil twf diwydiant, cyflwynwyd clefydau newydd i'r trefi a'r dinasoedd.

Cwestiynau ymarfer

1 Cwblhewch y brawddegau isod gan ddefnyddio'r term cywir:
Ysgubodd y Pla Du drwy Ewrop yn ystod y .... ganrif............................... .
Cafodd yr achos o'r pla yn 1665 effaith ddrwg iawn ar ddinas ....
Yn 1918 gwnaeth llawer o bobl farw o .... ffliw difrifol.
Yn ystod yr 1980au daeth clefyd newydd i'r amlwg o'r enw ....
(*Am arweiniad, gweler tudalen 119.*)

2 Disgrifiwch brif achosion clefydau yn nhrefi diwydiannol newydd y bedwaredd ganrif ar bymtheg. (*Am arweiniad, gweler tudalen 122.*)

3 I ba raddau mae'n bosibl dweud mai amodau byw gwael oedd prif achos afiechyd a chlefydau dros amser? (*Am arweiniad, gweler tudalennau 126–128.*)

Mae'r bennod hon yn canolbwyntio ar y cwestiwn allweddol: Pa mor effeithiol oedd ymdrechion i atal afiechydon a chlefydau dros amser?

Mae'n anodd iawn atal afiechydon a chlefydau yn effeithiol os nad ydych chi'n gwybod beth yn union sy'n eu hachosi. Yn ystod y rhan fwyaf o'r cyfnod hwn roedd pobl yn gallu trin symptomau clefyd, yn hytrach na'r clefyd ei hun. Eto i gyd, roedd yr Hen Roegiaid hyd yn oed yn argymell byw'n iach fel ffordd o gadw'n iach ac ers hynny, wrth i bobl ddechrau deall achosion afiechydon, fel rydyn ni wedi gweld yn barod ym Mhennod 1, mae mesurau ataliol wedi dod yn bwysicach – cymaint felly fel bod yr un faint o ymdrech yn cael ei wneud heddiw i atal clefydau ag sy'n cael ei wneud i'w trin. Mae'r bennod hon yn edrych ar ymdrechion yn ystod y cyfnod i geisio atal afiechydon a chlefydau.

TASG FFOCWS ?

Wrth i chi weithio drwy'r bennod hon, rydyn ni eisiau i chi adeiladu 'map meddwl' o'r ymdrechion i atal afiechydon a chlefydau. Bydd hyn yn eich helpu i benderfynu a oes unrhyw gysylltiadau rhwng yr adrannau gwahanol yn y bennod hon, a gweld a yw'r ymdrechion ataliol mwy diweddar yn adeiladu ar yr ymdrechion cynharach. Mae'n bwysig eich bod yn defnyddio eich 'map meddwl' i geisio creu 'Darlun Mawr' o ddulliau atal clefydau ar draws yr holl gyfnod a astudiwyd.

Dulliau cynnar ar gyfer atal clefydau gan gyfeirio at y Pla Du

Roedd yr Hen Roegiaid yn deall rhywfaint am sut i atal clefydau. Ganwyd Hippocrates yn Kos, Groeg, yn 460cc. Mae llawer o bobl yn ystyried mai ef yw tad meddygaeth fodern ac mae'n bosibl mai ef oedd y meddyg cyntaf i drin y corff yn gyfan, yn hytrach nag fel rhannau unigol. Seiliodd Hippocrates ei syniadau a'i ysgrifennu ar ddamcaniaeth y **pedwar gwlybwr**. Er mwyn atal afiechydon a chlefydau, y cyfan roedd yn rhaid i chi ei wneud oedd cadw cydbwysedd rhwng y pedwar gwlybwr, sef gwaed, fflem, bustl melyn a bustl du. Roedd Hippocrates yn credu bod deiet, ymarfer corff a gorffwys hefyd yn bwysig iawn i atal clefydau. Roedd yr Arabiaid yn credu ym mhwysigrwydd glendid ac awyr iach. Adeiladodd y Rhufeiniaid draphontydd dŵr enfawr i gario dŵr ffres i'w trefi ac roedd bath, toiled a dŵr tap gan y rhan fwyaf o filas Rhufeinig. Fodd bynnag, collwyd llawer o hyn pan adawodd y Rhufeiniaid Brydain tua 410oc. Roedd y rhan fwyaf o feddygon canoloesol yn dal i gael eu hyfforddi yn namcaniaeth y pedwar gwlybwr ac yn credu yn y ddamcaniaeth honno. (Byddwn yn edrych yn fwy manwl ar ddamcaniaeth y pedwar gwlybwr ym Mhennod 4.)

Rôl yr eglwys

Roedd yr eglwys yn ddylanwadol iawn yn yr oesoedd canol ac yn dadlau bod afiechyd corfforol yn arwydd o afiechyd ysbrydol. Mewn geiriau eraill, roedd pobl yn mynd yn sâl oherwydd eu bod yn byw mewn ffordd anghristnogol neu oherwydd nad oedden nhw'n gweddïo digon. Er mwyn atal y Pla Du gorchmynnodd yr eglwys y dylai pobl orymdeithio drwy drefi a phentrefi i'r eglwys leol, a gweddïo am faddeuant. Aeth rhai pobl â hyn gam ymhellach: gwnaethon nhw ganhwyllau maint pobl a'u llosgi yn yr eglwys, gan ofyn am drugaredd. Aeth eraill i gerdded y strydoedd gan eu chwipio eu hunain er mwyn eu puro eu hunain yng ngolwg Duw, yn y gobaith na fydden nhw'n cael y Pla Du.

▲ Ffynhonnell A: Llawysgrif o'r bedwaredd ganrif ar ddeg yn dangos mynachod sydd â'r pla yn cael eu bendithio gan offeiriad

Ymdrechion eraill er mwyn peidio â dal y Pla Du

Roedd llawer o awgrymiadau eraill ar gyfer osgoi dal y Pla Du. Roedd rhai yn dadlau na ddylech chi fwyta gormod, ac na ddylech chi ymolchi. Wrth ymolchi byddech chi'n agor mandyllau'r croen gan adael i'r clefyd ddod i'r corff. Roedd rhai yn dweud y byddai ymolchi yn eich cadw chi'n lân ac yn cadw'r Pla Du draw! Awgrymodd eraill y dylid osgoi cael rhyw gan y byddai hynny'n gwanhau imiwnedd y corff yn erbyn afiechyd, neu yfed finegr a/neu win; yfed wrin unwaith y dydd; ymdrochi mewn gwin dair gwaith y dydd; gwaedu'r corff er mwyn i'r ysbrydion drwg a fyddai'n gallu achosi clefydau adael y corff; lladd cathod a chŵn gan eu bod yn lledaenu clefydau; neu hyd yn oed cario tusw o berlysiau persawrus er mwyn atal yr arogl drwg oedd yn achosi'r clefyd ym marn rhai pobl. Roedd eraill yn credu bod rhoi ceiniogau mewn finegr wrth dalu am eich siopa hefyd yn ffordd o osgoi lledaenu'r clefyd.

Daeth rhai pobl yn agosach at ei atal yn effeithiol, heb erioed wybod yn union pam. Gorchmynnodd y Brenin Edward III y dylid glanhau'r holl fudreddi o strydoedd Llundain, gan ddadlau bod yr arogl yn lledaenu'r Pla Du. Rhoddwyd cyngor mwy ymarferol hefyd fel osgoi dod i gysylltiad â phobl oedd yn dioddef o'r clefyd. Yn aml, hoeliwyd darnau o bren ar ddrysau tai y bobl oedd yn dioddef o'r Pla Du a phaentiwyd croes goch fawr arnyn nhw, er mwyn rhybuddio pobl i gadw draw. Ceisiodd llawer o bobl osgoi'r Pla Du drwy ffoi – ond heb yn wybod iddyn nhw, y cyfan roedd hyn yn ei wneud oedd helpu i ledaenu'r Pla Du hyd yn oed ymhellach.

Fel y gwelwch chi o'r mesurau ataliol a gafodd eu hawgrymu, ac fel rydych chi wedi gweld yn barod ym Mhennod 1, doedd neb yn gwybod beth i'w wneud mewn gwirionedd i atal y Pla Du rhag lledaenu, na sut i gadw pobl yn ddiogel.

MEDDYLIWCH ?

1 Yn eich barn chi, pa rai o'r mesurau ataliol a awgrymwyd fyddai wedi helpu pobl i osgoi'r Pla Du? Pam?

2 Beth mae'r holl awgrymiadau hyn yn ei ddweud wrthon ni am ymdrechion meddygol i atal afiechydon a chlefydau?

3 Edrychwch ar Ffynhonnell A. Sut rydych chi'n gwybod bod y mynachod hyn yn dioddef o'r Pla Du? Pam mae'r offeiriad yn eu bendithio?

4 Edrychwch ar Ffynhonnell B. Mae'r llun yn dod o lyfr gweddi o'r bedwaredd ganrif ar ddeg ac fe gafodd ei baentio yn 1376. Beth mae delweddau o'r fath yn ei ddweud wrthon ni am ymdrechion er mwyn peidio â dal y Pla Du?

5 Beth mae Ffynonellau A a B yn ei ddweud wrthon ni am agweddau canoloesol at ddal afiechydon a chlefydau?

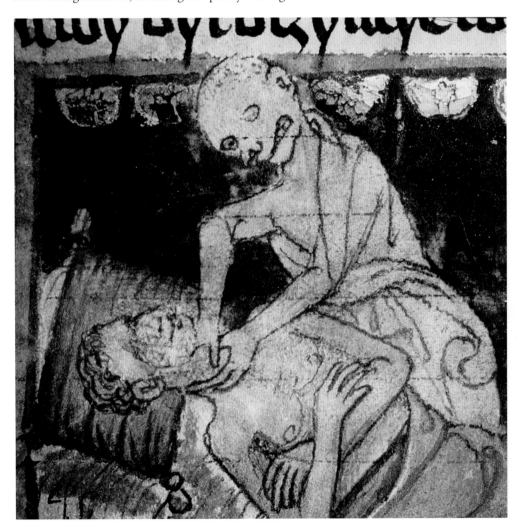

▲ Ffynhonnell B: Angau yn tagu rhywun sydd yn marw o'r Pla Du, paentiwyd gan Werner Forman yn 1376

Alcemi, daroganwyr (*soothsayers*) a meddygon canoloesol

Alcemi

Doedd dim llawer o wahaniaeth rhwng gwyddonwyr ac alcemyddion yn yr oesoedd canol a'r cyfnod modern cynnar. Defnyddiodd rhai o'r gwyddonwyr mwyaf enwog – er enghraifft, Roger Bacon yn y drydedd ganrif ar ddeg ac Isaac Newton yn yr ail ganrif ar bymtheg – alcemi i ryw raddau. Er mai ymdrechion i droi metelau 'cyffredin' fel plwm yn aur oedd y rhan fwyaf o'u harbrofion, arweiniodd yr arbrofion hyn at sawl darganfyddiad gwyddonol, er na lwyddodd neb i greu aur o sylwedd arall. Daeth y darganfyddiadau gwyddonol hyn yn bwysig yn ddiweddarach, gan helpu eraill, fel William Harvey, yn eu gwaith (gweler tudalen 64).

Roedd alcemyddion, wrth eu natur, yn tueddu i fod yn gyfrinachol iawn am eu harbrofion, ac felly datblygodd pob math o straeon amdanyn nhw, am y pethau roedden nhw'n eu gwneud a'r hyn roedden nhw wedi ei gyflawni. Roedd llawer ohonyn nhw yn chwilio am 'Elicsir Bywyd', a fyddai'n eich cadw chi'n ifanc am byth yn ôl y sôn. Honnodd un alcemydd ei fod yn 1000 oed ond pan ofynnwyd iddo am dystiolaeth, ni allai brofi hyn. Yn amlwg, pe baech chi'n gallu darganfod Elicsir Bywyd gallech chi wneud eich ffortiwn a sicrhau na fyddai neb yn mynd yn sâl nac yn heneiddio. Yn ôl y sôn, byddai'r feddyginiaeth newydd hon, neu'r 'hanfodedd' fel roedd yn cael ei galw (a oedd yn aml yn cael ei wneud drwy ddistyllu finegr yn barhaus), yn tynnu pob amhurdeb o'r corff. Weithiau, byddai meddyginiaethau cryf yn cynnwys gwenwyn, fel antimoni neu fercwri, yn cael eu defnyddio i wneud y claf yn sâl iawn, mewn ymgais i atal clefydau.

Roedd pobl hawdd eu twyllo yn barod i dalu symiau mawr o arian ymlaen llaw i alcemyddion i droi plwm yn aur neu am gael bywyd hirach. Roedd John Dee (1527–1608/9) yn ymgynghorydd i'r Frenhines Elisabeth I ac yn fathemategydd enwog. Roedd hefyd yn seryddwr enwog. O 1580 ymlaen treuliodd lawer o'i amser yn ymchwilio i fyd hud a lledrith, gan geisio darganfod sut i gyfathrebu gydag angylion er mwyn dysgu mwy am sut cafodd y byd ei greu gan Dduw. Doedd Dee ddim yn gwahaniaethu rhwng ei ymchwiliadau mathemategol a'i astudiaeth o hud a demoniaid na'i ymchwil i gyfrinach bywyd hir. Dywedwyd bod Gerard o Efrog, Archesgob Efrog tan ei farwolaeth yn 1108, yn astudio'r 'gelfyddyd dywyll', hud a meddygaeth er bod hyn efallai yn ymwneud â'i ymdrechion i ddiwygio'r eglwys yn erbyn dymuniadau ei glerigwyr ei hun yn hytrach na'i ddiddordebau personol.

MEDDYLIWCH ?

1. I ba raddau gwnaeth alcemi helpu i atal afiechydon a chlefydau?

2. Edrychwch ar Ffynhonnell C. Sut mae'r arlunydd wedi dewis portreadu'r alcemydd?

3. Pa mor ddefnyddiol yw Ffynhonnell C i ddeall y rhan a chwaraeodd alcemi i atal clefydau?

▲ Ffynhonnell C: *Yr Alcemydd*, gan David Teniers yr Ieuaf, yr ail ganrif ar bymtheg

Daroganwyr

Roedd meddygon cymwys yn brin iawn yn Lloegr yn yr oesoedd canol. Byddai'r rhan fwyaf o bobl yn dibynnu ar y 'fenyw hysbys' leol. Roedd gan y rhain storfa o wybodaeth am afiechydon a chlefydau a gasglwyd dros genedlaethau, a byddai gan bob un ei hoff ddulliau. Efallai byddai rhai ohonyn nhw yn gweithio hyd yn oed! Mae'n debyg hefyd fod daroganwyr yn gallu rhagweld y dyfodol, a byddai pobl leol yn aml yn gofyn am eu cyngor am bob math o resymau. Roedden nhw'n casglu planhigion a pherlysiau, cerrig arbennig, unrhyw beth a fyddai'n gallu helpu, ac yn eu cario gyda nhw mewn basged helyg. Am bris, bydden nhw'n paratoi swynion arbennig i'w gwisgo er mwyn amddiffyn pobl rhag drygioni. Cofiwch, roedd yr eglwys yn dadlau'n gryf mai drygioni, neu peidio a byw bywyd digon Cristnogol, oedd yn achosi'r rhan fwyaf o afiechydon a chlefydau.

Astudiaeth achos: allwn ni gredu'r rhan fwyaf o'r pethau a ysgrifennwyd am Mother Shipton?

Daeth Mother Shipton yn enwog fel daroganwraig yn y bymthegfed ganrif. Cafodd ei geni mewn ogof ger Knaresborough yn Swydd Efrog tua'r flwyddyn 1488 a bu farw tua 1561. Gallwch chi ymweld â'r ogof o hyd. Mae'n un o'r prif atyniadau i dwristiaid yn Swydd Efrog.

THE FAMOUS MOTHER SHIPTON.

▲ Ffynhonnell CH: Ysgythriad o'r ail ganrif ar bymtheg o Mother Shipton yn ôl pob sôn

Y drws nesaf i'r ogof mae ffynnon garegu – yr unig un yn Lloegr – lle mae llawer o fwynau yn y dŵr. Yn ôl y sôn, byddai yfed y dŵr, neu ymdrochi ynddo, yn eich cadw chi'n heini ac yn iach. O'r unfed ganrif ar bymtheg ymlaen, mae pobl wedi ymweld â'r ffynnon at y pwrpas hwnnw.

Yn ôl y sôn, roedd Mother Shipton yn wraig hyll iawn, ond daeth yn adnabyddus am broffwydo digwyddiadau. Daeth pobl leol i'w gweld hi, ac yna pobl o bob rhan o Swydd Efrog ac, yn y pen draw, o bob rhan o Loegr. Cyhoeddwyd ei phroffwydoliaethau am y tro cyntaf yn 1641, ac mae'n debyg bod y llun ohoni yn ffynhonnell CH yn dod o'r cyhoeddiad hwnnw. Roedd yr argraffiadau diweddarach o'i phroffwydoliaethau yn cynnwys mwy a mwy o ragolygon ar gyfer y dyfodol, gan gynnwys proffwydoliaeth y byddai'r byd yn dod i ben yn 1881, neu 1891, neu 1981, yn dibynnu ar ba fersiwn yr oeddech yn ei gredu!

Efallai ei bod hi'n enghraifft enwog – neu ddrwgenwog o bosibl – o sawl daroganwr lleol nad ydyn ni'n gwybod dim amdanyn nhw, ond a chwaraeodd ran bwysig er mwyn helpu pobl yr oesoedd canol i osgoi afiechyd a chlefydau.

Meddygon canoloesol

Fel rydyn ni wedi gweld yn barod, roedd meddygon yn brin iawn yn Lloegr yn yr oesoedd canol. Cyn i Harri VIII ddiddymu'r mynachlogydd yn 1536, roedd mynachod yn darparu gofal meddygol syml; roedd **apothecariaid** yn gwneud eu meddyginiaethau llysieuol eu hunain; roedd **barbwr-llawfeddygon** a oedd yn gallu tynnu dant drwg neu osod braich ar ôl ei thorri (gweler tudalen 48); ac roedd meddygon, oedd wedi cael eu hyfforddi yn un o'r prifysgolion newydd yn yr Eidal neu Baris o bosibl. Yn anffodus, ychydig iawn ohonyn nhw oedd yn gwybod rhyw lawer am sut i atal clefydau, oherwydd bod cyn lleied o wybodaeth am achosion clefydau.

MEDDYLIWCH ?

1 Yn eich barn chi, pa mor gywir yw'r darlun hwn o Mother Shipton?

2 Pa mor ddefnyddiol yw Ffynhonnell CH i ddysgu mwy am Mother Shipton?

3 A yw Ffynhonnell CH yn profi bod Mother Shipton wedi bodoli? Esboniwch eich penderfyniad.

4 Ym mha ffordd mae Ffynhonnell CH yn ein helpu i ddeall sut roedd Mother Shipton, a daroganwyr, yn helpu i atal clefydau?

5 Yn eich barn chi, beth oedd y dulliau mwyaf llwyddiannus o atal clefydau yn yr oesoedd canol?

6 Pa mor effeithiol oedd ymdrechion meddygol i atal clefydau?

Defnyddio gwyddoniaeth i atal clefydau ar ddiwedd y ddeunawfed ganrif a dechrau'r bedwaredd ganrif ar bymtheg

'Gwell rhwystro'r clwy na'i wella!'

Yn ystod y ddeunawfed ganrif daeth y dywediad hwn yn fwy cyffredin, wrth i bobl ailddarganfod y Byd Clasurol, a chred yr Hen Roegiaid mewn awyr iach, ymarfer corff a deiet. Yn 1714 cyhoeddodd John Bellers lyfr o'r enw *Essay towards the Improvement of Physick* ac ynddo dadleuodd fod 100,000 o bobl yn marw bob blwyddyn 'oherwydd nad oedden nhw wedi derbyn cyngor amserol a meddyginiaeth addas'. Roedd yn gyfnod o ffasiynau. Daeth llysieuaeth yn ffasiynol, yn ogystal ag ymwrthod ag alcohol yn llwyr. Byddai'r ddau yn eich cadw'n iach ac yn atal clefydau. Byddai tynnu gwaed yn rheolaidd yn cadw cydbwysedd y pedwar gwlybwr. Roedd llawer o bwyslais ar awyr iach ac ymarfer corff – o leiaf i'r bobl hynny oedd â digon o amser ac arian i'w mwynhau.

Triniaeth dŵr oer

Daeth 'cymryd y feddyginiaeth' mewn ffynnon yn rhan o'r calendr tymhorol. Roedd llawer o bobl yn credu bod y dŵr

▲ Ffynhonnell D: Ysgythriad yn dangos genedigaeth baban yn y ddeunawfed ganrif

mewn lleoedd fel Llandrindod a Llanfair-ym-Muallt yn llesol i iechyd ac yn atal afiechydon a chlefydau yn ogystal â'u gwella. Dywedwyd bod ymweld â lleoedd glan môr, trefi fel y Rhyl, Llandudno ac Aberystwyth, a nofio yn y cefnfor yn eich cadw chi'n iach. Daeth yn ffasiynol i gael 'plymbwll' personol yn llawn o ddŵr ffres oer yn yr ardd – mor agos at ffynhonnell o ddŵr ffres â phosibl – a hwn oedd y diweddglo perffaith ar ôl mynd am dro egnïol o amgylch yr ystad. Yn ddiweddarach yn y cyfnod hwn, byddai'r dŵr yn cael ei gario i'r tŷ mewn pibelli a daeth ymdrochi mewn dŵr oer y tu mewn yn ffasiynol. Roedd bwyta bwydydd oedd yn eich 'oeri' yn cael ei ystyried yn rhan hollbwysig o'r therapi. Yn ôl pob sôn, roedd yfed o leiaf litr o ddŵr oer bob bore yn clirio unrhyw amhureddau o'r perfeddion gan atal afiechydon a chlefydau. Yn ystod y ddeunawfed ganrif a'r bedwaredd ganrif ar bymtheg, mabwysiadodd llawer o bobl gyfoethog arferion o'r fath mewn ymgais i gadw'n iach.

Twymyn ar ôl geni plentyn

Fel rydyn ni wedi gweld, roedd geni plant yn amser peryglus iawn i fenywod. Roedd Alexander Gordon yn llawfeddyg yn y llynges a gweithiodd yn Llundain am sawl blwyddyn cyn dychwelyd i'w ardal enedigol yn Aberdeen. Yno astudiodd achosion o dwymyn ar ôl geni plentyn a sylweddolodd beth oedd yn achosi'r marwolaethau hyn. Sylwodd nad oedd y menywod o'r pentrefi cyfagos a oedd wedi cael eu trin gan fenyw hysbys neu fydwraig y pentref yn dal y dwymyn yn aml iawn, ond roedd y rhai oedd yn cael eu trin gan feddygon neu fydwragedd, oedd yn symud o un claf i'r llall, yn llawer mwy tebygol o farw. Sylweddolodd ei fod ef ei hun yn gyfrifol am rai o'r marwolaethau. Roedd ei ddull o wella'r sefyllfa yn syml: dylai ymarferwyr meddygol olchi eu dillad yn aml, a golchi eu dwylo mewn dŵr wedi'i glorineiddio er mwyn ceisio atal clefydau rhag lledaenu. Pan gyhoeddwyd ei ganlyniadau yn 1795 cafodd ei wawdio gan y proffesiwn meddygol ac ni chafodd ei syniadau eu rhoi ar waith am flynyddoedd lawer.

MEDDYLIWCH

1 Yn eich barn chi, pa mor effeithiol yw'r 'ffasiynau' a'r 'triniaethau' hyn i atal clefydau?

2 Astudiwch Ffynhonnell D. Allwch chi nodi unrhyw ffactorau sy'n debygol o achosi niwed i'r fam neu'r baban newydd-anedig, neu eu marwolaeth? Ydych chi'n meddwl bod y fydwraig yn gyfarwydd â syniadau Alexander Gordon? Sut rydych chi'n gwybod?

Datblygiad y dull gwyddonol

Gwnaeth cyfres o ddarganfyddiadau gwyddonol helpu i gadw pobl yn iach. Daeth y microsgop (i weld heintiau), y stethosgop (i wrando ar anadlu'r claf) a'r cymograff (i fesur pwysedd gwaed) yn rhan o offer y meddyg ar ddechrau'r bedwaredd ganrif ar bymtheg, gan ei gwneud yn haws i ymchwilio i iechyd. Cyhoeddwyd llawer o bapurau gwyddonol. Er enghraifft, yn 1753 darganfyddodd James Lind beth oedd yn achosi'r llwg. Mynnodd fod morwyr yn derbyn dogn o sudd leim a/neu ffrwythau ffres bob dydd i'w cadw'n iach (gan esbonio'r llysenw 'Limeys' a roddwyd i forwyr Lloegr). Yn ystod y ddeunawfed ganrif ysgrifennwyd nifer o bapurau o ganlyniad i ymchwiliadau gwyddonol manwl i wahanol afiechydon. Cyhoeddwyd y papurau hyn er mwyn cynnig gwell triniaeth a mesurau ataliol.

John Snow a chlefyd colera

Mae'n debyg mai'r enghraifft orau o ddefnyddio gwyddoniaeth i atal clefydau yn y bedwaredd ganrif ar bymtheg oedd gwaith John Snow yn Llundain yn 1854, yn ystod yr epidemig colera. Fel rydyn ni wedi gweld ym Mhennod 1 (tudalen 27), colera oedd un o glefydau marwol y bedwaredd ganrif ar bymtheg. Aeth John Snow, meddyg o Lundain, ati i nodi a phlotio pob achos o golera yn yr ardal o amgylch ei feddygfa ar fap o'r strydoedd (Ffigur 2.1). Mewn cyfnod o rai wythnosau roedd 500 o bobl wedi marw yn ardal Broad Street.

Roedd bragdy mewn ardal gyfagos, a sylwodd nad oedd gweithwyr y bragdy yn dal colera, gan eu bod yn yfed cwrw yn hytrach na dŵr. Defnyddiodd ystadegau i ddangos y cysylltiad rhwng ansawdd y dŵr o wahanol ffynonellau a marwolaethau o golera. Felly, dangosodd fod Cwmni Gwaith Dŵr Southwark a Vauxhall yn tynnu dŵr o rannau o afon Tafwys oedd wedi'u llygru â charthion ac yn cyflenwi'r dŵr i gartrefi lle cafwyd sawl achos o golera. Daeth i'r casgliad – heb allu profi'n bendant pam – mai ffynhonnell yr haint yn lleol oedd un pwmp dŵr yn Broad Street. Pan dynnodd yr handlen oddi ar y pwmp – gan orfodi'r trigolion i gael eu dŵr o rywle arall – roedd llai o achosion o'r clefyd.

▲ Ffynhonnell DD: Poster a gyhoeddwyd yn 1854 yn dweud wrth bobl sut i osgoi cael eu heintio gan golera

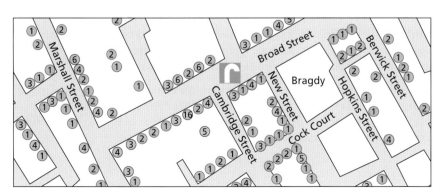

◀ Ffigur 2.1: Copi o ran o fap Snow yn dangos y marwolaethau yn ardal Broad Street

Gwaith Edward Jenner a brechu

Mae stori Dr Edward Jenner yn un ysbrydoledig – ar ôl dyfalu'n gywir, ar sail arbrawf a dull gwyddonol, llwyddodd i gynhyrchu brechiad oedd yn amddiffyn pobl rhag un o glefydau heintus mwyaf marwol y cyfnod. Eto i gyd, roedd pobl yn chwerthin am ben Jenner fel meddyg o'r wlad ac roedd pobl yn amau a oedd **brechu** yn ddull effeithiol o reoli'r frech wen – dadl sy'n parhau heddiw yn y drafodaeth am ddefnyddio brechiadau i atal clefydau.

Y frech wen

Mae'r frech wen yn glefyd cyffwrdd-ymledol llym sy'n cael ei achosi gan y firws fariola. Hwn oedd un o glefydau mwyaf dinistriol y byd. Yn 1980 cyhoeddwyd ei fod wedi'i ddileu yn dilyn ymgyrch frechu fyd-eang dan arweiniad Sefydliad Iechyd y Byd. Ond flynyddoedd cyn hynny roedd yn lladdwr diamod. Roedd rhwng 30 a 60 y cant o'r bobl oedd yn dal y frech wen yn marw. Byddai effeithiau'r frech wen yn aros gyda'r goroeswyr am weddill eu bywydau. Cafodd rhai eu dallu; cafodd bron pawb eu hanffurfio â chreithiau. Roedd y frech wen wedi bod yn endemig ym Mhrydain am amser hir ac yn cael ei hystyried yn lladdwr ers yr ail ganrif ar bymtheg. Roedd epidemigau mawr wedi lladd o leiaf 35,000 yn 1796, a 42,000 rhwng 1837 ac 1840. Doedd gan y clefyd ddim parch at statws na safle – bu farw'r Frenhines Mary o'r frech wen yn 1694. Credai pobl fod y frech wen yn cael ei hachosi gan ddrewdod, neu 'aer drwg'.

Dydy brechu ddim yn rhywbeth newydd – mae'n dyddio o'r ddeunawfed ganrif. Defnyddiwyd **gwrth-heintio** ymhell cyn hynny ac roedd yn gyffredin yn y Dwyrain Pell am ganrifoedd lawer. Daeth yr Arglwyddes Mary Montagu ar draws yr arfer hwn yn İstanbul a'i gyflwyno i Loegr yn 1721. Roedd ei gŵr yn Llysgennad i'r **Ymerodraeth Otomanaidd** a gwelodd hi bobl yn defnyddio'r dull hwn yno. Roedd hi wedi llwyddo i oroesi achos o'r frech wen a laddodd ei brawd a'i gadael hithau â chreithiau. Yn syml, byddai math ysgafn o'r frech wen yn cael ei gyflwyno i grafiad a wnaed rhwng y bys a'r bawd. Yna byddai'r sawl oedd yn cael ei wrth-heintio yn datblygu math ysgafn o'r clefyd, ond yn datblygu imiwnedd i'r math cryfach o'r frech wen. Pan gafwyd achosion o'r frech wen yn Lloegr, penderfynodd yr Arglwyddes Montagu wrth-heintio ei phlant. Roedd hyn yn llwyddiannus.

Gall meddyg o'r wlad newid popeth ...

Clywodd Edward Jenner, meddyg o ardal wledig yn Swydd Gaerloyw oedd wedi astudio yn Llundain, rai pobl yn dweud nad oedd y morwynion llaeth oedd yn cael brech y fuwch byth yn cael y frech wen. Daeth i'r casgliad bod brech y fuwch yn eu hamddiffyn rhag y frech wen, ond sut gallai brofi hyn? Cynhaliodd arbrofion ar y bobl leol. Dewisodd fachgen naw oed, James Phipps, nad oedd wedi dioddef brech y fuwch na'r frech wen. Chwistrellodd y bachgen â chrawn (*pus*) o friwiau morwyn llaeth oedd â brech y fuwch arni. Datblygodd y bachgen frech y fuwch. Yna, ar ôl iddo wella, rhoddodd Jenner ddos o'r frech wen iddo. Roedd gan James imiwnedd i'r clefyd. Roedd Jenner wedi profi bod brechiad o frech y fuwch yn atal pobl rhag dal y frech wen. Roedd yn gwybod bod hyn yn gweithio, ond nid oedd yn deall pam! Cyflwynodd bapur i'r **Gymdeithas Frenhinol** yn 1797 ond dywedwyd bod angen iddo gael mwy o brawf. Felly, aeth ati i gynnal mwy o arbrofion, gan gynnwys ar ei fab 11 mis oed, gan gadw nodiadau a chofnodion manwl ar hyd yr amser.

Yn y pen draw, yn 1798, cyhoeddodd Jenner *An Inquiry into the Causes and Effects of the Variolae Vaccinae, or Cow-Pox*. Parhaodd i weithio ar frechiad ac yn 1802 derbyniodd £10,000 gan y llywodraeth i dalu am ei waith, ac £20,000 yn ychwanegol yn 1807 ar ôl i Goleg Brenhinol y Meddygon gadarnhau pa mor effeithiol oedd brechu.

Pa effaith gafodd brechu ar y frech wen?

Cafwyd ymateb cymysg i Jenner a'i waith. Roedd y bobl hynny oedd yn codi hyd at £20 y tro i wrth-heintio cleifion yn poeni bod eu bywoliaeth dan fygythiad, ac fe wnaethon nhw daflu dŵr oer ar yr holl syniad o newid. Roedd llawer o bobl yn credu nad oedd yn iawn i chwistrellu pobl â brech y fuwch. Dadleuodd rhai mai cosb gan Dduw oedd y frech wen am fyw bywyd pechadurus ac na ddylid ymyrryd, na cheisio atal y clefyd rhag lledaenu. Roedd eraill yn credu mai mater i'r rhieni oedd penderfynu a ddylid rhoi triniaeth i'w plant neu beidio. Ond roedd eraill – rhai o blaid brechu, ac eraill yn ei erbyn – yn teimlo'n gryf nad lle'r llywodraeth oedd ymyrryd mewn materion fel hyn. Yn 1840, yn rhannol o ganlyniad i epidemig difrifol 1837–40, cynigiwyd brechiadau am ddim i fabanod. Yn 1852 daeth brechu yn orfodol, ond ni chafodd ei orfodi'n llym iawn. Mae'n ymddangos yn rhyfedd bod llywodraeth *laissez-faire*, oedd yn amharod i ymyrryd mewn sawl agwedd ar fywyd, yn fodlon cyflwyno brechu gorfodol. Heb os, mae hyn yn dweud llawer am yr ofn oedd gan bobl o'r frech wen fel clefyd marwol. Sefydlwyd cynghrair gwrth-frechu yn Lloegr yn 1866 i wrthwynebu'r syniad o frechu gorfodol (gweler Ffynhonnell F ar dudalen 42). Ond erbyn 1871 roedd y llywodraeth wedi cyflwyno mesurau mwy llym – gallai rhieni gael dirwy am beidio â sicrhau bod eu plant yn cael eu brechu. Ar ôl i'r gyfradd marwolaethau ostwng yn ddramatig, yn 1887 cyflwynodd y llywodraeth yr hawl i rieni wrthod brechu.

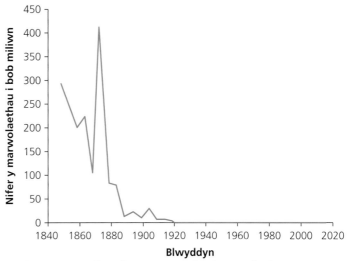

▲ Ffigur 2.2: Graff yn dangos marwolaethau o'r frech wen, 1848–1920

MEDDYLIWCH

1 Pam roedd y frech wen yn lladd cymaint o bobl?

2 Beth yw'r gwahaniaeth rhwng gwrth-heintio a brechu?

3 A yw Ffynhonnell E o blaid Jenner neu yn ei erbyn? Sut rydych chi'n gwybod?

4 Pa ran chwaraeodd siawns, y llywodraeth, gwyddoniaeth a thechnoleg neu rôl yr unigolyn wrth ddarganfod ffordd o wella'r frech wen?

5 Sut mae gwaith Jenner yn ein helpu ni i ddeall byd meddygaeth ym Mhrydain yn y cyfnod modern cynnar?

6 A yw brechu wedi bod yn 'llwyddiant'?

7 Yn eich barn chi, pam gwnaeth y llywodraeth gyflwyno brechu gorfodol?

▼ Ffynhonnell E: Edward Jenner yn brechu cleifion yn erbyn y frech wen

Dylanwad a lledaeniad gwrth-heintio ers 1700

Yn ystod yr ugeinfed ganrif, roedd clefydau a oedd unwaith yn endemig ac yn lladd plant, fel polio, y frech goch, difftheria a'r pas, wedi cael eu dileu bron yn llwyr yn sgil rhaglenni brechu. Mae Sefydliad Iechyd y Byd wedi arwain yr ymgyrch i ddileu'r clefydau hyn ar draws y byd. Cofnodwyd yr achos hysbys olaf o'r frech wen yn Somalia yn 1977 – dyma stori o lwyddiant mawr a'r cyfan yn deillio o waith Edward Jenner mewn tref fach wledig yn Swydd Gaerloyw.

Yng Nghymru a Lloegr, cyflwynwyd mwy a mwy o frechiadau ers yr Ail Ryfel Byd. Cyflwynwyd brechiad ar gyfer polio yn 1955, y frech goch yn 1963, MMR (y frech goch, clwy'r pennau a rwbela) yn 1988 a Hepatitis B yn 1994. Os byddwn yn teithio dramor heddiw, mae'n gyffredin i gael brechiadau gwrth-falaria a gwrth-dwymyn felen. Mae brechiadau ar gyfer babanod, plant, oedolion ifanc a menywod beichiog. Mae pob un o'r rhain wedi cael effaith sylweddol ar glefydau oedd yn lladd pobl yn y gorffennol. Mae'r gyfradd **marwolaethau babanod** wedi gostwng yn ddramatig – yn 1800 y cyfartaledd oedd dros 150 y fil, ond erbyn 1900 roedd hyn wedi codi i tua 170 y fil, a heddiw mae rhwng 4 a 5 marwolaeth i bob mil o enedigaethau byw (gweler Ffigur 2.3). Mae llawer, ond nid y cyfan, o'r gostyngiad hwn oherwydd effeithiau imiwneiddio.

Eto i gyd, mae llwyddiant imiwneiddio wedi arwain at ddadl ynghylch hawl y llywodraeth i gyflwyno brechu gorfodol ai peidio.

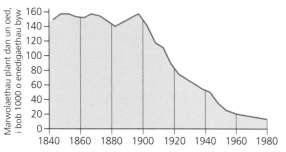

▲ Ffigur 2.3: Cyfradd marwolaethau babanod (plant o dan un oed), 1840–1980

MEN AND WOMEN OF THE TOWER HAMLETS,

And all who value Parental Liberty!

MR. THOMAS ERNEST WISE

Of 31 Clayhill Road, Bow

HAS BEEN IMPRISONED

for 10 days at the behest of the

VILE, FILTHY, VACCINATION LAW.

HE WILL BE

LIBERATED ON SATURDAY, SEPT. 27th.

Mr. WISE has been fighting a battle for freedom on behalf of Thousands of parents.

It is intended to give Mr. WISE a warm welcome on his return home, and to show him that We honour

Our First Vaccination Martyr.

▲ Ffynhonnell F: Poster o'r 1870au

MEDDYLIWCH ?

1. Beth mae Ffigur 2.3 yn ei ddweud wrthon ni am y materion hyn:
   - ☐ marwolaethau babanod
   - ☐ gwrth-heintio
   - ☐ iechyd
   - ☐ atal clefydau?
2. Edrychwch ar Ffynhonnell F.
   - ☐ Beth oedd barn rhai o bobl oes Fictoria am frechu?
   - ☐ Pam roedden nhw'n gwrthwynebu'r gyfraith ar frechu?
3. Edrychwch ar Ffynhonnell FF (ar dudalen 43).
   - ☐ Pam mae'r awdur hwn o blaid brechu?
   - ☐ Pa mor debyg a pha mor wahanol yw'r syniadau sy'n cael eu defnyddio ym mhob un o'r ffynonellau hyn?

Y ddadl am MMR

Yn 1998 cyhoeddodd Dr Wakefield bapur yn y *Lancet*, cylchgrawn meddygol ym Mhrydain, yn awgrymu bod cysylltiad clir rhwng y brechiad MMR, oedd yn cael ei roi i bob plentyn ifanc, a'r cyflwr awstistiaeth. Honnodd fod tystiolaeth o'i astudiaeth fach yn dangos bod cael eich brechu gan y brechiad MMR yn arwain, mewn rhai achosion, at ddatblygu awtistiaeth. Er mai canlyniadau cychwynnol oedd y rhain, heb eu gwirio gan unrhyw ymchwilydd arall, aeth y wasg ati i greu stori fawr o'r cyfan, gan arwain at ostyngiad dramatig yng nghyfran y rhieni oedd yn cytuno i'w plant gael eu brechu. Er mwyn bod yn llwyddiannus, rhaid i 95 y cant o'r boblogaeth darged gael eu brechu, neu mae siawns y bydd rhywun sydd â'r clefyd yn ei drosglwyddo i rywun arall, gan arwain at epidemig.

Ers hynny cafwyd dadl ffyrnig ynghylch brechu, yma yn y DU ac ar draws y byd.

Ffynhonnell FF: Darn o'r *Guardian*, 3 Chwefror 2015

I'r gwrth-frechwyr: peidiwch â rhoi'r frech goch i'm darpar faban bach, digymorth.

Nid yw imiwnedd poblogaeth yn ymwneud o gwbwl â'm baban damcaniaethol i, na'ch baban chi – mae'n ymwneud â iechyd y cyhoedd, buddsoddi mewn cymundod. Mae'n tystio i'r syniad y gallwn ofalu am fywyd dynol yn annibynnol ar ein buddiannau ein hunain. Mae'r empathi hwnnw yn ymestyn y tu hwnt i'n plant ni ein hunain ...

Mewn gwirionedd, mae'r ddadl yn ymwneud â dewis – oes gen i ddewis, fel rhiant, i beidio â brechu fy maban? Mae digon o dystiolaeth bod rhai brechiadau yn achosi adwaith mewn rhyw un y cant o blant. Dydy'r rhain ddim fel arfer yn ddifrifol iawn – mae Cronfa Taliadau Brechlynnau'r Deyrnas Unedig, a sefydlwyd i dalu iawndal i'r rhai sydd wedi'u heffeithio'n ddifrifol gan frechu, wedi gwneud taliadau 20 gwaith yn ystod y deng mlynedd ddiwethaf – ond gall adweithiau fod yn ddifrifol. Ond os byddwch chi'n gosod hyn yn erbyn gostyngiad yn nifer, ac mewn rhai achosion, diflaniad, clefydau heintus iawn, yna mae'r rhan fwyaf o bobl yn credu bod brechu yn beth da. Hynny yw, os nad ydych chi'n credu bod brechu yn anghywir, neu fod brechiadau yn wenwyn, neu eu bod yn cael eu defnyddio gan fusnesau mawr i gynhyrchu elw anferth o feddyginiaethau diangen. Yr hyn sy'n amlwg yw bod y DU wedi wynebu ei hachos mawr cyntaf o'r frech goch yn 2012–13. Mae cyfraddau brechu y DU wedi aros o gwmpas 93 y cant – nid yw hyn yn ddigon i sicrhau imiwnedd.

Ers hynny, gwrthodwyd astudiaeth Dr Wakefield gan y byd meddygol, a dangoswyd ei bod yn wyddoniaeth wael. Ond mae'r ansicrwydd wedi arwain llawer o bobl i amau pob brechiad ac mae rhai o'r clefydau oedd wedi'u dileu yn ôl Sefydliad Iechyd y Byd, wedi ailymddangos erbyn hyn.

MEDDYLIWCH ?

1 Beth oedd dadl Dr Wakefield?

2 Pa mor drylwyr oedd yr ymchwil yn ei adroddiad?

3 Beth oedd effaith ei astudiaeth?

4 Yn eich barn chi, a yw'r ddadl ar wrth-heintio yn bodoli oherwydd bod y polisi wedi bod mor llwyddiannus fel nad ydyn ni'n cofio pa mor farwol yw'r clefydau hyn erbyn hyn?

Darganfod gwrthgyrff a datblygiadau ym maes bacterioleg

Fel rydyn ni wedi gweld, cymerodd Edward Jenner a John Snow gamau enfawr i atal clefydau heb allu profi'n wyddonol pam roedd eu dulliau yn gweithio. Newidiodd hyn yn llwyr yn sgil gwaith Louis Pasteur a Robert Koch ar ddiwedd y bedwaredd ganrif ar bymtheg.

Louis Pasteur, Robert Koch a damcaniaeth germau

Roedd Louis Pasteur yn wyddonydd o Ffrainc oedd yn gweithio ym Mharis. Darganfyddodd ddamcaniaeth germau, gan newid meddygaeth am byth. Profodd fod organebau bychan o'r enw bacteria yn achosi llawer o glefydau, ac felly er mwyn atal clefydau, y cyfan roedd yn rhaid ei wneud oedd lladd y bacteria. Cymerodd yr Almaenwr, Robert Koch, y ddamcaniaeth hon gam ymhellach wrth iddo ddechrau nodi'r bacteria penodol oedd yn achosi clefydau penodol, gan wneud gwyddoniaeth bacterioleg yn bosibl. Sylweddolodd Koch hefyd fod gwrthgyrff – mecanwaith amddiffyn naturiol y corff rhag germau – yn gallu helpu i ddinistrio bacteria ac adeiladu imiwnedd yn erbyn y clefyd, gan gadw'r corff yn rhydd o afiechydon a chlefydau. Roedd darganfod bod pob gwrthgorff yn gweithio ar un bacteria yn unig yn hanfodol i ddeall sut roedd y corff yn ymladd clefydau. Os oedd yn bosibl cyflwyno ffurf wan o'r clefyd i'r corff, fel y gwnaeth Jenner yn achos brech y fuwch, yna, pan fyddai fersiwn marwol y clefyd yn ymosod, byddai'r corff yn gallu ei wrthsefyll. Gallwch chi ddysgu mwy am waith Pasteur, Koch a'i fyfyriwr Ehrlich ym Mhennod 4 (tudalen 65).

▲ Ffynhonnell G: Louis Pasteur

▲ Ffynhonnell NG: Robert Koch

MEDDYLIWCH

1 Pa mor bwysig yw gwyddoniaeth i wella dulliau o atal clefydau?

2 Pwy gyfrannodd fwyaf at ddatblygu meddygaeth ataliol, Pasteur neu Koch?

AILYMWELD Â'R DASG FFOCWS ?

1 Wrth i chi weithio drwy'r bennod hon, byddwch chi wedi adeiladu 'map meddwl' o'r ymdrechion i atal afiechydon a chlefydau. Dylai hyn eich helpu i benderfynu a oes unrhyw gysylltiadau rhwng yr adrannau gwahanol yn y bennod hon, a gweld a yw'r ymdrechion ataliol mwyaf diweddar yn adeiladu ar yr ymdrechion cynnar. Mae'n bwysig eich bod yn defnyddio eich 'map meddwl' i geisio creu 'Darlun Mawr' o ddulliau atal clefydau ar draws yr holl gyfnod a astudiwyd.

2 Defnyddiwch eich map meddwl i ddarganfod *pa mor effeithiol* oedd yr ymdrechion ataliol. Pryd roedden nhw fwyaf effeithiol? Pryd roedden nhw leiaf effeithiol?

3 Yn olaf, ceisiwch ddod o hyd i gysylltiadau rhwng eich syniadau chi am atal afiechydon a chlefydau a'r cardiau 'achosion clefydau' a lunioch chi ar gyfer Pennod 1. Oes yna gysylltiadau amlwg, neu ydyn nhw'n destunau hollol ar wahân mewn gwirionedd?

GWEITHGAREDDAU ?

1 Ewch ati i greu llinell amser wedi'i hanodi, o 500oc hyd heddiw, ar draws canol tudalen, gan ddangos yr ymdrechion i atal afiechydon rydych chi wedi ymchwilio iddyn nhw yn y bennod hon.

2 Nodwch unrhyw ymdrechion oedd yn llwyddiannus, yn eich barn chi, i atal afiechydon a chlefydau *uwchben* eich llinell amser; a rhowch unrhyw ymdrechion hynod o aflwyddiannus i atal afiechydon a chlefydau *o dan* eich llinell amser.

3 Yn eich barn chi, pryd roedd ymdrechion i atal clefydau ac afiechydon *fwyaf* llwyddiannus? Pam?

CRYNODEB O'R TESTUN

- Yn yr oesoedd canol roedd llawer o awgrymiadau ar sut i atal afiechydon a chlefydau, ond doedd neb yn gwybod sut i wneud hynny mewn gwirionedd.
- Roedd pobl yn credu bod byw bywyd Cristnogol da yn bwysig iawn, mor bwysig ag ymarfer corff a deiet.
- Wrth i wyddoniaeth ddatblygu, daeth dulliau gwyddonol yn agosach at nodi'r ffyrdd gorau o atal clefydau.
- Meddyliodd Jenner a Snow am fesurau ataliol effeithiol, ond doedden nhw ddim yn gwybod yn iawn pam eu bod yn gweithio.
- Llwyddodd Pasteur a Koch i dorri tir newydd ym maes gwyddoniaeth – mae pob gwaith ers hynny wedi bod yn seiliedig ar eu darganfyddiadau.
- Treuliodd alcemyddion oriau lawer yn chwilio am yr ateb i fywyd tragwyddol, heb ddod o hyd iddo.
- Gorchmynnodd y Brenin Edward III y dylid glanhau strydoedd Llundain, gan wneud cysylltiad rhwng budreddi a chlefydau.
- Gallai pobl gynhyrchu a gwerthu unrhyw beth, heb gyfyngiadau, gan honni eu bod yn gallu atal clefydau.
- Mae rhai pobl yn dal i ddadlau heddiw ynglŷn ag effeithlonrwydd brechu.

Cwestiynau ymarfer

1 Cwblhewch y brawddegau isod gan ddefnyddio'r term cywir:
Roedd apothecariaid yn .... meddygol.
Roedd colera yn cael ei ledaenu'n bennaf gan .... wedi'i halogi.
Cafodd y gwaith arloesol o frechu yn erbyn y frech wen ei arwain gan Edward
....
Enw cyffredin y brechiad yn erbyn y frech goch, clwy'r pennau a rwbela yw ....
(Am arweiniad, gweler tudalen 119.)

2 Astudiwch Ffynhonnell C (*tudalen 36*), Ffynhonnell DD (*tudalen 39*) a Ffynhonnell E (*tudalen 41*). Defnyddiwch y ffynonellau hyn i nodi un tebygrwydd ac un gwahaniaeth rhwng y dulliau o atal afiechydon a chlefydau dros amser. *(Am arweiniad, gweler tudalennau 120–121.)*

3 Disgrifiwch y dulliau gafodd eu defnyddio gan bobl yn ystod yr oesoedd canol er mwyn osgoi dal clefydau. *(Am arweiniad, gweler tudalen 122.)*

4 Pa mor effeithiol oedd datblygiad brechu i atal afiechydon a chlefydau yn y bedwaredd ganrif ar bymtheg a'r ugeinfed ganrif? *(Am arweiniad, gweler tudalen 125.)*

Mae'r bennod hon yn canolbwyntio ar y cwestiwn allweddol: Sut mae ymdrechion i drin afiechydon a chlefydau wedi newid dros amser?

Drwy gydol hanes, mae pobl wedi cael eu taro'n wael, ac mae meddygon o bob math a phob arbenigedd wedi ceisio eu gwella, er nad ydyn nhw wedi llwyddo bob tro. Mae dull gwyddonol yn seiliedig ar arsylwi, arbrofi a mesur wedi arwain at fwy o ddarganfyddiadau, meddyginiaethau a thechnegau newydd sydd wedi gwella'r siawns o wella cleifion, er bod yn well gan rai pobl heddiw feddyginiaethau naturiol neu amgen. Mae'r bennod hon yn edrych ar yr ymdrechion newidiol hyn i drin a gwella afiechydon.

TASG FFOCWS

Wrth i chi weithio drwy'r bennod hon, gwnewch nodyn o bob triniaeth ar gyfer afiechydon y byddwch chi'n dod ar eu traws a'u hychwanegu at eich copi o'r tabl cyferbyn. Mae'r un cyntaf wedi'i wneud i chi. Fel hyn, byddwch chi'n creu rhestr fanwl o'r ffyrdd gwahanol o drin yr afiechyd neu'r clefyd a nodwyd. Bydd angen y ddwy golofn olaf arnoch chi pan fyddwch chi'n ailymweld â'r dasg ffocws ar ddiwedd y bennod hon.

Afiechyd neu glefyd	Triniaeth		
Cur pen/ pen tost	Yfed te camomil a gorwedd i lawr		

Triniaethau a meddyginiaethau traddodiadol oedd yn gyffredin yn yr oesoedd canol

Meddyginiaethau llysieuol

Roedd perlysiau yn cael eu defnyddio'n helaeth fel meddyginiaethau ar gyfer pob math o anhwylderau yn yr oesoedd canol. Roedd meddyginiaethau llysieuol yn aml yn cynnwys cynhwysion fel mêl a chymysgedd o blanhigion eraill rydyn ni bellach yn gwybod eu bod yn helpu i wella heintiau. Weithiau byddai triniaethau llysieuol yn cael eu cofnodi mewn llyfrau o'r enw 'herbals' ynghyd â lluniau o'r cynhwysion a manylion am faint yn union dylid ei gynnwys a sut i gymysgu'r ddiod. Roedden nhw'n cynnwys gweddïau i'w hadrodd wrth gasglu'r perlysiau er mwyn gwneud y feddyginiaeth yn fwy effeithiol. Hefyd, roedd canllawiau ar gyfer pryd dylid casglu'r perlysiau – byddai'n rhaid casglu'r cynhwysion ar noson leuad lawn, neu pan oedd y lleuad ar ei chil, neu rywbeth tebyg, er mwyn i rai ryseitiau weithio. Pe baech chi'n casglu'r perlysiau ar yr amser anghywir, ni fyddai'r feddyginiaeth lysieuol yn gweithio. Roedd meddyginiaethau llysieuol hefyd yn aml yn cael eu cadw'n gyfrinach o fewn y teulu, ac yn cael eu trosglwyddo o un genhedlaeth i'r llall, o'r fam i'r ferch.

Ffynhonnell A: Meddyginiaeth ar gyfer cur pen, o lyfr o ddechrau'r bedwaredd ganrif ar bymtheg yn Fenis

Yfwch de camomil cynnes ac yna gorweddwch ar glustogau â phersawr rhosmari a lafant am chwarter awr.

Ffynhonnell B: Cyngor gan Rycharde Banckes, meddyg llysiau ar ddiwedd yr oesoedd canol

Casglwch ddail rhosmari a'u berwi mewn dŵr ffres, yna yfwch y dŵr hwnnw oherwydd mae'n llesol iawn i bob math o amhureddau yn y corff.

Ffynhonnell C: Cyfarwyddiadau ar gyfer paratoi eli, o *The Knight With the Lion* gan Helen Lynch, yn seiliedig ar straeon canoloesol Ffrengig am y Brenin Arthur

Cymerwch yr un faint o ruddygl, cribau San Ffraid, garlleg, y wermod lwyd, heleniwm, cennin a gwagwraidd. Stwnsiwch y llysiau a'u berwi mewn menyn gyda llysiau'r wennol a'r benboeth goch. Cadwch y cymysgedd mewn potyn efydd nes ei fod wedi troi yn goch tywyll. Hidlwch y cyfan drwy liain a'i daenu ar y talcen neu gymalau poenus.

Ffynhonnell CH: *Leechbook* gan Bald, triniaeth Eingl-Sacsonaidd (o'r nawfed neu'r ddegfed ganrif) ar gyfer llefelyn/llyfrithen ar y llygad

Cymerwch yr un faint o winwnsyn/nionyn neu gennin a garlleg, a'u stwnsio'n dda. Cymerwch yr un faint o win a bustl tarw a'u cymysgu â'r winwnsyn/nionyn a'r garlleg. Rhowch y cymysgedd mewn dysgl efydd a gadael iddo sefyll am naw noson, yna hidlwch y cyfan drwy liain. Yna, gyda'r nos, defnyddiwch bluen i roi'r cymysgedd ar y llygad.

> **Ffynhonnell D:** Meddyginiaeth Gymreig o'r drydedd ganrif ar ddeg ar gyfer y ddannodd
>
> *Cymerwch gannwyll o wêr dafad, ychwanegwch ychydig o hadau eringo (celyn y môr [Eryngium maritimum]), a'i llosgi mor agos at y dant â phosibl, gan ddal ychydig o ddŵr oer o dan y gannwyll. Bydd yr hyn sy'n difetha'r dant yn disgyn i'r dŵr er mwyn dianc rhag gwres y gannwyll.*

▲ **Ffynhonnell DD:** Tynnu gwaed, o lawysgrif addurnedig ganoloesol

Triniaethau cyffredin eraill yn yr oesoedd canol

Gwaedu

Y ffordd fwyaf cyffredin o ymladd afiechyd, ac adfer cydbwysedd y pedwar gwlybwr, oedd gwaedu'r corff. Roedd hyn yn cael ei wneud drwy 'gwpanu' (gweler Ffynhonnell DD) neu drwy ddefnyddio gelenod (gweler tudalen 48). Mae cofnodion mynachlogydd yn dangos bod rhai mynachod yn cael eu gwaedu hyd at wyth gwaith y flwyddyn. Y gred oedd bod afiechydon yn cael eu hachosi oherwydd bod y corff yn creu gormod o waed, felly roedd yn amlwg y byddai gwaedu cleifion yn eu gwella. Roedd carthu hefyd yn ffordd o gael gwared ar ormod o hylif ac amhureddau o'r corff.

Defnyddio wrin i wneud diagnosis ac fel triniaeth

Roedd gan feddygon un dull angenrheidiol arall ar gyfer gwneud diagnosis a thrin afiechydon. Roedd wrin yn ddull diagnostig hanfodol. Byddai'r meddyg yn edrych yn ofalus ar y lliw ac yn ei gymharu â siart (gweler Ffynhonnell E). Efallai byddai'n ei arogli ac, mewn rhai amgylchiadau, yn ei flasu er mwyn ceisio penderfynu beth oedd yn bod ar y claf. Byddai'r feddyginiaeth yn dibynnu ar y diagnosis. Mae llawer o gleifion heddiw yn dal i orfod cyflwyno sampl wrin fel rhan o'r broses o benderfynu beth sy'n bod arnyn nhw.

▲ **Ffynhonnell E:** Siart wrin a ddefnyddiwyd gan feddygon yn yr oesoedd canol

Siart y Sidydd

Yn olaf, ni fyddai unrhyw feddyg gwerth ei halen yn mynd i weld claf heb ei offeryn pwysicaf oll, sef siart y Sidydd (gweler Ffynhonnell F). Roedd siartiau fel hyn yn dweud wrth y meddyg pa rannau o'r corff oedd yn gysylltiedig â pha arwydd **sêr-ddewiniol**, ac yn pennu beth byddai'n ei wneud i wella'r claf – byddai rhai pethau yn gweithio i Aries, er enghraifft, ond nid i Pisces. Gallai hefyd ddweud wrtho pryd byddai'r amser gorau i wneud y driniaeth, a hyd yn oed pryd i gasglu'r perlysiau ar gyfer y meddyginiaethau – gallai perlysiau a gasglwyd ar yr adeg anghywir yng nghylchred y lleuad, er enghraifft, wneud mwy o ddrwg nag o les. Roedd yn anodd i'r meddyg benderfynu beth oedd yn achosi afiechyd a beth oedd y ffordd orau o'i drin.

Triniaethau eraill

Ac wrth gwrs, roedd digonedd o 'gwaciaid' neu fasnachwyr didrwydded yn crwydro'r wlad, yn ymweld â lleoedd anghysbell ac yn ymddangos mewn marchnadoedd a ffeiriau, yn cynnig pob math o driniaethau a gwellhad – rhai yn well na'i gilydd.

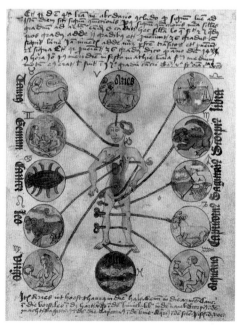

▲ **Ffynhonnell F:** Siart y Sidydd o'r bymthegfed ganrif

> ### MEDDYLIWCH ❓
>
> 1 Edrychwch ar Ffynonellau A–D. Yn eich barn chi, oedd unrhyw un o'r triniaethau hyn yn effeithiol? Rhowch nhw yn eu trefn gan roi'r mwyaf effeithiol ar y brig. Esboniwch y drefn rydych chi wedi ei dewis.
> 2 A fydden nhw'n gwneud unrhyw niwed?
> 3 Sut byddai pobl yr oesoedd canol yn dysgu am y triniaethau hyn?

Barbwr-llawfeddygon a defnyddio gelenod

Yn ystod yr oesoedd canol barbwr-llawfeddygon oedd y rhan fwyaf o lawfeddygon, heb fawr ddim hyfforddiant na gwybodaeth feddygol, ac eithrio beth roedden nhw wedi ei ddysgu drwy brofiad neu brentisiaeth. Roedd barbwr-llawfeddygon yn y rhan fwyaf o drefi. Bydden nhw'n tynnu eich dannedd, yn trwsio breichiau a choesau oedd wedi torri, yn tynnu gwaed ac yn torri eich gwallt (gweler Ffynhonnell FF). Bydden nhw hefyd yn cynnal llawdriniaethau syml. Weithiau bydden nhw'n rhedeg busnes apothecari, gan gynhyrchu meddyginiaethau llysieuol oedd yn amrywio o ran eu heffeithlonrwydd. Mae'n bosibl mai nhw fyddai'r unig weithiwr meddygol proffesiynol oedd ar gael i lawer o bobl, yn sicr i'r rhai hynny nad oedden nhw'n gallu fforddio meddyg.

Defnyddio gelenod

Mae gelenod wedi cael eu defnyddio ym maes meddygaeth am dros 2500 o flynyddoedd. Maen nhw'n sugno gwaed yn araf, ac yn tynnu gwaed mewn dull naturiol. Mae eu poer yn cynnwys gwrthgeulydd naturiol sydd hefyd yn rhoi anaesthetig ar y clwyf, gan leddfu poen eu brathiad. Yn yr oesoedd canol, roedd pobl yn credu bod gelenod yn tynnu gwaed 'amhur' o'r corff yn unig, gan adael y gwaed 'da' ar ôl (gweler Ffynhonnell G). Roedd gelenod yn dal i gael eu defnyddio ymhell ar ôl y cyfnod canoloesol. Yn wir, roedd cymaint o alw am elenod yn ystod y bedwaredd ganrif ar bymtheg, roedden nhw bron â diflannu'n llwyr yn y gwyllt. Roedden nhw'n cael eu defnyddio yn hytrach na'r dull cwpanu, ac maen nhw'n dal i gael eu defnyddio mewn rhai triniaethau hyd heddiw.

▲ Ffynhonnell FF: Ysgythriad o farbwr-llawfeddyg gan Jost Amman, 1568

▲ Ffynhonnell G: Claf yn cael ei drin â gelenod, o'r traethawd meddygol o Ffrainc *Régime du corps*, cyhoeddwyd yn 1256

Triniaethau cyffredin yng Nghymru yn yr oesoedd canol

Y 'meddygwr' yng nghyfreithiau Hywel Dda

Yng nghyfreithiau Hywel Dda, roedd gan y 'meddygwr' (meddyg neu iachäwr) le pwysig yn nhŷ pob tywysog neu arglwydd canoloesol Cymreig. Gan ddefnyddio meddyginiaethau llysieuol, roedd disgwyl iddyn nhw fod yn arbenigwyr oedd yn gallu trin pobl sâl, trwsio esgyrn wedi torri a darparu diodydd a fyddai'n gallu gwella afiechydon. Roedd y cyfreithiau hyd yn oed yn cynnwys rhestr o brisiau i'w codi ar gyfer triniaethau gwahanol.

Dynion Hysbys

Roedd Dyn Hysbys i'w gael mewn sawl rhan o Gymru yn ystod yr oesoedd canol ac roedd yn chwarae rhan bwysig mewn cymdeithas. Dywedwyd bod ganddo'r pŵer i dorri swynion a dadwneud drygioni a gafodd ei ledaenu gan wrachod, ac i wella a diogelu pobl ac anifeiliaid. Byddai'n defnyddio swynion oedd yn cynnwys gweddi neu fendith ynghyd â swyn neu air hud, a chyfeiriad at arwyddion y Sidydd. Ysgrifennai'r swyn ar ddarn o bapur a'i roi mewn jar a fyddai'n cael ei selio a'i guddio yn yr adeilad lle'r oedd yr anifail sâl. Byddai'r perchennog yn cael ei rybuddio i beidio â thynnu'r corcyn, oherwydd roedd pobl yn credu byddai'r ysbryd drwg oedd yn poeni'r anifeiliaid yn cael ei gloi yn y jar am byth.

Meddygon Myddfai

Drwy gydol yr oesoedd canol cafodd y rhan fwyaf o afiechydon eu trin â diodydd llysieuol a gafwyd gan feddygon. Roedd un teulu o'r meddygon hyn yn byw ym mhentref Myddfai yn Sir Gaerfyrddin ac, yn ôl y sôn, buon nhw'n gweithredu yno o'r drydedd ganrif ar ddeg hyd at y ddeunawfed ganrif.

Roedd Rhiwallon Feddyg a'i dri mab, Cadwgan, Gruffudd ac Einion, yn byw ym mhlwyf Myddfai yn y drydedd ganrif ar ddeg. Nhw oedd meddygon llys Rhys Gryg, Arglwydd Dinefwr. Gwnaethon nhw ysgrifennu eu triniaethau a'u meddyginiaethau ac maen nhw ar gof a chadw heddiw yn llawysgrif hynafol *Llyfr Coch Hergest*. Mae eu cofnodion yn cynnwys cyfarwyddiadau ar gyfer adnabod afiechydon a'u prognosis, yn ogystal â sut i'w trin â llawfeddygaeth, meddyginiaethau llysieuol, tynnu gwaed a serio'r corff. Roedden nhw'n gwneud eu meddyginiaethau o berlysiau, anifeiliaid a mwynau a gasglwyd o'r caeau a'r gwrychoedd o amgylch Myddfai. Bydden nhw'n malu'r perlysiau â phestl a morter, cyn ychwanegu dŵr berw i wneud diodydd llysieuol neu eu cymysgu ag olew planhigion i wneud eli.

Defnyddiodd meddygon Myddfai y sêr i'w helpu i atal afiechydon. Roedden nhw'n credu bod symudiad y planedau yn pennu beth dylai cleifion ei fwyta a'i yfed bob mis o'r flwyddyn. Ym mis Awst, er enghraifft, byddai cleifion yn cael eu cynghori i fwyta digon o gawl a llysiau, ac i roi pupur gwyn yn eu cawl. Bydden nhw hefyd yn cael eu cynghori i osgoi yfed cwrw neu fedd yn ystod y mis hwnnw.

> **Ffynhonnell NG:** Meddyginiaeth ar gyfer clwyf wedi'i heintio a gymerwyd o gofnod a ysgrifennwyd gan feddygon Myddfai ac a gofnodwyd yn *Llyfr Coch Hergest*, a ysgrifennwyd yng nghanol y bedwaredd ganrif ar ddeg
>
> Cymerwch lyffant du sydd yn gallu cropian yn unig, a'i daro â ffon nes ei fod yn gwylltio ac yna'n chwyddo nes iddo farw. Yna rhowch ef mewn llestr coginio pridd a chau'r caead fel na all y mwg ddod allan na'r aer fynd i mewn. Llosgwch y llyffant yn y llestr nes bydd yn lludw a rhowch y lludw ar y madredd.

MEDDYLIWCH ?

1 Yn eich barn chi, pam roedd y Dyn Hysbys yn chwarae rhan bwysig yng nghymdeithas Cymru yn ystod yr oesoedd canol?

2 Astudiwch Ffynhonnell NG. Pa mor ddefnyddiol yw *Llyfr Coch Hergest* i hanesydd sy'n astudio sut roedd afiechydon a chlefydau yn cael eu trin yng Nghymru yn ystod yr oesoedd canol?

Dylanwad ffynhonnau iachaol yng Nghymru

Ers cyfnod y paganiaid mae ffynhonnau wedi cael eu cysylltu â nodweddion iachaol honedig. Honnid eu bod yn gallu iacháu bron â bod pob afiechyd oedd yn effeithio ar y corff dynol, o anhwylderau y llygaid i wynegon, anhwylderau'r croen, dafadennau, cloffni, toresgyrn ac ysigiadau (*sprains*).

Yn ystod y cyfnod Cristnogol cynnar daeth sawl ffynnon yn gysylltiedig â seintiau, fel Teilo Sant, Dewi Sant, Beuno Sant, Cybi Sant a'r Santes Fair, ac ar draws Cymru codwyd dros 200 o gapeli ac eglwysi wrth ymyl neu gerllaw ffynhonnau sanctaidd (gweler Tabl 3.1). Daeth llawer o ffynhonnau yn gyrchfannau pwysig i bererinion, a'r mwyaf enwog yw Ffynnon Gwenffrewi yn Nhreffynnon, Sir y Fflint (gweler y blwch ffocws cyferbyn).

Ar gyfer anhwylderau'r llygaid, roedd golchi'r llygad â dŵr y ffynnon yn cael ei ystyried yn effeithiol, ac ar gyfer anhwylderau fel gwynegon ac anhwylderau'r croen, roedd ymdrochi yn y ffynnon ei hun yn cael ei ystyried yn angenrheidiol. Byddai pobl yn gadael offrymau i'r sant wrth ymyl y rhan fwyaf o ffynhonnau, ac roedd hyn fel arfer yn cynnwys taflu pinnau wedi'u plygu, byclau neu ddarnau arian i'r dŵr. Arfer cyffredin ar draws Gogledd Cymru er mwyn cael gwared ar ddafaden oedd dod o hyd i ddarn o wlân dafad ar y ffordd i'r ffynnon, rhoi pin yn y ddafaden ac yna rhwbio'r gwlân arni. Yn dilyn hynny, roedd yn rhaid plygu'r pin a'i daflu i'r ffynnon. Roedd yn rhaid rhoi'r gwlân ar y goeden ddraenen wen gyntaf y byddai'r ymwelydd yn ei gweld ar y ffordd adref. Roedd pobl yn credu y byddai'r gwynt yn chwalu'r gwlân ar y goeden, gan achosi i'r ddafaden chwalu a diflannu.

Sir Fôn	9
Sir Gaernarfon	22
Sir Ddinbych	15
Sir y Fflint	10
Sir Drefaldwyn	8
Sir Feirionnydd	14
Sir Frycheiniog	8
Sir Faesyfed	4
Sir Aberteifi	14
Sir Benfro	33
Sir Gaerfyrddin	14
Sir Forgannwg	24
Sir Fynwy	7

▲ **Tabl 3.1:** Nifer y capeli a'r eglwysi a adeiladwyd gerllaw neu'n agos at ffynhonnau sanctaidd ar draws Cymru yn ystod y cyfnod Cristnogol cynnar

CHWEDL SANTES GWENFFREWI, TREFFYNNON

Yn ôl y sôn, bu Gwenffrewi yn byw yn Nhreffynnon yn ystod y 620au. Tua'r amser hwnnw daeth tywysog o'r enw Caradog i ymweld â hi o Benarlâg ac fe geisiodd ei sediwsio. Ceisiodd Gwenffrewi ffoi a rhedodd i gyfeiriad eglwys gyfagos Beuno Sant lle'r oedd gwasanaeth yn cael ei gynnal. Yn ei ddicter, tynnodd Caradog ei gleddyf a thorri pen Gwenffrewi. Ar yr eiliad honno daeth yr offeiriad, Beuno, o'r eglwys a mynd i helpu Gwenffrewi. Wrth iddo weddïo rhoddodd ei phen yn ôl ar ei chorff gan ddod â hi yn ôl yn fyw. Ymddangosodd ffynnon yn y man hwnnw (safle'r ffynnon bresennol). Yna agorodd y ddaear a llyncu Caradog. Treuliodd Gwenffrewi weddill ei hoes fel lleian, gan symud i Wytherin yn y pen draw lle daeth yn abades. Bu farw yno tua'r flwyddyn 660.

Dros y canrifoedd dilynol, adeiladwyd capel dros y ffynnon a daeth yn ganolfan bwysig i bererinion. Heidiodd pererinion i'r dŵr sanctaidd gan gredu y byddai'n gwella eu hafiechydon, a daeth y ffynnon yn un o Saith Rhyfeddod Cymru (gweler Ffynhonnell H).

▲ **Ffynhonnell H:** Ffynnon Santes Gwenffrewi yn Nhreffynnon

Triniaethau yn y cyfnod modern cynnar

Roedd llawer o driniaethau a meddyginiaethau traddodiadol yr oesoedd canol yn dal i gael eu defnyddio yn y cyfnod modern cynnar ond roedd rhai datblygiadau newydd hefyd.

Chwaraeodd 'boneddigesau'r faenor', fel yr Arglwyddes Johanna St John, eu rhan yn y broses o wella pobl yn y cyfnod hwn. Yn ogystal â rhedeg cartref mawr, bydden nhw'n creu llyfrau ryseitiau o feddyginiaethau (gweler Ffynhonnell I am un o'i ryseitiau).

> **Ffynhonnell I: Triniaeth yr Arglwyddes Johanna St John ar gyfer gwaedlif o'r trwyn**
> *Cymerwch ddarn o bapur gwyn, ei wlychu â finegr a'i sychu mewn ffwrn – ar ôl iddo sychu, gwlychwch y papur a'i sychu fel o'r blaen, a gwnewch hynny dair gwaith, yna trowch y papur yn bowdr ac anadlu rhywfaint ohono i fyny'r trwyn yn aml, a phan fydd yn gwaedu.*

Yn ystod y cyfnod modern cynnar ysgrifennai rhai meddygon yn Saesneg yn hytrach na Lladin, mewn ymgais i helpu mwy o bobl. Cafodd perlysiau eu defnyddio mewn ffordd fwy synhwyrol nag o'r blaen hefyd, drwy ddysgeidiaeth yr arwyddnodau (hynny yw, os oedd planhigyn yn edrych fel rhan o'r corff yna gellid ei ddefnyddio i drin y rhan honno o'r corff) yn ogystal â seryddiaeth.

Roedd cynhwysion newydd hefyd yn ymddangos o bob rhan o'r byd. Roedd riwbob yn cael ei ystyried yn gyffur gwyrthiol pan gafodd ei gyflwyno gyntaf o Asia. Daeth Walter Raleigh â thybaco o Ogledd America ac, er i Iago I ysgrifennu llyfr enwog am ddrwg-effeithiau tybaco, cafodd ei defnyddio mewn sawl meddyginiaeth lysieuol yn fuan iawn. Yn wir, cofnodwyd bod bechgyn ysgol Eton wedi cael eu curo am wrthod ysmygu tybaco. Yn ôl pob tebyg, roedd ysmygu pib yn cael ei ystyried yn ffordd wych o gadw'r pla draw!

Daeth datblygiad y dull gwyddonol ym maes meddygaeth, oedd yn cynnwys arsylwi, arbrofi a chofnodi canlyniadau, nid yn unig â chynhwysion newydd ar gyfer meddyginiaethau llysieuol, ond hefyd syniadau newydd ar sut i ddelio â chlefydau. Cynhaliwyd astudiaethau newydd ar afiechyd meddwl, y cyfeiriwyd ato'n aml fel 'y felan', a disgyblaethau eraill fel bydwreigiaeth hefyd yn ystod y cyfnod hwn. Dechreuodd rhai unigolion sylwi bod arferion ffordd o fyw, fel cael awyr iach a gwella eich deiet, yn ffyrdd o atal afiechydon, yn hytrach na dibynnu ar feddygon i'w gwella ar ôl iddyn nhw fynd yn sâl.

James Simpson a datblygiad anaesthetig

MEDDYLIWCH ?

1 Pam roedd llawfeddygon yn ystyried bod poen yn 'rhywbeth da'?

2 I ba raddau mae Ffynhonnell J yn dangos nad oedd anaesthetig o reidrwydd yn gwneud llawdriniaethau yn fwy diogel?

3 Pa ran wnaeth gwyddoniaeth ei chwarae i ddatblygu anaesthetig effeithiol?

4 Pam roedd hi mor anodd i gael y dos yn gywir wrth ddefnyddio anaesthetig ar y dechrau?

5 Defnyddiodd Humphrey Davy ocsid nitrus fel 'cyffur adloniant', felly pam gwnaeth y llywodraeth wahardd gwerthu ocsid nitrus yn ddiweddar (Mai 2016)?

Roedd llawdriniaeth yn boenus iawn. Roedd llawer o lawfeddygon yn credu y *dylai* cleifion brofi poen, gan y byddai hyn yn eu helpu i werthfawrogi'r ymdrechion oedd yn cael eu gwneud ar eu rhan. Yn aml, byddai llawer iawn o alcohol neu opiwm yn cael ei ddefnyddio er mwyn tawelu claf a'i gwneud yn haws i gynnal y llawdriniaeth, ond roedd yn anodd iawn cael y dos yn gywir. Syr Humphrey Davy oedd un o'r cyntaf i ddefnyddio ocsid nitrus, neu nwy chwerthin fel rydyn ni'n ei alw heddiw (gweler Ffynhonnell H). Rhoddodd wahoddiad i'w ffrindiau ddod i anadlu'r nwy o fagiau sidan oeliog. Dechreuodd y nwy gael ei ddefnyddio fel anaesthetig yn fuan iawn er mwyn lleihau poen yn ystod llawdriniaethau, ond roedd yn anodd rheoli'r dos. Yn 1846 llwyddodd Robert Liston i dorri coes rhywun gan ddefnyddio ether fel anaesthetig. Cafodd y syniad gan ddeintydd o America ond un o anfanteision y dull hwn oedd bod y claf weithiau'n deffro yng nghanol y llawdriniaeth!

Yn 1847 defnyddiodd James Simpson (1811–70), gwyddonydd o'r Alban, glorofform, ar ôl cynnal arbrofion arno ef ei hun a'i ffrindiau, er mwyn lleihau poen wrth eni plant. Mae cloroform yn achosi i gleifion deimlo'n benysgafn, bod ag awydd cysgu neu fynd yn anymwybodol, ac mae angen bod yn ofalus wrth ei ddefnyddio. Nid yn annisgwyl, roedd rhai pobl yn gwrthwynebu'r defnydd o'r poenladdwyr hyn, ond llwyddwyd i oresgyn hyn yn rhannol yn 1853 pan ddefnyddiodd y Frenhines Fictoria glorofform wrth eni baban. Os oedd yn ddigon da i'r frenhines roedd yn ddigon da i bawb. Roedd yn rhaid anadlu'r poenladdwyr hyn fel anaesthetig cyffredinol er mwyn iddyn nhw weithio. Yn olaf, yn yr 1850au, defnyddiwyd dail coca o Dde America i gynhyrchu cocên oedd yn gallu cael ei ddefnyddio fel anaesthetig lleol – cafodd ei roi fel diferion yn y llygad y tro cyntaf. Daeth y defnydd o gocên yn llawer mwy cyffredin ar ôl 1891 pan ddaeth yn bosibl ei gynhyrchu'n gemegol. Erbyn diwedd y ganrif doedd dim rhaid i lawdriniaethau fod yn boenus.

Doedd **anaesthetig** ddim o reidrwydd yn gwneud llawdriniaethau yn fwy diogel. Fel rydyn ni wedi gweld yn barod, roedd yn anodd cael y dos yn gywir yn achos y poenladdwyr cyntaf. Hefyd, dechreuodd llawfeddygon wneud llawdriniaethau mwy cymhleth gan eu bod yn gallu cymryd mwy o amser. Ond yn anffodus, doedd hi'n dal ddim yn bosibl rheoli heintiau. Roedd cyfraddau marwolaethau rhai llawfeddygon yn uwch nag o'r blaen wrth ddefnyddio anaesthetig, felly yn yr 1870au rhoddodd rhai ohonyn nhw'r gorau i ddefnyddio clorofform.

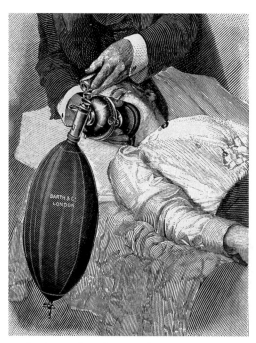

▲ Ffynhonnell J: Rhoi ocsid nitrus ac ether yn yr 1840au, fel y dangosir mewn llyfr o 1922 ar ddatblygiadau ym maes meddygaeth

▲ James Simpson, ffotograff gan Brigham

Joseph Lister a'r defnydd o antiseptig ar ddiwedd y bedwaredd ganrif ar bymtheg

Os byddwn ni'n cael crafiad neu friw heddiw, y peth cyntaf y byddwn ni'n ei wneud yw golchi'r clwyf, ac yna rhoi eli antiseptig arno neu blastr. Y syniad yw atal baw rhag mynd i mewn i'r clwyf, ac atal heintiau. Mae'r rhan fwyaf o bobl yn gwybod bod baw a heintiau yn gallu lladd. Ond mae hyn yn rhywbeth eithaf diweddar. Y lladdwr mwyaf ar ôl llawdriniaeth oedd sepsis, neu **fadredd** ysbyty, sef haint roedd pobl yn ei ddal yn ystod neu ar ôl llawdriniaeth. Roedd llawfeddygon yn gwrthwynebu'n llwyr y syniad eu bod nhw eu hunain yn lledaenu heintiau, drwy ddillad budr ac offer **ansteril**.

Daeth Ignaz Semmelweis yn arloeswr ym maes antiseptig yn 1847. Roedd yn gyfrifol am y ward mamolaeth yn Ysbyty Cyffredinol Wien yn Awstria. Llwyddodd i ostwng y gyfradd marwolaethau yn ddramatig ar ei ward mamolaeth o tua 35 y cant i lai nag 1 y cant, drwy fynnu bod meddygon yn golchi eu dwylo mewn hylif calsiwm clorid cyn trin eu cleifion. Er iddo gyhoeddi ei ganlyniadau, ni wnaeth llawer o ysbytai eraill gyflwyno'r drefn hon.

Joseph Lister

Llawfeddyg o Loegr oedd Joseph Lister (1827–1912) ac efallai mai ef, yn fwy na neb arall, oedd yn gyfrifol am gynyddu'r siawns o oroesi llawdriniaeth. Ar ôl i Pasteur gyhoeddi ei ddamcaniaeth germau (gweler tudalen 65), defnyddiodd Joseph Lister ystafell lawdriniaeth wedi'i diheintio ag asid carbolig. Roedd ei syniadau yn seiliedig ar ei arbrofion ar frogaod. Gan fod brogaod yn amffibiaid â'u gwaed yn oer ac yn llifo'n araf, roedd yn bosibl eu hastudio'n fwy manwl. Gallai Lister weld effaith y newidiadau roedd yn eu cyflwyno. Roedd yn diheintio ei offer llawfeddygol ag asid carbolig hefyd. Yn ogystal, roedd yn trochi'r clwyf ag asid carbolig o dro i dro, ac yn defnyddio gorchuddion wedi'u diheintio drwy'r dull hwn hefyd. Drwy wneud hyn llwyddodd i ostwng y gyfradd marwolaethau yn ei lawdriniaethau o 46 y cant i 15 y cant mewn tair blynedd yn unig. Yn 1871 dyfeisiodd beiriant oedd yn chwistrellu asid carbolig dros yr ystafell i gyd, yn ogystal â dros y llawfeddyg, y claf, y cynorthwywyr a phopeth arall. Copïodd eraill ei ddulliau ac fe gafodd Lister ei alw yn 'Dad Llawdriniaeth Antiseptig'.

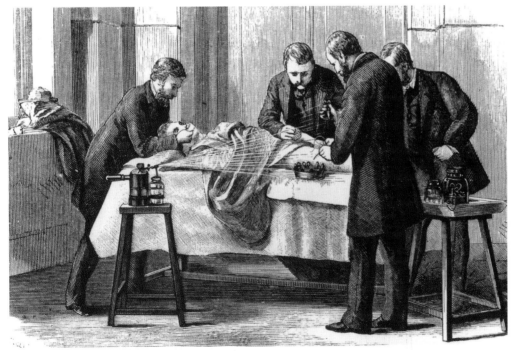

▲ Ffynhonnell L: Llawdriniaeth yn cael ei chynnal gan ddefnyddio chwistrell carbolig newydd Lister

MEDDYLIWCH ?

1 Edrychwch ar Ffynhonnell L. Sut brofiad fyddai hi i'r (a) claf, a'r (b) staff meddygol, oedd yn defnyddio'r offer hyn?

2 Ym mha ffyrdd mae hyn yn welliant ar yr hyn oedd yn digwydd cyn Lister a llawdriniaeth antiseptig?

Llawdriniaeth aseptig: newid gwirioneddol o'r diwedd?

Cafwyd mwy o welliannau yn ddiweddarach yn ystod y ganrif gyda datblygiad llawdriniaeth aseptig. Roedd hyn yn dilyn gwaith Robert Koch a oedd wedi darganfod yn 1878 fod y rhan fwyaf o glefydau yn cael eu lledaenu drwy gyffwrdd arwyneb wedi'i heintio yn hytrach nag yn yr aer. Arweiniodd hyn at ymdrechion i greu amgylchedd heb germau ar gyfer cynnal llawdriniaethau, er mwyn osgoi lledaenu heintiau.

Yn 1881, dyfeisiodd Charles Chamberland, biolegydd o Ffrainc, ddiheintydd ager ar gyfer cyfarpar meddygol. Darganfyddodd fod cynhesu'r offer mewn dŵr ar 140°C am 20 munud yn eu diheintio'n llwyr, gan wneud llawdriniaethau yn llawer mwy diogel. Dyma ddechrau datblygiadau llawer symlach, llawer haws i ddiheintio cyfarpar ar gyfer llawdriniaethau. Fel y gallwch chi ddychmygu, ychydig iawn o lawfeddygon a fabwysiadodd y dull hwn. Cymerwyd y cam nesaf gan Gustav Neuber, llawfeddyg o'r Almaen yn Kiel. Ef oedd y cyntaf i gael ystafell lawdriniaeth ddi-haint. Mynnodd fod staff yn eu sgrwbio eu hunain yn drylwyr cyn mynd i mewn i'r theatr; roedd hyd yn oed yr aer yn yr ystafell yn ddi-haint. Cyhoeddodd bapur ar y broses a'r canlyniadau yn 1886 gan osod y safon ar gyfer eraill i'w ddilyn.

Dillad llawdriniaeth

Y rhan olaf o'r frwydr yn erbyn haint oedd y broses raddol o fabwysiadu dillad amddiffynnol – yn America dechreuodd William Halsted a'i dîm wisgo menig llawfeddygol oherwydd bod un o'r nyrsys wedi datblygu adwaith alergaidd ar ei llaw i'r chwistrell garbolig oedd yn cael ei defnyddio. Gofynnodd i Gwmni Rwber Goodyear wneud menig tenau rwber arbennig ar ei chyfer. Berkeley Moyniham, llawfeddyg uchel ei barch o Brydain oedd yn gweithio yn Leeds, oedd y cyntaf ym Mhrydain i wisgo menig ar gyfer llawdriniaeth. Yn ddiweddarach, byddai bob amser yn newid ei ddillad ac yn gwisgo gŵn arbennig cyn mynd i'r theatr. Roedd y rhan fwyaf o lawfeddygon yn ei ystyried yn od am wneud hyn. Yn wir, ar un achlysur cyflwynwyd tusw o flodau i'w wraig wedi'i wneud o hen fenig rwber.

> **Ffynhonnell LL: Berkeley Moyniham yn cofio ei ddyddiau fel myfyriwr yn Leeds yn yr 1880au**
>
> *Cyrhaeddodd y llawfeddyg a thynnu ei siaced er mwyn osgoi cael gwaed neu grawn (pus) arni. Rholiodd i fyny llewys ei grys a thynnu hen ffrog o gwpwrdd yn y coridor ar y ffordd i'r ystafell lawdriniaeth; roedd hi wedi gweld dyddiau gwell, ac roedd yn galed gan hen waed. Gwisgwyd un o'r cotiau hyn â balchder arbennig, llawenydd yn wir, gan ei bod yn arfer bod yn eiddo i aelod o staff oedd wedi ymddeol. Tynnwyd y cyffiau dros yr arddyrnau yn unig, ac yna byddai'n golchi ei ddwylo yn y sinc. Pan oedden nhw'n lân byddai'n eu golchi mewn hydoddiant asid carbolig.*

> **MEDDYLIWCH** ?
>
> 1 Beth yw'r gwahaniaeth rhwng llawdriniaeth antiseptig a llawdriniaeth aseptig?
>
> 2 Yn eich barn chi, pa un gafodd yr effaith fwyaf?
>
> 3 Sut gwnaeth y dulliau newydd hyn newid agwedd y myfyrwyr oedd yn hyfforddi i fod yn llawfeddygon yn Leeds yn yr 1880au?
>
> 4 Ystyriwch Ffynhonnell LL.
>   a) Pa effaith mae'r newid i lawdriniaeth antiseptig ac aseptig wedi ei chael ar y llawfeddyg hwn?
>   b) Pa fath o esiampl mae'n ei osod i'w fyfyrwyr?
>   c) Cofnodwyd y ffynhonnell hon sawl blwyddyn ar ôl y digwyddiadau dan sylw – a yw hynny'n cael effaith ar ba mor ddefnyddiol yw'r ffynhonnell?

Datblygiadau'r ugeinfed ganrif

Marie Curie a datblygiad pelydriad

Disgrifiwyd Marie Curie fel y gwyddonydd benywaidd mwyaf enwog erioed (gweler Ffynhonnell M). Enillodd Wobr Nobel yn 1903 *ac* yn 1911. Does neb arall wedi ennill Gwobr Nobel yn y ddau faes ffiseg a chemeg, a hi oedd y fenyw gyntaf i ennill Gwobr Nobel ym maes gwyddoniaeth.

Ganwyd Marie Curie yng Ngwlad Pwyl a dechreuodd weithio fel athrawes gartref, gan nad oedd ei thad yn gallu fforddio talu iddi fynd i'r brifysgol. Yna cafodd wahoddiad i symud i fyw at ei chwaer ym Mharis lle aeth i'r brifysgol yn y pen draw. Hi a'i gŵr oedd y cyntaf i ddarganfod ac ynysu radiwm a pholoniwm. Roedd yr elfennau ymbelydrol hyn yn chwarae rhan allweddol wrth ddinistrio meinwe, ac arweniodd hyn at ffordd newydd o drin canser. Er i'w gŵr gael ei ladd mewn damwain ffordd yn 1906, parhaodd Marie i weithio – enillodd Wobr Nobel yn 1911 am ddarganfod dull o fesur pelydriad. Yn ystod y Rhyfel Byd Cyntaf, chwaraeodd ran allweddol yn datblygu unedau pelydr X symudol y gellid eu defnyddio yn agosach at y rheng flaen. Roedd hyn yn golygu gallu gwneud diagnosis a thrin milwyr clwyfedig yn gynt ac yn haws. Bu farw yn 1934 yn 67 oed, o glefydau a achoswyd drwy gael gormod o ymbelydredd.

> **Ffynhonnell M: Darn o ysgrif goffa i Marie Curie,** *New York Times*, 1934
>
> *Prin iawn yw'r bobl sydd wedi cyfrannu mwy i les cyffredinol dynol ryw ac i ddatblygiad gwyddoniaeth na'r wraig wylaidd, swil roedd y byd yn ei hadnabod fel Mme. Curie. Er gwaethaf ei darganfyddiadau hanesyddol yn canfod poloniwm a radiwm, a'r holl anrhydeddau a gyflwynwyd iddi yn sgil hyn – does neb arall wedi ennill dau wobr Nobel – a'r cyfoeth a'r clod y byddai hi wedi gallu eu cael petai hi wedi dymuno, ni wnaeth hi newid ei ffordd o fyw. Parhaodd i weithio yn enw gwyddoniaeth, ac roedd yn well ganddi ei labordy na chael sylw a chyhoeddusrwydd y byd.*

MEDDYLIWCH ?

1 Pa mor ddefnyddiol yw Ffynhonnell M o ran ein helpu i ddeall rôl Marie Curie yn gwella dulliau o drin clefydau?

2 Edrychwch ar Ffynhonnell N. Pa fath o argraff rydych chi'n ei chael o Marie Curie a'i gwaith ar sail y llun hwn? A oedd yr argraff hon yn un ffug? Pa mor ddefnyddiol yw hyn i ni wrth astudio ei gwaith?

▲ Ffynhonnell N: Marie Curie yn ei labordy

Rolau Fleming, Forey a Chain yn ymwneud â gwrthfiotigau

Cafodd penisilin ei ddarganfod yn y bedwaredd ganrif ar bymtheg. Yn wir, roedd Lister wedi ei ddefnyddio unwaith i drin haint mewn clwyf, ond nid oedd wedi cyhoeddi ei nodiadau. Yn ystod y Rhyfel Byd Cyntaf, sylwodd Alexander Fleming nad oedd antiseptig yn gallu atal heintiau, yn enwedig mewn clwyfau dwfn. Penderfynodd geisio dod o hyd i rywbeth a fyddai'n lladd y microbau oedd yn achosi heintiau. Un o'r rhai mwyaf peryglus oedd staphylococci a oedd yn achosi **septicaemia**. Yn 1928, ar ôl dychwelyd o'i wyliau, sylwodd ar lwydni – penisilin – oedd wedi tyfu yn un o'i ddysglau Petri. Sylwodd hefyd fod y bacteria staphylococci o amgylch y llwydni wedi cael eu lladd. Dyna ddechrau stori penisilin. Galwodd ei ddarganfyddiad yn wrthfiotig, sydd yn golygu 'dinistrio bywyd'. Cyhoeddodd Fleming ei ganlyniadau yn 1929, ond ni allai godi digon o arian i ddatblygu'r cyffur.

Yn 1937, ar ôl darllen erthygl gan Fleming, dechreuodd Howard Florey ac Ernst Chain o Brifysgol Rhydychen ymchwilio i benisilin. Llwyddwyd i oresgyn yr anawsterau a oedd yn gysylltiedig â chynhyrchu digon o'r cyffur. Gwnaethon nhw gynnal eu harbrofion cyntaf ar lygod yn 1940, ac yna ar bobl yn 1941. Y claf cyntaf i gael ei drin oedd heddwas a heintiwyd yn ddifrifol ar ôl cael crafiad gan lwyn rhosod, ond bu farw ar ôl pum diwrnod gan nad oedd cyflenwad digonol o'r cyffur ar gael. Eto i gyd, roedd yr arbrawf wedi dangos pa mor effeithiol oedd penisilin.

Rhoddodd yr Ail Ryfel Byd hwb enfawr i ddatblygu'r cyffur ac yn 1943 cafodd ei ddefnyddio yn llwyddiannus iawn am y tro cyntaf ar luoedd y Cynghreiriaid yng Ngogledd Affrica. Aeth America a Phrydain ati ar y cyd i gynhyrchu llawer iawn o benisilin gan achub llawer o fywydau yn 1944 ac 1945. Ar ôl y rhyfel, cafodd ei ddefnyddio'n eang iawn i drin llawer o afiechydon fel broncitis, impetigo, niwmonia, tonsilitis, syffilis, llid yr ymennydd, cornwydydd, crawniadau (*abscesses*) a llawer o glwyfau eraill. Derbyniodd Fleming, Florey a Chain Wobr Nobel am Feddygaeth yn 1945. Daeth gwrthfiotigau eraill i'r amlwg yn dilyn hyn, fel streptomysin yn 1944; tetraseiclin yn 1953; a mitomysin yn 1956.

MEDDYLIWCH ?

1 Pa ran wnaeth siawns ei chwarae yn narganfyddiad penisilin?

2 Pa ran wnaeth rhyfel ei chwarae yn natblygiad penisilin?

3 Yn eich barn chi, pwy sy'n haeddu'r teitl 'Tad Penisilin'? Pam?

4 Beth mae Ffynhonnell O yn ei ddweud wrthon ni am filwyr clwyfedig oedd yn gwella (a) yn ystod yr Ail Ryfel Byd, a (b) yn ystod y Rhyfel Byd Cyntaf?

▲ Ffynhonnell O: Hybyseb ar gyfer penisilin, 1945

Dr Christian Barnard a llawfeddygaeth trawsblannu

Mae rhan gyntaf y bennod hon wedi dangos i chi fod newidiadau mawr wedi digwydd yn y ffordd mae llawdriniaethau yn cael eu cynnal, a'u cyfraddau llwyddiant. Mae newidiadau mawr hefyd wedi bod yn y *mathau* o lawdriniaethau sy'n cael eu gwneud. Trawsblannwyd aren am y tro cyntaf yn 1952. Yn 1961 datblygwyd y rheoliadur calon cyntaf ym Mhrydain – dyfais electronig sy'n sicrhau bod y galon yn dal i bwmpio gwaed o amgylch y corff – ynghyd â llawdriniaeth ddargyfeiriol ar y galon. Yn 1967 trawsblannwyd calon am y tro cyntaf yn Cape Town, De Affrica, gan Dr Christian Barnard. Bu'r claf fyw am 18 diwrnod. Roedd dwy brif broblem – argaeledd organau (sy'n dal i fod yn broblem fawr heddiw) a'r corff yn gwrthod y trawsblaniad. Llwyddwyd i ddatrys hyn i raddau helaeth drwy ddatblygu cyffuriau atal imiwnedd, fel cylchosborin, sy'n helpu'r corff i dderbyn yr organ newydd. Heddiw, mae trawsblaniadau yn gyffredin ac roedd 181 llawdriniaeth trawsblannu calon yng Nghymru a Lloegr yn ystod 2014 yn unig.

Cyflwynwyd llawdriniaethau i osod clun newydd (gosod cymalau artiffisial yn lle hen gymalau sydd wedi gwisgo) yn 1972, gan helpu pobl oedd yn ei chael yn anodd i gerdded cyn y llawdriniaeth. Hen ffasiwn? Mae llawdriniaeth twll clo bellach yn gyffredin iawn, gan olygu nad oes yn rhaid cynnal llawdriniaethau mawr. Mae systemau llawdriniaeth robotig wedi'u trwyddedu yn UDA hyd yn oed. Mae cyfraddau marwolaethau yn sgil llawdriniaethau yn cael eu monitro'n ofalus ac mae hyd yn oed 'tablau cynghreiriau' ar gyfer ysbytai a llawfeddygon fel bod cleifion yn gallu dewis y lle 'gorau' i gael triniaeth.

Datblygiadau modern ym maes trin canser a llawdriniaeth

Yn dilyn gwaith arloesol Marie Curie, mae therapi ymbelydredd wedi cael ei ddefnyddio yn ystod llawer iawn o'r ugeinfed ganrif i drin celloedd canser, gan ddod yn fwy a mwy cywir a haws eu targedu wrth i dechnoleg wella'r dechneg. Yn ychwanegol at hyn, mae triniaeth cemotherapi yn defnyddio cyffuriau pwerus i ladd celloedd canser. Mae'r driniaeth hon wedi dod yn llawer mwy cyffredin ers yr Ail Ryfel Byd ac mae'n aml yn cael ei defnyddio i drin celloedd canser nad yw'n bosibl eu cyrraedd mewn llawdriniaeth. Cafwyd canlyniadau gobeithiol yn dilyn cyfuniad o lawdriniaeth neu therapi ymbelydredd a chemotherapi. Mae canser yn dal i ladd llawer iawn o bobl, ond mae mwy a mwy o fathau o ganser yn cael eu gwella neu eu rheoli gan y triniaethau hyn. Diagnosis cynnar yw'r allwedd i lwyddiant yn aml iawn.

Yn olaf, mae llawdriniaethau hefyd yn cael eu defnyddio i dynnu tyfiant canser. Efallai mai'r mathau mwyaf cyffredin o lawdriniaeth sy'n cael eu defnyddio heddiw i ymladd canser yw mastectomi (codi bron menyw) neu drawsblaniadau yr ysgyfaint. Mae llawdriniaeth bob amser yn cael ei ystyried yn gambl, oherwydd mae'n eithaf cyffredin i'r canser ddychwelyd, hyd yn oed ar ôl llawdriniaeth lwyddiannus i dynnu'r meinwe sydd wedi'i heintio. Mewn cyfnodau cynharach, roedd yn rhaid cynnal llawdriniaethau er mwyn darganfod a oedd claf yn dioddef o ganser. Erbyn heddiw, oherwydd technegau sganio a chamerâu micro opteg ffibr, mae'n bosibl 'gweld' y tu mewn i gorff claf heb lawdriniaeth fawr, gan leihau effaith y diagnosis.

GWEITHGAREDD ❓

Gan weithio gyda phartner, paratowch ddadl i drafod pa un o'r datblygiadau ym maes llawdriniaeth yn yr ugeinfed ganrif y cyfeiriwyd atyn nhw ar y dudalen hon sydd wedi cael yr effaith fwyaf ar afiechydon a chlefydau.

MEDDYLIWCH ❓

1 Pam roedd hi mor anodd i drawsblannu organau'n llwyddiannus ar y dechrau?

2 Sut llwyddwyd i oresgyn yr anawsterau hyn?

3 A yw hi'n foesegol defnyddio rhannau o gorff un person i gadw person arall yn fyw?

Triniaethau amgen: beth os nad oeddech chi'n gallu fforddio gweld y meddyg?

Yn ystod y llyfr hwn rydyn ni wedi gweld bod llawer o bobl naill ai wedi *dewis peidio â* gweld gweithiwr meddygol proffesiynol, neu *ddim wedi gallu fforddio* gwneud hynny. Roedden nhw'n dibynnu ar feddyginiaethau'r teulu, neu'r 'fenyw hysbys' leol i'w trin. Doedd hyn ddim wedi newid yn ystod hanner cyntaf yr ugeinfed ganrif o leiaf, fel sydd i'w weld yn Ffynhonnell P.

Cred gynyddol mewn meddygaeth amgen

Yn sgil helyntion fel achos thalidomid, lle rhoddwyd moddion i fenywod beichiog er mwyn trin salwch y bore a chyfog ac oherwydd hynny ganwyd iddyn nhw fabanod heb goesau neu freichiau, daeth pobl i amau meddygaeth draddodiadol. Arweiniodd hyn at dwf enfawr yn y diddordeb mewn meddygaeth amgen neu holistaidd. Daeth triniaethau fel hydrotherapi, aromatherapi, hypnotherapi ac aciwbigo yn boblogaidd iawn gyda rhai pobl. Roedd rhai o'r triniaethau hyn yn seiliedig ar hen driniaethau traddodiadol oedd yn defnyddio perlysiau a thriniaethau 'pur' wedi'u cynllunio i weithio mewn cytgord â'r corff, yn hytrach na defnyddio cemegion i ymladd afiechydon. Mae bron pob stryd fawr erbyn hyn yn cynnwys siop bwydydd iach lle gallwch chi brynu pob math o feddyginiaethau llysieuol amgen. Mae aciwbigio, er enghraifft, yn ffordd draddodiadol Tsieineaidd o drin afiechydon drwy roi nodwyddau yn rhannau o'r corff a thynnu ar y llif o egni naturiol o amgylch y corff. Mae'r Tywysog Siarl wedi bod o blaid homeopathi ers amser ac mewn araith i Sefydliad Iechyd y Byd yn Genefa yn 2006, honnodd ei fod yn driniaeth 'wedi'i gwreiddio mewn traddodiadau hynafol oedd yn deall yn reddfol yr angen i gynnal cydbwysedd a chytgord â'n meddyliau, cyrff a'r byd naturiol'.

Dydy pawb ddim yn cytuno. Yn ôl Cymdeithas Feddygol Prydain, mae homeopathi yn fath o 'ddewiniaeth' a dywedodd prif ymgynghorydd gwyddonol y llywodraeth ei fod yn 'nonsens'. Er bod y dystiolaeth yn ei gwrthddweud ei hun yn ôl pob golwg, mae meddygaeth amgen yn dal i fod yn bwysig iawn i lawer o bobl sydd ddim yn hoffi'r syniad o lenwi eu cyrff â chemegion.

Ffynhonnell P: Rhan o gyfweliad gyda Kathleen Davys, oedd yn byw yn Birmingham. Roedd hi'n un o 13 o blant. Roedd y meddyg lleol yn codi chwe cheiniog am bob ymweliad – ac roedd hynny cyn talu am unrhyw driniaeth neu foddion

Ar gyfer cur pen, roedden ni'n defnyddio finegr a phapur brown, ar gyfer y pas roedden ni'n rhwbio olew camffor ar y frest, neu saim gŵydd. Ar gyfer clwy'r pennau roedden ni'n gwisgo hosanau o amgylch ein gyddfau ac i drin y frech goch roedden ni'n yfed te wedi stiwio yn y tebot wrth y tân – pob math o feddyginiaethau cartref gwahanol. Roedden nhw'n meddwl eu bod yn well na mynd at y meddyg. Wel, doedden nhw ddim yn gallu fforddio'r meddyg oherwydd roedd chwe cheiniog yr adeg honno yn debyg i bapur £5 heddiw.

GWEITHGAREDD ?

Trafodwch feddyginiaethau cartref gyda pherthynas hŷn, neu ymchwiliwch i feddyginiaethau cartref er mwyn darganfod beth roedd pobl yn ei wneud yn y gorffennol agos.

MEDDYLIWCH ?

1 Efallai eich bod yn cofio'r hwiangerdd 'Jack and Jill'. *Jack went to bed to mend his head with vinegar and brown paper.* A yw hyn yn golygu bod hwiangerddi yn gallu bod yn ffynhonnell dystiolaeth ddefnyddiol i ddysgu am feddygaeth?

2 Beth sy'n debyg rhwng Ffigur 3.1 a damcaniaeth pedwar gwlybwr yr Hen Roegiaid?

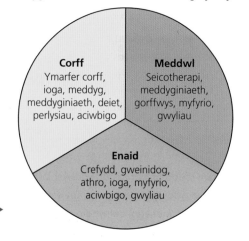

Meddygaeth Holistaidd – Gwella'r Unigolyn Cyfan

Corff
Ymarfer corff, ioga, meddyg, meddyginiaeth, deiet, perlysiau, aciwbigo

Meddwl
Seicotherapi, meddyginiaeth, gorffwys, myfyrio, gwyliau

Enaid
Crefydd, gweinidog, athro, ioga, myfyrio, aciwbigo, gwyliau

Ffigur 3.1: Sut mae un sefydliad yn ▶ hyrwyddo meddygaeth holistaidd

AILYMWELD Â'R DASG FFOCWS

1 Ar ôl i chi weithio drwy'r bennod hon yn ofalus, dylai fod gennych nodyn o bob triniaeth ar gyfer yr afiechydon rydych chi wedi dod ar eu traws, yn eich copi o'r tabl isod.

Afiechyd neu glefyd	Triniaeth	Effeithlonrwydd ar y pryd	Effeithlonrwydd heddiw
Cur pen	Yfed te camomil a gorwedd i lawr	5	5

2 Llenwch y ddwy golofn olaf, gan roi sgôr ar gyfer pa mor effeithiol oedd y driniaeth (1 = isel, 5 = uchel), o ran pa mor effeithiol oedd y driniaeth ym marn pobl ar y pryd, a beth yw eich barn chi heddiw.

3 Beth yw eich casgliadau chi am yr ymdrechion i drin a gwella afiechydon a chlefydau ar sail y tabl rydych chi wedi ei gwblhau?

4 Gan eich bod wedi ymchwilio i achosion afiechydon, ymdrechion i'w hatal ac ymdrechion i'w gwella, yn eich barn chi, pryd roedd yr adeg orau i fod yn sâl? Pam?

GWEITHGAREDDAU

1 Lluniwch ddiagram pry cop i ddangos yr ymdrechion i drin a gwella afiechydon. Mae gennych dabl o'r dasg ffocws ac erbyn hyn dylai fod yn cynnwys rhestr o'r holl afiechydon a'r triniaethau rydych chi wedi dod ar eu traws yn y bennod hon.

2 Beth sydd yn eu cysylltu? A oes cysylltiad uniongyrchol rhwng meddygon llysiau yr oesoedd canol a meddygaeth amgen heddiw? Neu rhwng dull mwy gwyddonol y cyfnod modern cynnar a'r ugeinfed ganrif? A sut gallwch chi ddangos y cysylltiadau hyn? Efallai bydd eich diagram yn edrych yn debyg i hwn:

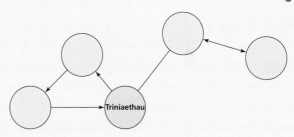

CRYNODEB O'R TESTUN

- Roedd rhai meddyginiaethau llysieuol yn syndod o effeithiol.
- Arweiniodd y dull gwyddonol, oedd yn seiliedig ar arsylwi, arbrofi a mesur, at newidiadau mawr o ran trin clefydau.
- Roedd defnydd effeithiol o anaesthetig ac antiseptig yn golygu bod llawer mwy o siawns o oroesi llawdriniaeth.
- Mae technoleg a darganfyddiadau wedi gweddnewid dulliau o drin clefydau yn yr ugeinfed ganrif.
- Mae'n well gan rai pobl ddibynnu ar feddygaeth 'naturiol' sydd ddim yn ymwthiol i drin afiechydon.
- Roedd apothecariaid a barbwr-llawfeddygon yn syndod o effeithiol wrth drin rhai afiechydon a chlefydau.
- Gwnaed ymdrech fawr i wneud llawfeddygaeth a llawfeddygon yn fwy glân – er nad oedd pob llawfeddyg yn gwerthfawrogi hyn.
- Mae trawsblannu erbyn hyn yn fwyfwy cyffredin, ac yn ffordd lwyddiannus iawn o drin clefydau.
- Fodd bynnag, os nad oedd pobl yn gallu fforddio mynd at y meddyg, doedd llawer o'r newidiadau hyn ddim o unrhyw help.
- Llwyddwyd i drechu rhai clefydau, ond mae eraill yn dal i achosi problem i gymdeithas.

Cwestiynau ymarfer

1 Cwblhewch y brawddegau isod gan ddefnyddio'r term cywir:
Enw teulu enwog o feddygon yng Nghymru yn ystod yr oesoedd canol oedd meddygon ....
Roedd meddygon yr oesoedd canol yn aml yn seilio eu diagnosis ar siart y ....
Cafodd datblygiadau ym maes pelydriad eu harwain gan Marie ....
Mae Dr Christian Barnard fwyaf enwog am ei waith gyda llawfeddygaeth...................... .
(Am arweiniad, gweler tudalen 119.)

2 Astudiwch Ffynhonnell DD *(tudalen 47)*, Ffynhonnell FF *(tudalen 48)* a Ffynhonnell L *(tudalen 53)*. Defnyddiwch y ffynonellau hyn i nodi un tebygrwydd ac un gwahaniaeth o ran y ffyrdd o drin afiechydon a chlefydau dros amser.
(Am arweiniad, gweler tudalennau 120–121.)

3 Disgrifiwch ddatblygiad a'r defnydd o antiseptig yn y bedwaredd ganrif ar bymtheg. *(Am arweiniad, gweler tudalen 122.)*

4 Esboniwch pam roedd datblygiad gwrthfiotigau yn bwysig i wella afiechydon a chlefydau yn yr ugeinfed ganrif. *(Am arweiniad, gweler tudalen 124.)*

Mae'r bennod hon yn canolbwyntio ar y cwestiwn allweddol: Faint o gynnydd a wnaed ym maes gwybodaeth feddygol dros amser?

Mae'n hawdd rhagdybio bod gwybodaeth feddygol yn yr oesoedd canol yn gyfyngedig, ond mae digon o dystiolaeth bod triniaethau meddygol llwyddiannus ar gael, os oeddech yn gallu mynd at feddyg, hyd yn oed o Oes y Cerrig. Efallai mai'r Dadeni, ac ymddangosiad diweddarach y dull gwyddonol, a newidiodd ein dealltwriaeth o afiechydon mewn gwirionedd gan arwain at ddatblygiadau arwyddocaol ym maes gwybodaeth feddygol, rhywbeth sydd wedi parhau hyd heddiw. Mae'r bennod hon yn ystyried sawl 'trobwynt' yn natblygiad gwybodaeth feddygol.

TASG FFOCWS

Ar gyfer pob adran yn y bennod hon, rydyn ni eisiau i chi benderfynu pa gynnydd a wnaed o ran gwybodaeth feddygol, ac yna ceisiwch fesur 'faint'.

Bydd cerdyn fel hwn ar gyfer pob adran:

Cwblhewch y cerdyn wrth i chi weithio drwy'r adran.

Datblygiad: Galen	I ba raddau [1–5]
....	....
....	....

Syniadau meddygol cyffredin yn yr oesoedd canol

O ble daeth syniadau canoloesol am iechyd? Mae pobl bob amser wedi gwybod sut i edrych ar eu hôl eu hunain. Mae tystiolaeth glir bod llawdriniaethau llwyddiannus wedi cael eu cynnal ag offer fflint yn Oes y Cerrig. Dangosodd tystiolaeth archaeolegol fod rhai o'r cleifion hyn wedi goroesi. Roedd gwareiddiad Dyffryn Indus yn ymwybodol iawn o bwysigrwydd dŵr glân a charthffosydd. Mae hyd yn oed adeilad a ddefnyddiwyd fel Baddondy Cyhoeddus enfawr wedi cael ei ddarganfod yn Mohen Daro, yn dyddio o tua 2500cc. Roedd gan Ffaroaid yr Hen Aifft eu meddygon llys, ac rydyn ni'n gwybod am rai o'u harferion meddygol oherwydd y cofnodion papyrfrwyn a gafodd eu darganfod mewn beddau. Roedd gan y Groegiaid 'asclepionau' neu leoedd iachâu, sef temlau Asclepius, sef brenin iachâd. Aeth y Rhufeiniaid i lawr o drafferth i ddod â dŵr ffres i'w trefi a'u dinasoedd. Roedd baddondai a gwres canolog yn y rhan fwyaf o drefi Rhufeinig, er enghraifft Isca yng Nghaerllion. Testun meddygol Eingl-Sacsonaidd yw *Leechbook* gan Bald. Mae'n llawn o feddyginiaethau a moddion ac mae gwaith ymchwil modern wedi dangos bod rhai ohonyn nhw'n gweithio.

Eto i gyd, mae'n ymddangos bod rhywfaint o'r wybodaeth feddygol hon wedi cael ei 'cholli' yn ystod y cyfnod sy'n cael ei alw yn 'yr Oesoedd Tywyll', ar ôl i'r Rhufeiniaid adael. Chwaraeodd awduron Mwslimaidd, fel Ibn Sīnā, ran bwysig iawn wrth achub llawer o'r wybodaeth goll hon, gan gyfieithu gweithiau'r Hen Roegiaid a'r Rhufeiniaid i Arabeg, cyn iddyn nhw gael eu trosglwyddo i Orllewin Ewrop yn y pen draw. Yn ystod y cyfnod hwn roedd meddygaeth Arabaidd ymhell ar y blaen i feddygaeth Gorllewin Ewrop.

MEDDYLIWCH

Yn ôl Ffynhonnell A, beth oedd y prif wahaniaeth rhwng meddygaeth Fwslimaidd ac Ewropeaidd?

Ffynhonnell A: Adroddiad a ysgrifennwyd gan feddyg Mwslimaidd o'r enw Usama ibn Munqidh, tua 1175

Daethon nhw â marchog ataf â chlwyf ar ei goes; a menyw araf ei meddwl. Rhoddais **bowltis** bach ar y marchog; a rhoddais y fenyw ar ddeiet arbennig i wneud ei gwlybwr yn wlyb. Yna daeth meddyg o Ffrainc ataf a dweud, 'Dydy'r dyn hwn ddim yn gwybod dim am sut i'w trin'. Yna dywedodd, 'Dewch â bwyell finiog i mi.' Yna dyma'r meddyg yn rhoi coes y marchog ar ddarn o bren a dweud wrth ddyn i am dorri ei goes â'r fwyell, ac ar hynny llifodd y mêr o'r asgwrn a bu farw'r claf yn y fan a'r lle. Yna edrychodd ar y fenyw a dywedodd, 'Mae'r diafol yn ei phen.' Yna cymerodd lafn rasel, gwnaeth doriad dwfn siâp croes ar ei phen, tynnodd y croen i ffwrdd nes bod asgwrn y penglog i'w weld, a'i rwbio â halen. Bu farw'r wraig ar unwaith hefyd.

Hippocrates, Galen a'r pedwar gwlybwr

Cyfrannodd dau ddyn yn fwy na neb arall efallai at safbwynt y Gorllewin tuag at feddygaeth yn y cyfnod hwn. Hippocrates a Galen oedd eu henwau. Rydyn ni wedi dod ar draws Hippocrates, 'tad meddygaeth fodern', ym Mhennod 2. Mae meddygon newydd ar draws y byd yn dal i gymryd y llw Hipocrataidd pan fyddan nhw'n dechrau gweithio. Mae tua 60 o destunau wedi goroesi ac mae'n debyg mai Hippocrates yw eu hawdur, er efallai mai ei ddilynwyr a ysgrifennodd lawer ohonyn nhw.

Ganwyd Galen mewn ardal sydd heddiw yn rhan o Dwrci yn 130oc. Astudiodd feddygaeth yn yr Aifft cyn symud i Rufain. Dilynodd syniadau Hippocrates, ond llwyddodd i'w ddatblygu ymhellach. Er iddo gael ei atal rhag ymarfer ar bobl, dyrannu yn ei farn ef oedd y ffordd orau o ddarganfod cyfrinachau'r corff dynol. Er mai anifeiliaid yn unig y gallai eu dyrannu, datblygodd wybodaeth ymarferol well o sut roedd y corff dynol yn gweithio. Bu'n gweithio am dair blynedd fel meddyg mewn ysgol i gladiatoriaid lle cafodd lawer o gyfleoedd i wella ei wybodaeth a'i dechnegau. Roedd Galen hefyd yn rhoi pwyslais mawr ar wrando ar guriad calon claf fel dull diagnostig – techneg sy'n gyffredin iawn hyd heddiw.

Cyrhaeddodd gwaith Galen Ewrop drwy destunau a chredoau Islamaidd. Cyfieithwyd y gweithiau hyn i Roeg yn Salerno, yr Eidal (y brifysgol feddygol gyntaf yn dyddio o tua 900oc), a chawson nhw eu derbyn yn gyflym fel testunau meddygol prifysgolion. Edrychodd arweinwyr yr eglwys yn ofalus ar weithiau Galen gan benderfynu eu bod yn cyd-fynd â syniadau Cristnogol gan ei fod yn cyfeirio at 'y Creawdwr'. Roedd meddygon yn credu bod ei syniadau yn gywir a'i fod bron yn amhosibl gwella ei waith. Gan fod Salerno yn arhosfan cyffredin ar y ffordd i'r Tir Sanctaidd, lledaenodd syniadau Galen yn gyflym ar draws Ewrop a chael eu derbyn yn gonfensiwn meddygol.

Y pedwar gwlybwr

Roedd damcaniaeth y **pedwar gwlybwr** yn allweddol i wybodaeth feddygol Hippocrates a Galen. Ysgrifennodd Hippocrates:

> Mae'r corff dynol yn cynnwys gwaed, fflem, bustl melyn a bustl du. Dyma'r pethau sydd wedi'u cynnwys yn ei gyfansoddiad ac sy'n achosi poenau ac iechyd da. Iechyd da yw'r cyflwr pan fydd cyfrannau cywir o'r sylweddau cyfansoddol hyn, o ran cryfder a maint, a phan fyddan nhw wedi'u cymysgu'n dda. Achosir poen pan fydd gormod neu ddim digon o'r sylweddau hyn, neu phan fyddan nhw'n cael eu gwahanu yn y corff ac ni fyddan nhw wedi'u cymysgu.

Felly, er mwyn aros yn iach roedd yn rhaid i'r corff gadw cydbwysedd rhwng y pedwar gwlybwr. Fel y gwelwch chi yn Ffigur 4.1, mae rhai o'r gwlybwyr yn 'boeth' ac felly yn achosi afiechydon sy'n achosi chwysu; ac mae rhai gwlybwyr yn 'oer' ac yn achosi afiechydon fel iselder neu'r felan.

Gallai bwydydd a thymhorau gwahanol effeithio ar y gwlybwyr, felly roedd yn bwysig gwneud popeth yn gymedrol i gadw cydbwysedd y corff. Yn ystod yr oesoedd canol roedd llawer o'r wybodaeth feddygol yn seiliedig ar y syniad o'r pedwar gwlybwr a chadw eu cydbwysedd. Roedd yn rhaid aros tan gyfnod y Dadeni nes i bobl ddechrau herio gwaith Galen a datblygu gwybodaeth feddygol newydd.

TASG FFOCWS ?

Cwblhewch y cerdyn wrth i chi weithio drwy'r adran.

Datblygiad: Galen	I ba raddau [1–5]
....	....
....	....

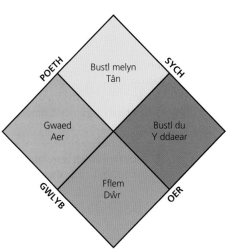

▲ Ffigur 4.1: Y pedwar gwlybwr

GWEITHGAREDDAU ?

Defnyddiwch y rhyngrwyd i ymchwilio i Hippocrates a Galen. Efallai yr hoffech chi ystyried y cwestiynau hyn:

- ☐ O ble daeth eu syniadau am feddygaeth?
- ☐ Sut gwnaeth y syniadau hyn gyrraedd y byd Mwslimaidd?
- ☐ Sut gwnaeth eu syniadau gyrraedd Ewrop a Phrydain yn ddiweddarach?
- ☐ Pa mor ddylanwadol oedd y syniadau hyn wrth lunio gwybodaeth feddygol ym Mhrydain yn yr oesoedd canol ac wedi hynny?

Dylanwad alcemi a sêr-ddewiniaeth

Fel rydyn ni wedi gweld ym Mhennod 2, roedd cysylltiad agos rhwng alcemi a gwyddoniaeth, a'r ymgais i droi metelau cyffredin fel plwm yn aur. Roedd alcemyddion hefyd yn chwilio am 'Elicsir Bywyd' er mwyn i bobl fyw am byth. Mynachod neu offeiriaid oedd llawer o'r rhain, sef y bobl oedd yn aml wedi derbyn yr addysg orau. Cafodd llawer o'u gwaith effaith ar wybodaeth wyddonol a meddygol. Alcemyddion oedd y cyntaf i gynhyrchu asid hydroclorig ac asid nitrig; gwnaethon nhw adnabod elfennau newydd fel antimoni ac arsenig gan arwain y ffordd ar gyfer gwyddoniaeth newydd o'r enw cemeg. Mae rhai o'r offer a gafodd eu datblygu ganddyn nhw yn dal i gael eu defnyddio heddiw.

Roedd meddygon yn credu bod symudiad y sêr yn dylanwadu ar bersonoliaethau pobl a sut roedd y tu mewn i'r corff dynol yn gweithio. Felly, er mwyn bod yn llwyddiannus, roedd yn rhaid astudio'r sêr. Erbyn diwedd yr 1500au, roedd yn ofynnol yn ôl y gyfraith i feddygon mewn sawl gwlad yn Ewrop gyfrifo safle'r lleuad cyn dechrau gwneud triniaethau meddygol cymhleth, fel llawdriniaethau neu waedu. Roedd pob rhan o'r corff wedi'i gysylltu ag arwydd astrolegol. Roedd yn rhaid casglu planhigion ar yr amser cywir yng nghylched y lleuad er mwyn i feddyginiaethau fod yn effeithiol. Ar adeg gywir y mis yn unig yr oedd hi'n ddiogel i roi meddyginiaethau a gwneud llawdriniaethau (gweler Ffynhonnell B.)

> **Ffynhonnell B:** Darn o waith Henri de Mondeville, llawfeddyg Ffrengig o'r drydedd ganrif ar ddeg, a ddyfynnwyd yn Nathan Belofsky, *Strange Medicine*
>
> *Mae'r gwlybwyr yn cael eu cyffroi ar yr amser hwnnw [lleuad lawn]. Mae'r ymennydd yn tyfu ac yn lleihau yn y penglog wrth i'r dŵr godi yn yr afon ... ac felly bydd pilenni'r penglog yn codi ac yn dod yn agosach at y penglog, gan olygu y byddai'n haws eu difrodi ag offer llawfeddygol.*

▲ **Ffynhonnell C:** O lawysgrif ganoloesol yn dangos dau fynach yn eu labordy

Rôl yr eglwys yn natblygiad gwybodaeth feddygol

Roedd yr eglwys yn ganolog i fywydau'r rhan fwyaf o bobl yn yr oesoedd canol, felly cafodd ei hagwedd at feddygaeth ddylanwad mawr ar gynnydd a datblygiadau ym maes meddygaeth. Yn bwysicaf oll, roedd yr eglwys yn annog pobl i weddïo am waredigaeth, am faddeuant i'w pechodau, ac i baratoi ar gyfer bywyd ar ôl marwolaeth. (Cofiwch, roedd y rhan fwyaf o lawdriniaethau yn beryglus iawn). Yn ogystal â gweddïo, roedd yn bosibl rhoi offrymau i ennill **maddeueb**, a mynd ar bererindod i gysegr sanctaidd er mwyn cael iachâd. Byddai pererinion yn aml yn gadael copi bach o'r darn corff wedi'i heintio yn y gysegr, gan obeithio y byddai gweddi a chred yn dod â iachâd.

Sefydlodd yr eglwys ysgolion meddygaeth mewn prifysgolion ar draws Ewrop er mwyn hyfforddi meddygon gan ddefnyddio testunau Hippocrates a Galen. Gallai gymryd hyd at ddeng mlynedd i hyfforddi i fod yn feddyg. Yn wir, yn ysgolion y prifysgolion hyn ac mewn mynachlogydd y cafodd llawer o'r hen destunau eu copïo â llaw gan fynachod, gan olygu iddyn nhw oroesi. Daeth llawer ohonyn nhw i'r Gorllewin ar ffurf cyfieithiadau o'r Arabeg (gweler tudalen 60). Roedd y rhan fwyaf o astudiaethau ar ddyraniad yn dal i fod yn seiliedig ar ysgrifau Galen ac roedd y gwaith hwnnw yn seiliedig ar ddyrannu anifeiliaid. Felly, oherwydd bod yr eglwys yn mynnu defnyddio Galen a'i weithiau, doedd dim llawer o gynnydd yn nealltwriaeth pobl o sut roedd y corff dynol yn gweithio. Roedd gwyddonwyr oedd yn ceisio rhoi pwyslais ar ddulliau ac arsylwi gwyddonol yn aml yn wynebu anawsterau. Arestiwyd Roger Bacon, mynach Ffransisgaidd a darlithydd ym Mhrifysgol Rhydychen, tua'r flwyddyn 1277 am ledaenu safbwyntiau gwrth-eglwysig.

> **MEDDYLIWCH**
>
> 1. Yn eich barn chi, a wnaeth sêr-ddewiniaeth ac alcemi helpu neu rwystro datblygiadau ym maes gwybodaeth feddygol ar yr adeg hon?
> 2. Pam roedd gwyddoniaeth ac alcemi yn cael eu cysylltu mor agos yn ystod yr oesoedd canol?
> 3. Sut gwnaeth yr eglwys helpu datblygiadau ym maes gwybodaeth feddygol?
> 4. Edrychwch ar Ffynhonnell C. Beth mae'r mynachod hyn yn ei wneud? Ydych chi'n meddwl bod yr arlunydd wedi bod mewn labordy? Sut rydych chi'n gwybod?
> 5. Pa mor ddefnyddiol yw Ffynhonnell C er mwyn ein helpu i ddeall y rhan a chwaraeodd (a) alcemi a (b) yr eglwys i ddatblygu gwybodaeth feddygol?

Dylanwad gwaith meddygol Vesalius, Paré a Harvey yn yr unfed ganrif ar bymtheg a'r ail ganrif ar bymtheg

Y Dadeni a Galen

Yn y lle cyntaf, arweiniodd y **Dadeni** at adfywiad o bob peth hynafol. Ailgyfieithwyd llawer o weithiau Galen o Arabeg i Roeg a Lladin. Cymharwyd testunau a gwnaed ymdrech i ddod o hyd i'r ystyr gwreiddiol. Erbyn 1525 roedd ei holl weithiau wedi cael eu cyhoeddi mewn Groeg ac ymddangosodd cyfieithiadau Lladin yn fuan wedyn. Roedd Galen yn cael ei ystyried yn ffynhonnell pob gwybodaeth feddygol, a chopïwyd ei waith yn slafaidd.

Yn fuan iawn, heriwyd safle Galen. Holl hanfod y Dadeni oedd cwestiynu pethau. Wrth i fwy a mwy o arlunwyr a llawfeddygon astudio anatomi, ac wrth iddyn nhw ddyrannu mwy o gyrff dynol, gwnaethon nhw ddechrau sylwi mwy ar yr anghysondebau rhwng yr hyn a ddywedodd Galen a'r pethau roedden nhw'n eu darganfod drostyn nhw eu hunain. Yr ymateb cyntaf oedd bod Galen yn gywir a bod yr anatomegwyr cyfoes yn anghywir. Ond newidiodd y farn yn raddol, a llwyddwyd i herio Galen a bwrw amheuaeth ar ei sylwadau. Ar ôl iddo gael ei herio ar fater anatomi, cafodd ei herio ar faterion eraill. Roedd yn ymddangos bod y byd meddygol wedi'i rannu'n ddau, yn dibynnu i ba raddau roeddech chi'n cefnogi Galen. Ymddangosai hefyd fod rhaniad rhwng y meddygon oedd yn cefnogi Galen i raddau helaeth, gan eu bod wedi dysgu'n bennaf o destunau a darlithoedd; a llawfeddygon oedd yn archwilio'r corff dynol bob dydd ac yn dysgu drwy arbrofi a phrofiad. Chwaraeodd darganfyddiadau gwyddonol ran yn hyn hefyd wrth i offer newydd, fel y microsgop, alluogi gwyddonwyr a dynion meddygol i edrych ar bethau yn fwy manwl. Roedd William Caxton a'i wasg argraffu yr un mor bwysig, gan helpu i ledaenu syniadau yn llawer mwy cyflym o 1476 ymlaen.

Vesalius ac anatomi

Ganwyd Andreas Vesalius (1514–64) ym Mrwsel ond astudiodd feddygaeth ym Mharis a Padua yn yr Eidal. Cafodd ei benodi yn athro llawfeddygaeth ac anatomi yn Padua. Yn bwysicaf oll, efallai, roedd hefyd yn dyrannu cyrff a chredai'n gryf mai anatomi oedd yr allwedd i ddeall sut roedd y corff dynol yn gweithio. Yn 1543 cyhoeddodd *De humani corporis fabrica libri septem*, gan newid agweddau tuag at feddygaeth yn llwyr. Heriodd Vesalius waith Galen ar anatomi dynol, a datblygodd syniadau llawer mwy cywir o'r tu mewn i'r corff dynol gan ddyrannu ac astudio cyrff dynol yn hytrach nag anifeiliaid, yn wahanol i Galen. Roedd ei waith yn ddylanwadol iawn ym maes meddygaeth gynnar oherwydd roedd yn rhoi gwybodaeth llawer mwy manwl i feddygon am anatomi dynol, a hefyd yn eu hannog i ystyried honiadau awdurdodau meddygol canoloesol mewn ffordd mwy beirniadol.

TASG FFOCWS ?

Cwblhewch y cerdyn wrth i chi weithio drwy'r adran.

Datblygiad: Vesalius	I ba raddau [1–5]
....	....
....	....

Paré a thrin clwyfau

Dechreuodd Ambroise Paré (1510–90) ei yrfa feddygol fel prentis i'w frawd hŷn oedd yn farbwr-llawfeddyg. Efallai mai ef yw'r enghraifft fwyaf enwog o'r unfed ganrif ar bymtheg o rywun a fabwysiadodd ddulliau gwyddonol newydd o drin clefydau. Derbyniodd ei hyfforddiant yn ysbyty Hôtel-Dieu de Paris cyn gweithio fel llawfeddyg ym myddin Ffrainc am 30 o flynyddoedd. Yn ystod gwarchae Milan yn 1536, daeth ei gyflenwad o olew poeth ar gyfer serio clwyfau i ben. Aeth ati i gymysgu melynwy, tyrpentin ac olew rhosod i'w rhoi ar glwyfau amrwd – roedd yn llawer llai poenus ac, fel y gwnaeth ddarganfod y bore wedyn, yn llawer mwy effeithiol i wella'r clwyf. Hefyd, byddai'n defnyddio **clymiad** i glymu clwyf ar ôl torri aelod o'r corff – unwaith eto yn hytrach na'i serio – a sylwodd fod y clwyf yn gwella'n dda. Yn ddiweddarach, datblygodd aelodau artiffisial ar gyfer pobl oedd wedi colli llaw neu goes oherwydd eu clwyfau. Yn ystod ei gyfnod fel llawfeddyg yn y fyddin, cafodd Paré gyfle i arsylwi ar ei gleifion a'u trin yn fwy effeithlon. Cyhoeddodd ei brofiadau yn y llyfr, *Les oeuvres* yn 1575, a daeth yn enwog ar draws Ewrop. Mae'n cael ei ystyried yn un o dadau llawfeddygaeth fodern.

MEDDYLIWCH ?

1 Pa newidiadau wnaeth y Dadeni eu cyflwyno i wybodaeth feddygol?

2 Yn eich barn chi, pwy gafodd yr effaith fwyaf – Vesalius neu Paré?

3 Yn eich barn chi, pa un oedd fwyaf pwysig i achosi newid – rhyfel neu wyddoniaeth a thechnoleg?

WILLIAM HARVEY

- Ganwyd yng Nghaint yn 1578 a chafodd ei addysg ym Mhrifysgol Caergrawnt.
- Astudiodd feddygaeth ym Mhrifysgol Padua, yr Eidal.
- Dychwelodd i Loegr yn 1602 a'i sefydlu ei hun fel meddyg. Rhoddwyd hwb i'w yrfa ar ôl iddo briodi merch meddyg Elisabeth I.
- Derbyniodd swydd yn Ystyby St Bartholomew yn 1609 a gweithiodd yno am weddill ei oes. Cafodd ei benodi yn feddyg i Iago I a Siarl I.

William Harvey a chylchrediad y gwaed

Cyhoeddwyd gwaith mwyaf enwog Harvey, *On the Motion of the Heart*, yn 1628. Y llyfr hwn, yn fwy nag unrhyw lyfr arall ar y pryd, a heriodd waith Galen a'r Hen Roegiaid, gan newid meddygaeth am byth.

Pan oedd yn astudio yn Padua, cafodd Harvey ei ddysgu bod gwythiennau'r corff dynol yn cynnwys falfiau a bod gwaed yn cael ei bwmpio i un cyfeiriad yn unig. Ond doedd neb yn deall sut na pham. Yn ddiweddarach yn ei yrfa arbrofodd Harvey ar anifeiliaid, ac yn ystod yr arbrofion hyn darganfyddodd fod gwaed yn pwmpio o amgylch y corff ar ffurf cylch. Arweiniodd hyn at ei ddarganfyddiad enwog am gylchrediad y gwaed.

Roedd y darganfyddiad hwn yn seiliedig yn rhannol ar waith damcaniaethol – nid oedd yn gallu gweld y capilariau bach sef y pibellau gwaed lleiaf – ond hefyd yn ganlyniad arbrofi ac arsylwi. Yn sgil ei waith ar amffibiaid gwaed oer y mae eu gwaed yn cylchredeg yn llawer mwy araf, roedd wedi gweld gwaed yn pwmpio o amgylch y corff ac roedd ei arbrawf mwyaf enwog, a ddisgrifiwyd yn ei lyfr, yn dangos gwaed yn symud ym mraich claf. Yn yr arbrawf hwn roedd wedi gallu dangos yn glir bod y galon yn gweithio fel pwmp, a bod gwaed yn llifo mewn 'system unffordd' o amgylch y corff dynol.

Dangosodd hefyd fod barn Galen mai'r afu/iau, ac nid y galon oedd yng nghanol y corff dynol, yn hollol anghywir. Roedd Galen hefyd yn credu bod yr afu/iau yn cynhyrchu gwaed newydd yn lle'r gwaed oedd yn cael ei golli o amgylch y corff. Profodd gwaith Harvey ar gylchrediad y gwaed o amgylch y corff fod hyn yn anghywir, gan herio'r syniad o 'waedu'r corff' fel dull o'i iacháu. Os oedd Harvey yn gywir, roedd yn amhosibl cael gormod o waed yn y corff.

Beth oedd ymateb cyfoeswyr i waith Harvey?

Fel y gallwch chi ddychmygu, roedd y rhai oedd yn cefnogi Galen yn gwrthod gwaith Harvey. Roedden nhw'n dadlau na allai Harvey weld capilarïau ac felly na allai brofi eu bodolaeth – roedd yn rhaid aros 60 mlynedd arall cyn gallu gweld capilarïau yn gweithio. Gwrthododd rhai pobl dderbyn rôl arbrofion i herio testunau hynafol. Roedd llawer yn geidwadol iawn ac yn gwrthwynebu newid. Yn wir, dywedodd Harvey wrth un o'i ffrindiau iddo golli llawer o gleifion ar ôl 1628 oherwydd ei 'syniadau gwallgof'.

MEDDYLIWCH ?

1 Sut roedd William Harvey yn gallu profi bod gwaed yn cylchredeg o amgylch y corff dynol?

2 Pam roedd pobl yn gwrthwynebu ei waith?

3 Beth mae stori William Harvey yn ei ddweud wrthon ni am wybodaeth feddygol yn yr ail ganrif ar bymtheg?

4 A yw hi'n deg i ddweud bod gwaith William Harvey wedi newid meddygaeth am byth?

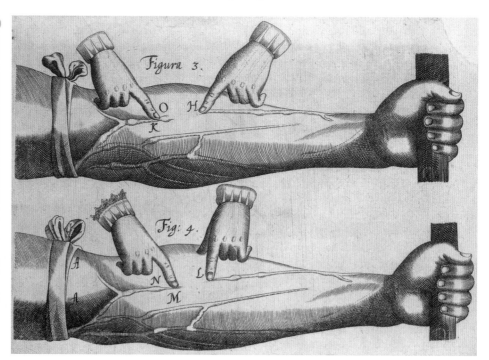

▲ Ffynhonnell CH: Darn o *Exercitatio anatomica de motu cordis et sanguinis in animalibus*, gan William Harvey, 1628, yn dangos sut mae gwaed yn cylchredeg drwy'r gwythiennau

Datblygiadau ym maes gwybodaeth feddygol yn ystod y bedwaredd ganrif ar bymtheg: gwybodaeth well am y ddamcaniaeth germau

Pasteur a Koch

Ar ddechrau'r bedwaredd ganrif ar bymtheg roedd y rhan fwyaf o bobl yn dal i gredu bod iechyd gwael yn cael ei achosi gan aer drwg, 'hylosgiad digymell' clefydau neu ddiffyg cydbwysedd rhwng y pedwar gwlybwr. Newidiodd y ddamcaniaeth germau hyn yn llwyr. Fel rydyn ni wedi gweld ym Mhennod 2 (tudalen 44), erbyn yr 1880au a'r 1890au roedd camau mawr wedi eu cymryd i adnabod achosion clefydau, gan olygu bod modd datblygu technegau i drin afiechydon yn effeithiol.

Roedd gan dri unigolyn ran bwysig iawn i'w chwarae yn y datblygiad hwn: Pasteur, Koch ac Ehrlich. Roedd eraill hefyd wedi chwarae rhan bwysig yn hyn, ond dyma'r tri wnaeth arwain y ffordd ym maes gwyddoniaeth arbrofol. Louis Pasteur oedd y cyntaf i sefydlu cysylltiad rhwng germau a chlefydau. Dadleuodd fod micro-organebau yn gyfrifol am glefydau, a phe bai'n bosibl darganfod y micro-organebau hyn yna gellid datblygu brechiad i dargedu'r clefyd penodol. Arweiniodd hyn ef i ddatblygu brechiadau effeithlon i dargedu clefydau penodol. Roedd ei waith cyntaf yn ymwneud â cholera yr ieir, ac arweiniodd hyn yn 1880 at frechiad effeithiol yn erbyn y cynddaredd (*rabies*).

Aeth Robert Koch â'r gwaith hwn gam ymhellach. Yn y labordy llwyddodd i gysylltu germau penodol â chlefydau penodol, gan ddatblygu gwyddoniaeth newydd bacterioleg i bob pwrpas. Yn 1882 llwyddodd i ganfod y basilws penodol oedd yn achosi twbercwlosis, ac yn 1883 ac 1884 canfu'r bacillus oedd yn achosi colera. Drwy hyn, roedd wedi cadarnhau gwaith John Snow ym Mhrydain yn 1854 (gweler Pennod 2, tudalen 39). Yn dilyn hyn, aeth ef a'i fyfyrwyr ati i sylwi ar achosion sawl clefyd, gan gynnwys diffytheria, teiffoid, niwmonia, y pla, tetanws a'r pas – roedd pob un o'r rhain yn lladd llawer iawn o bobl ym Mhrydain. Hefyd, datblygodd ef a'i dîm dechneg ar gyfer defnyddio llifynnau i staenio bacteria gan olygu ei fod yn haws eu gweld a'u hastudio o dan ficrosgop. Cafodd ei waith ei ystyried mor bwysig fel y dyfarnwyd Gwobr Nobel iddo yn 1905.

TASG FFOCWS

Cwblhewch y cerdyn wrth i chi weithio drwy'r adran.

Datblygiad: Pasteur	I ba raddau [1–5]
....	....
....	....

Paul Ehrlich

Roedd Paul Ehrlich, meddyg a gwyddonydd o'r Almaen, yn un o fyfyrwyr Koch. Mae'n nodweddiadol o'r dull gwyddonol o adnabod a thrin clefydau. Mae'n fwyaf enwog efallai am Salvarsan 606, a ddatblygwyd yn 1910, sef y driniaeth effeithiol gyntaf ar gyfer syffilis, clefyd sy'n cael ei drosglwyddo'n rhywiol (*STD: sexually transmitted disease*), oedd yn gyffredin iawn ar y pryd. Cafodd ei alw yn '606' oherwydd mai dyma'r 606fed cyffur roedd ef a'i gydweithwyr wedi ei ddefnyddio i geisio lladd y germau oedd yn achosi syffilis. Salvarsan 606 oedd y cyntaf o'r 'bwledi hud', sef cyffuriau a gynlluniwyd yn ofalus i dargedu'r germau penodol oedd yn achosi afiechyd heb gael unrhyw effaith ar rannau eraill o'r corff dynol. Does ryfedd bod pobl wedi cyffroi gymaint am bŵer gwyddoniaeth i ddileu clefydau.

J. W. Power a chyrsiau bacterioleg

O ganlyniad i waith Pasteur, Koch ac Ehrlich ganwyd gwyddoniaeth bacterioleg, a datblygwyd cyffuriau newydd i ymladd clefydau oedd yn lladd. Fodd bynnag, gan fod bacterioleg yn faes astudiaeth newydd nad oedd llawer o bobl yn gwybod amdano y tu hwnt i labordai prifysgolion, dechreuodd gŵr o'r enw Dr J. W. Power, Swyddog Iechyd Meddygol Glynebwy, ymgyrch i sefydlu cyrsiau bacterioleg er mwyn hyfforddi Swyddogion Iechyd Meddygol yn y maes hwn. O ganlyniad i'w ymdrechion sefydlwyd y cyrsiau cyntaf yng Ngholeg King's, Llundain, yn 1886. Yn 1898, sefydlwyd labordy iechyd y cyhoedd yng Nghaerdydd i gynnal astudiaethau pellach ym maes bacterioleg, o dan nawdd Cyngor Sir Forgannwg a Dinas Caerdydd fel rhan o ymgyrch i wella iechyd y cyhoedd yn Ne Ddwyrain Cymru.

Effaith y ddamcaniaeth germau

Yn sgil y ddamcaniaeth germau, newidiodd gwybodaeth feddygol am achosion clefydau a sut i'w trin yn llwyr. Daeth y ddamcaniaeth i'r amlwg ar ôl gwaith arsylwi ac arbrofi gwyddonol gofalus, gan sefydlu'r cysylltiad rhwng bacteria a chlefydau unwaith ac am byth.

MEDDYLIWCH

1 Ym mha ffyrdd gwnaeth y ddamcaniaeth germau newid gwybodaeth feddygol?

2 A oedd Koch yn haeddu Gwobr Nobel?

3 Disgrifiwch y rôl a chwaraeodd Dr J. W. Power yn hanes bacterioleg.

Meddyg esgyrn Cymru a dechreuad orthopaedeg

Yn ystod ail hanner y bedwaredd ganrif ar bymtheg a dechrau'r ugeinfed ganrif, chwaraeodd sawl 'meddyg esgyrn' arloesol o Gymru ran bwysig i gyflwyno datblygiadau mawr yn y dulliau o drin anafiadau orthopaedig.

Thomas Rocyn Jones (1822–77)

Roedd Thomas Rocyn Jones yn fab fferm o Sir Benfro a dysgodd lawer wrth wylio ei dad yn trin clefydau anifeiliaid. Wrth iddo ennill mwy o brofiad ym milfeddygfa ei dad, dechreuodd Jones ddefnyddio'r wybodaeth a gafodd wrth weithio gydag anifeiliaid i drin anafiadau pobl.

Ar ôl iddo symud i Rymni yn Sir Fynwy, fe'i sefydlodd ei hun yn fuan iawn gan ennill enw da fel meddyg esgyrn o fri. Daeth yn arbenigwr ar drin toresgyrn, datgymaliadau ac anafiadau i'r cyhyrau, gan ddyfeisio dulliau newydd o osod esgyrn. Datblygodd sblintiau pren crwm â darn troed, ac arbrofodd â mathau newydd o sblintiau ar gyfer trin anafiadau difrifol i'r tendonau. Hefyd, ychwanegodd ddarn síâp triongl at ochrau mewnol esgidiau er mwyn lleihau'r straen ar y traed.

Roedd y dulliau hyn a ddefnyddiwyd gan Jones bob dydd yn rhai arloesol, a hynny o leiaf 50 mlynedd cyn iddyn nhw gael eu mabwysiadu fel arfer cyffredin i drin anafiadau orthopaedig.

Y teulu Thomas o Ynys Môn

Enillodd sawl cenhedlaeth o'r teulu Thomas o Ynys Môn enw da fel meddygon esgyrn. Yn 1830, symudodd Evan Thomas (1804–84) o Ynys Môn i Lerpwl lle sefydlodd feddygfa yn arbenigo mewn trin clefydau esgyrn a chymalau. Roedd pum mab gan Evan Thomas, ac roedd pob un yn feddygon. Hugh Owen Thomas (1834–91) oedd y mab hynaf, a dilynodd yn ôl traed ei dad gan sefydlu meddygfa yn Nelson Street, Lerpwl, yn 1859. Yn ogystal â bod yn feddyg roedd yn hoffi arbrofi drwy ddylunio a chynhyrchu ei sblintiau ei hun.

Dyluniodd Thomas sblintiau oedd yn caniatáu i'r esgyrn oedd wedi eu hanafu orffwys ac yn eu dal yn llonydd, a heddiw mae'n cael ei gofio'n bennaf am ddatblygu 'sblint Thomas'.

Sblint Thomas

Pwrpas sblint Thomas oedd sefydlogi torasgwrn y ffemwr (asgwrn y glun), gan roi'r goes i orwedd ar ei hyd ac atal yr esgyrn rhag rwbio yn erbyn ei gilydd. Oherwydd hyn roedd y claf yn colli llai o waed, a gan fod llai o berygl o gael haint arweiniodd hyn at ostyngiad yn nifer y llawdriniaethau i dorri coesau i ffwrdd.

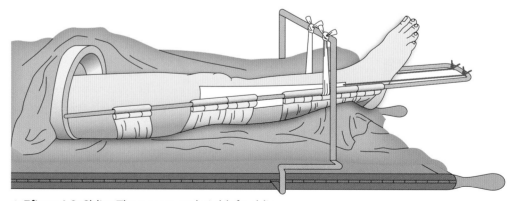

▲ **Ffigur 4.2:** Sblint Thomas yn cael ei ddefnyddio

AILYMWELD Â'R DASG FFOCWS

1 Roedd y dasg ffocws yn gofyn i chi gwblhau gwahanol gardiau er mwyn eich helpu i benderfynu pa gynnydd a wnaed ym maes gwybodaeth feddygol.

2 Casglwch eich holl gardiau tasgau ffocws gan blotio'r wybodaeth ar eich copi personol o'r graff hwn:

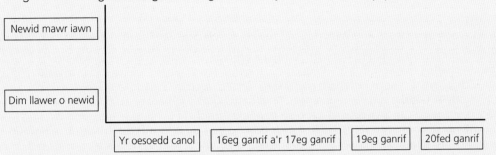

Newid mawr iawn

Dim llawer o newid

Yr oesoedd canol | 16eg ganrif a'r 17eg ganrif | 19eg ganrif | 20fed ganrif

3 Nawr penderfynwch ym mha gyfnod gwelwyd y cynnydd *mwyaf* mewn gwybodaeth feddygol, a pham.

4 Mewn grwpiau, trafodwch eich ateb i Gwestiwn 3 – ydy pawb yn cytuno neu a oes rhai atebion gwahanol? (Sut rydych chi'n diffinio 'cynnydd meddygol'?)

GWEITHGAREDD

Defnyddiwch eich cardiau tasgau ffocws i gynnal dadl falŵn. Cymerwch eich tro i gyflwyno'r ddadl o blaid pob eitem o gynnydd meddygol ar y cardiau tasgau ffocws. Ar ddiwedd pob rownd, pleidleisiwch i benderfynu pa eitem o gynnydd meddygol fydd yn cael ei dynnu allan o'r balŵn. Cariwch ymlaen nes bod y darn 'gorau' o gynnydd meddygol ar ôl.

CRYNODEB O'R TESTUN

- Roedd gan bobl yr oesoedd canol rywfaint o wybodaeth feddygol.
- Gwnaeth alcemyddion a gwyddonwyr eu gorau i ddod o hyd i 'Elicsir Bywyd' ond wnaethon nhw ddim llwyddo, er iddyn nhw wneud llawer i wella technegau gwyddonol.
- Y Dadeni oedd yr adeg pan ddechreuodd pobl gwestiynu 'doethineb' yr Hen Fyd.
- Newidiodd pobl fel Vesalius, Paré a Harvey ein dealltwriaeth o afiechydon yn llwyr.
- Arweiniodd damcaniaeth germau at newid sylfaenol yn y ffordd roedd pobl yn meddwl am glefydau.
- Yn yr ugeinfed ganrif, cafodd dulliau meddygon o ganfod afiechydon eu chwyldroi gan dechnegau i 'weld' y tu mewn i'r corff.
- Yn ystod yr ugeinfed ganrif a'r unfed ganrif ar hugain mae gwyddonwyr wedi darganfod mwy a mwy am sut mae'r corff dynol yn gweithio.
- Mae DNA a pheirianneg enetig wedi gwella ein dealltwriaeth o afiechydon yn fwy fyth.
- Mae rhai pobl yn meddwl bod gennym ormod o wybodaeth feddygol heddiw.

Cwestiynau ymarfer

1 Cwblhewch y brawddegau isod gan ddefnyddio'r term cywir:
Dywedir mai tad meddygaeth fodern oedd Hen Roegiwr o'r enw ....
Dywedwyd mai'r pedwar gwlybwr oedd gwaed, fflem, bustl melyn a ....
Fe wnaeth Vesalius helpu i symud gwybodaeth am y .... dynol ymlaen.
Rydyn ni'n aml yn cyfeirio at y cyffur Salvarsan 606 fel .... hud.
(*Am arweiniad, gweler tudalen 119.*)

2 Astudiwch Ffynhonnell C (*tudalen 62*), Ffynhonnell CH (*tudalen 64*) a Ffynhonnell E (*tudalen 69*). Defnyddiwch y ffynonellau hyn i nodi un tebygrwydd ac un gwahaniaeth yn natblygiad gwybodaeth feddygol dros amser. (*Am arweiniad, gweler tudalennau 120–121.*)

3 Esboniwch pam roedd gwaith Vesalius, Paré a Harvey yn bwysig yn natblygiad gwybodaeth feddygol yn yr unfed ganrif ar bymtheg a'r ail ganrif ar bymtheg. (*Am arweiniad, gweler tudalen 124.*)

4 I ba raddau mae'n bosibl dweud mai datblygiad technegau sganio yn ystod yr ugeinfed ganrif oedd y datblygiad mwyaf effeithiol mewn gwybodaeth feddygol dros amser? (*Am arweiniad, gweler tudalennau 126–128.*)

5 Datblygiadau yng ngofal cleifion

Mae'r bennod hon yn canolbwyntio ar y cwestiwn allweddol: Sut mae gofal cleifion wedi gwella dros amser?

Yn y DU heddiw, os ydych chi'n sâl ac os oes angen triniaeth feddygol arnoch chi, gallwch chi fynd i weld eich meddyg lleol, neu yn achos afiechydon mwy difrifol, anafiadau neu ar gyfer llawdriniaeth, gallwch chi ymweld ag ysbyty. Mae'r holl wasanaethau hyn yn cael eu darparu gan y Gwasanaeth Iechyd Gwladol (GIG) o dan ofal y wladwriaeth. Fodd bynnag, nid dyna oedd y sefyllfa bob amser. Mae datblygiad y cyfleusterau gofal hyn wedi bod yn broses hir iawn. Yn ystod yr oesoedd canol yr eglwys oedd yn bennaf cyfrifol am y ddarpariaeth, ond o ganol yr unfed ganrif ar bymtheg ymlaen dechreuodd sefydliadau gwirfoddol ac elusennol gymryd cyfrifoldeb am nyrsio a gofal cleifion. Yn ystod yr ugeinfed ganrif, dechreuodd y llywodraeth gymryd rôl weithredol i ofalu am les ei dinasyddion ac ers 1948 mae'r GIG wedi bod yn weithredol, yn trin pobl 'o'r crud i'r bedd'.

TASG FFOCWS

Wrth i chi weithio drwy'r bennod hon, casglwch wybodaeth a fydd yn eich galluogi i gwblhau'r siart amser hwn. Ym mhob adran gwnewch bwyntiau bwled er mwyn amlinellu prif nodweddion ysbytai, gofal nyrsio a gofal cleifion yn ystod y cyfnod hwnnw. Ar ddiwedd y bennod, byddwch chi'n gallu defnyddio'r wybodaeth hon i roi barn am raddfa'r newid sydd wedi digwydd yng ngofal cleifion.

Cyfnod amser	Mathau o ysbytai oedd ar gael	Cyfrifoldeb dros redeg yr ysbyty	Safon nyrsio a gofal cleifion
Yr oesoedd canol			
Yr unfed ganrif ar bymtheg a'r ail ganrif ar bymtheg			
Y ddeunawfed ganrif			
Y bedwaredd ganrif ar bymtheg			
Yr ugeinfed ganrif a'r unfed ganrif ar hugain			

Rôl yr eglwys a'r mynachlogydd o'r oesoedd canol hyd ganol yr unfed ganrif ar bymtheg

Yn ystod yr oesoedd canol, sefydliadau crefyddol oedd ysbytai i bob pwrpas ac roedd eu rôl a'u swyddogaeth yn wahanol iawn i'r hyn rydyn ni'n ei ddisgwyl o ysbytai modern heddiw. Prif bryder ysbytai canoloesol oedd gofalu am iechyd yr enaid yn hytrach nag iechyd y corff. Fel rydyn ni wedi gweld yn barod, roedd y pwyslais ar ofal a chrefydd yn hytrach na thriniaeth a gwellhad.

Yr eglwys oedd yn gyfrifol am bron iawn pob ysbyty yn yr oesoedd canol, ac arweiniodd y gwaith o adeiladu mynachlogydd yn y ddeuddegfed ganrif ac wedi hynny at gynnydd mawr yn nifer yr ysbytai a sefydlwyd rhwng y ddeuddegfed ganrif a'r bedwaredd ganrif ar ddeg. Roedd clafdy yn y rhan fwyaf o fynachlogydd, fel Abaty Tyndyrn ar y ffin rhwng Cymru a Lloegr (gweler Ffigur 5.1). Yn y rhan fwyaf o fynachlogydd **Sistersaidd** roedd y clafdy mewn ail glwysty. Ei bwrpas oedd gofalu am bobl sâl a phobl oedrannus y gymuned nad oedd yn gallu ymdopi â chaledi bywyd pob dydd mwyach, ac roedd wedi ei leoli yn rhan fwyaf

tawel y fynachlog. Roedd sawl mynachlog Sistersaidd ar draws Cymru, sef Glyn y Groes, Dinas Basing ac Aberconwy yn y gogledd, Ystrad-fflur a Chwm-hir yn y canolbarth, a Hendy-gwyn, Castell-nedd, Margam, Llantarnam a Thyndyrn yn y de. Roedd y sefydliadau hyn yn cynnig gofal a lletygarwch i aelodau'r gymuned a theithwyr.

Sefydlwyd y mynachlogydd Sistersaidd mewn ardaloedd anghysbell, ond yn ystod y drydedd ganrif ar ddeg ymddangosodd urdd grefyddol newydd ac ymsefydlodd mewn pentrefi a threfi. Urdd y Ffransisiaid oedd hon ac roedd eu priordai yn darparu clafdai i drin pobl sâl a methedig. Tyfodd tŷ'r brodyr yng Nghaerfyrddin, a sefydlwyd yn 1282, yn gyflym iawn gan ddod yn un o'r tai Ffransisgaidd mwyaf cyfoethog ym Mhrydain; sefydlwyd tai'r brodyr eraill ym Mangor, Aberhonddu, Caerdydd, Dinbych, Hwlffordd, Llanfaes, Casnewydd a Rhuddlan. Daeth y rhain yn ganolfannau lle roedd gofal sylfaenol yn cael ei roi i bobl sâl a methedig.

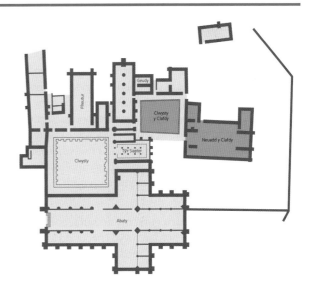

Ffigur 5.1: Cynllun o Abaty Tyndyrn a adeiladwyd mewn camau ▶ rhwng diwedd y ddeuddegfed ganrif a diwedd y drydedd ganrif ar ddeg. Roedd y clafdy (coch) yn rhan bwysig o'r fynachlog

Mathau gwahanol o ysbytai yn yr oesoedd canol

Gwelwyd twf yn nifer yr ysbytai yn ystod yr oesoedd canol ond tua 10 y cant ohonyn nhw'n unig oedd yn gofalu am bobl sâl (gweler Ffigur 5.2). Roedden nhw'n cael eu galw yn 'ysbytai' neu'n 'hospitals' gan eu bod yn darparu lletygarwch neu 'hospitality', lle i orffwys a gwella ond nid lle i gael gwellhad llwyr. Roedd rhai yn arbenigo mewn gofalu am fathau penodol o bobl, fel gwahangleifion (lepers), ond roedd eraill fel St Bartholomew yn Llundain yn gofalu am fenywod anghenus oedd yn feichiog ac yn helpu babanod yr oedd eu mamau wedi marw wrth roi genedigaeth.

Yn 1190, sefydlodd Marchogion Sant Ioan (Urdd Marchogion yr Ysbyty) ysbyty yn Ysbyty Ifan yn y mynyddoedd uwchben Pentrefoelas i ofalu am bererinion oedd yn teithio ar hyd llwybr y pererinion o Fangor Is-coed i Gaergybi. Roedd hefyd yn cynnig lleti i deithwyr; ystyr yr enw 'Ysbyty Ifan' yw 'ysbyty'r Sant Ioan'. Cafodd ei gau yn 1540 pan ddiddymwyd y mynachlogydd.

Ysbytai gwahangleifion

Clefyd cyffwrdd-ymledol cyffredin nad oedd yn bosibl ei wella yn ystod yr oesoedd canol oedd y gwahanglwyf (leprosy). Yn ystod y ddeuddegfed ganrif a'r drydedd ganrif ar ddeg, roedd epidemig mawr o'r gwahanglwyf ac arweiniodd hyn at dwf mewn ysbytai arbennig i'r gwahangleifion. Roedd y gwahanglwyf yn achosi anffurfiadau erchyll i ddioddefwyr; roedd yn rhaid iddyn nhw wisgo dillad arbennig a chanu cloch wrth gerdded i rybuddio eraill, a doedd dim hawl ganddyn nhw i briodi. Roedd llawer o bobl yn ofni gwahangleifion ac yn credu bod y clefyd yn gosb gan Dduw. Adeiladwyd ysbytai gwahangleifion ar gyrion trefi er mwyn eu cadw ar wahân i weddill y boblogaeth. Darparwyd lleti, bwyd a diod, ond dim triniaeth.

Elusendai

Roedd elusendai canoloesol yn cyfateb i gartrefi gofal yr oes fodern ac roedden nhw'n ymateb i boblogaeth oedd yn heneiddio. Roedden nhw'n cynnig lleti cysgodol a gofal nyrsio sylfaenol, ond dim triniaeth feddygol.

Roedd y rhan fwyaf yn fach iawn, ac yn gartref i offeiriad a hyd at ddwsin o breswylwyr yn unig. Pobl hŷn a oedd angen gofal tymor hir oedd mwyafrif y preswylwyr, ond roedd yr elusendai hefyd yn gartref i wragedd gweddw neu fenywod beichiog, dibriod. Roedd elusendai hefyd yn cynnig lloches i deithwyr a thlodion, a fyddai'n cael aros am ychydig nosweithiau.

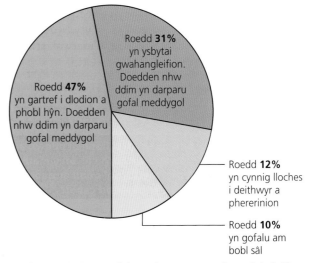

▲ Ffigur 5.2: Siart cylch yn dangos y math o ofal cleifion oedd ar gael yn ystod yr oesoedd canol

Ysbytai Cristnogol

Sefydlwyd ysbytai Cristnogol gan yr eglwys a oedd hefyd yn gyfrifol am dalu amdanyn nhw a'u rhedeg, ac roedden nhw'n gofalu am y tlodion yn ogystal â phobl sâl. Doedden nhw ddim yn trin afiechydon, ond yn hytrach yn ceisio sicrhau bod y cleifion mor gyfforddus â phosibl. Doedd pobl oedd yn ddifrifol wael ac angen gofal parhaus ddim yn cael mynediad i'r sefydliadau hyn, gan y bydden nhw'n atal pobl rhag canolbwyntio ar brif bwrpas yr ysbyty sef gweddïo a mynychu gwasanaethau crefyddol.

Roedd ysbytai yn darparu gofal nyrsio sylfaenol, amodau glân a thawel, prydau bwyd rheolaidd a gwres, ac weithiau llawdriniaethau a meddyginiaethau. Brodyr a chwiorydd yr urddau crefyddol oedd staff yr ysbytai. Roedden nhw'n gofalu am bobl sâl ac yn ceisio achub eu heneidiau, ond doedden nhw ddim yn ceisio eu gwella. Doedd fawr ddim meddygon, os o gwbl. Roedd sawl caplan ymhlith staff St Leonard yn Efrog ond dim meddygon. Yn St Bartholomew, a sefydlwyd yn Llundain yn 1123, ni chafodd meddyg ei benodi tan yr unfed ganrif ar bymtheg.

Sefydliadau crefyddol oedd ysbytai a chyfeiriwyd atyn nhw'n aml fel 'Tai Duw'. Gadawodd Walter Suffield, Esgob Norwich, arian yn ei ewyllys yn 1257 i adeiladu 'Ysbyty Mawr', a gwnaeth hynny oherwydd ei fod yn credu mai ei ddyletswydd Cristnogol oedd helpu'r sâl, y digartref a'r tlawd (gweler Ffigur 5.3). Roedd hefyd eisiau ei buro ei hun o'i bechodau er mwyn gwneud yn siŵr y byddai'n mynd i'r nefoedd ar ôl iddo farw.

Roedd disgwyl i gleifion dreulio llawer o'u diwrnod yn gweddïo a chyffesu eu pechodau. Y gred oedd eu bod yn dlawd ac yn sâl oherwydd eu bod wedi pechu, ac yn awr roedd angen iddyn nhw eu gwaredu eu hunain o'u pechodau. Dyma oedd swyddogaeth yr ysbyty. Pe baen nhw ond yn gweddïo, yn dangos eu bod yn edifar am eu pechodau ac yn gweddïo dros y bobl oedd wedi cyfrannu arian at yr ysbyty, byddai hyn yn eu helpu i fynd i'r nefoedd ar ôl marwolaeth.

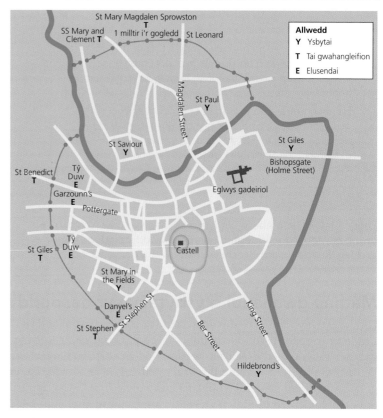

▲ Ffigur 5.3: Map o Norwich yn yr oesoedd canol yn dangos tai'r gwahangleifion, yr elusendai a'r ysbytai

Roedd yr ysbyty yn cynnwys neuadd yn llawn gwelyau, ac ym mhen draw'r neuadd roedd capeli bach lle byddai'r mynachod yn cynnal offeren. Roedd lleianod a chynorthwywyr yn gofalu am y cleifion.

> **Ffynhonnell B: Darn o reolau ysbyty St John yn Bridgwater, Gwlad yr Haf, yn 1219**
>
> *Ni chaniateir i wahangleifion, pobl wallgof, na phobl ag afiechyd cwympo neu glefydau cyffwrdd-ymledol eraill, na menywod beichiog, na phlant sugno, nag unrhyw bobl na ellir eu dioddef, er eu bod yn dlawd a methedig, ddod i'r ysbyty; ac os bydd unrhyw un o'r rhain yn dod yno drwy gamgymeriad, rhaid eu hanfon oddi yno cyn gynted â phosibl. Ac ar ôl i'r bobl dlawd a methedig eraill wella, rhaid eu hel allan ar unwaith.*

MEDDYLIWCH ?

1 Defnyddiwch y wybodaeth yn yr adran hon i feddwl am rôl a swyddogaeth yr ysbyty yn yr oesoedd canol, gan ddefnyddio'r wybodaeth yn Ffynhonnell A (tudalen 73) a Ffynhonnell B a Ffigur 5.3 (uchod) i gwblhau'r tabl isod.

	Beth mae'r ffynhonnell hon yn ei ddweud wrthoch chi am y mathau o ofal meddygol oedd ar gael yn ystod yr oesoedd canol?	Beth mae'r ffynhonnell hon yn ei ddweud wrthon ni am rôl a swyddogaeth y math hwn o ysbyty?	Beth mae'r ffynhonnell hon yn ei ddweud wrthon ni am agweddau at ofalu am bobl sâl?
Ffynhonnell A			
Ffynhonnell B			
Ffigur 5.3			

2 'Roedd yr eglwys Gristnogol yn poeni am ofalu am bobl sâl yn hytrach na'u gwella.' I ba raddau rydych chi'n cytuno â'r gosodiad hwn?

Rôl elusennau gwirfoddol yng ngofal cleifion ar ôl canol yr unfed ganrif ar bymtheg

O ganol yr unfed ganrif ar bymtheg ymlaen, daeth rôl yr eglwys mewn perthynas â darparu gofal i gleifion yn llai pwysig a daeth elusennau gwirfoddol yn fwy amlwg yn y maes, yn enwedig ar ôl cau'r mynachlogydd.

Effaith cau'r mynachlogydd

Pan roddodd Harri VIII orchymyn i ddiddymu'r mynachlogydd yn yr 1530au, arweiniodd at gau sawl ysbyty a chafodd hyn effaith ddramatig ar ofal cleifion. Rhoddodd yr eglwys y gorau i gefnogi ysbytai ac roedd yn rhaid i elusennau gwirfoddol gymryd y rôl hwnnw.

Mewn rhai ardaloedd, camodd cynghorau tref neu ddinas i'r adwy i redeg elusendai oedd yn gofalu am bobl hŷn, tlawd, a'r ysbyty oedd yn gofalu am y tlodion yn gyffredinol. Yn Llundain fe wnaeth yr awdurdodau arwyddo deiseb yn gofyn i'r goron ddarparu arian ar gyfer gwaddoli ysbytai fel St Bartholomew, St Thomas a St Mary er mwyn iddyn nhw barhau i ddarparu gwasanaethau gofal cleifion yn eu cymunedau. Drwy ddarparu arian y goron, hwn oedd y tro cyntaf i gefnogaeth **seciwlar** gael ei roi i sefydliadau meddygol.

Creu 'ysbytai brenhinol' yn Llundain

Ar draws Llundain cafodd cyfanswm o bum ysbyty brenhinol eu gwaddoli (*endow*) ag arian y goron yn ystod canol yr unfed ganrif ar bymtheg, gan eu galluogi i barhau i ofalu am bobl sâl a thlawd y brifddinas. Roedd y gwaddol (*endowment*) yn aml ar ffurf rhodd o dir, y gellid ei rentu er mwyn darparu incwm cyson i'r sefydliad, er bod yr arian hwnnw'n annigonol yn aml iawn.

Ysbyty St Bartholomew

Roedd St Bartholomew mewn sefyllfa anodd ar ôl diddymu'r mynachlogydd gan iddo golli ei ffynhonnell incwm. Mewn ymgais i gadw'r ysbyty ar agor, fe wnaeth awdurdodau'r ddinas arwyddo deiseb a'i chyflwyno i'r brenin ac ym mis Rhagfyr 1546 rhoddwyd y sefydliad i Gorfforaeth Dinas Llundain drwy siarter brenhinol Harri VIII a'i waddoli ag eiddo, tir a hawliau incwm eraill. Roedd yr ysbyty yn gwasanaethu tlodion ardal Gorllewin Smithfield.

St Mary Bethlehem (gan gynnwys Bethlem)

Diddymwyd St Mary Bethlehem, oedd yn cynnwys Ysbyty Bethlem, ar ddiwedd yr 1530au. Yn 1546 fe wnaeth Arglwydd Faer Llundain, Syr John Gresham, arwyddo deiseb yn gofyn i'r goron roi'r ddau sefydliad i'r ddinas. Rhoddwyd siarter brenhinol yn 1547. Roedd Ysbyty Bethlem yn canolbwyntio ar drin pobl wallgof.

Ysbyty St Thomas

Roedd Ysbyty St Thomas, a sefydlwyd yn wreiddiol tua 1100 gan urdd cymysg o fynachod a lleianod Awstinaidd, yn darparu lloches a thriniaeth i bobl dlawd, sâl a digartref yn ardal Southwark. Diddymwyd y fynachlog yn 1539 a chaewyd yr ysbyty. Heb ddim i gymryd ei le, fe wnaeth awdurdodau dinas Llundain arwyddo deiseb a'i chyflwyno i'r goron, ac yn 1551 rhoddodd y Brenin Edward VI y safle drwy siarter brenhinol i'r ddinas ac ailagorwyd yr ysbyty y flwyddyn honno. Ailsefydlodd ei hun yn fuan iawn fel ysbyty ar gyfer tlodion sâl, ond daeth yn gyfrifol hefyd am drin cleifion oedd yn dioddef o glefyd gwenerol.

Ysbyty Crist

Sefydlwyd Ysbyty Crist yn 1553 gan Edward VI, yn hen adeiladau'r Brodyr Llwydion yn Newgate, Llundain. Roedd hyn mewn ymateb i alwadau gan esgob Llundain i ddarparu ar gyfer y tlodion. Roedd yn cynnig lloches, dillad a bwyd i blant heb dadau, yn ogystal ag addysg elfennol.

Ysbyty Bridewell

Ysbyty a charchar Bridewell oedd y pumed 'ysbyty brenhinol'. Derbyniodd yr ysbyty hwn ar lannau afon Fleet ei siarter brenhinol yn 1553 ac roedd ganddo ddau bwrpas – rhoi cartref i blant digartref a chosbi tlodion afreolus.

Ysbytai gwaddoledig (*endowed*) gwirfoddol y tu allan i Lundain

Sefydlwyd ysbytai gwirfoddol y tu allan i Lundain hefyd. Mewn trefi ar draws y wlad, cyfrifoldeb cynghorau lleol oedd trefnu gwaddolion i gadw eu hysbytai ar agor. Yn Norwich, er enghraifft, ar ôl i Harri VIII roi gorchymyn i gau mynachlog ac ysbyty St Giles, fe wnaeth cyngor y dref arwyddo deiseb a'i chyflwyno i'r goron.

Cafodd yr ysbyty ei ailsefydlu drwy siarter brenhinol a roddwyd yn 1547, a daeth yr ysbyty dan reolaeth corfforaeth y dref. Roedd y siarter yn datgan y dylid cyflogi pedair menyw i 'wneud y gwelyau, golchi a gofalu am y tlodion'. Yn ystod y ganrif ddilynol cafodd yr ysbyty ei weddnewid o sefydliad crefyddol yn ysbyty, ac am y tro cyntaf yn ei hanes dechreuodd gyflogi staff meddygol. Erbyn yr 1570au roedd y staff meddygol yn cynnwys barbwr-llawfeddyg (oedd yn gwaedu cyrff), llawfeddyg a meddyg esgyrn. Roedd gofal meddygol nawr yn canolbwyntio ar y cleifion.

MEDDYLIWCH ?

1 Sut gwnaeth y cyfrifoldeb am ofalu am bobl sâl a'r tlodion newid ar ôl diddymu'r mynachlogydd yn yr 1530au?

2 'Ar ddiwedd yr unfed ganrif ar bymtheg dechreuodd ysbytai yn Llundain arbenigo mewn gofalu am fathau penodol o gleifion.' Pa dystiolaeth gallwch chi ddod o hyd iddi i gefnogi'r gosodiad hwn?

Gwyddoniaeth a datblygiad ysbytai gwaddoledig yn y ddeunawfed ganrif

Yn ystod y ddeunawfed ganrif agorwyd ysbytai newydd dan nawdd unigolion preifat, elusennau neu gynghorau tref. Dylanwadodd sawl ffactor ar y twf yn narpariaeth gofal ysbytai yn ystod y ganrif hon.

Datblygiad ymchwil gwyddonol

Yn ystod y cyfnod hwn gwelwyd twf mewn ymchwil gwyddonol, ac arweiniodd hyn at fwy o ddiddordeb mewn materion meddygol. Roedd sefydlu'r Gymdeithas Frenhinol yn Llundain yn 1662 a sawl cymdeithas feddygol arall, fel y gymdeithas a sefydlwyd yng Nghaeredin yn 1732, yn hwb mawr i annog darganfyddiadau gwyddonol newydd. Roedd y cymdeithasau newydd yn rhoi cyfle i drafod syniadau am feddygaeth ac i ddadansoddi a gwerthuso canlyniadau arbrofion neu waith ymchwil i brosesau llawfeddygol newydd. Arweiniodd yr awydd i ymchwilio, arbrofi ac adrodd am y canlyniadau at dwf Oes y Goleuo, sef oes o ddatblygiadau ac ymchwil gwyddonol a chyfnod o ddatblygiadau o ran gwybodaeth feddygol.

Effaith y Chwyldro Diwydiannol

Cafodd y Chwyldro Diwydiannol sawl effaith, ac un o'r rheini oedd y cynnydd mawr ym maint y boblogaeth. Wrth i'r trefi diwydiannol newydd dyfu roedd galw cynyddol hefyd am fwy o ysbytai. Llwyddwyd i ateb rhywfaint o'r galw hwnnw diolch i gyfraniadau ariannol gan ddiwydianwyr newydd, cyfoethog. Roedden nhw'n dymuno defnyddio eu cyfoeth newydd i dalu am sefydlu ysbytai, gan gredu bod Duw wedi rhoi'r cyfrifoldeb am wella bywydau pobl dlawd a sâl iddyn nhw. Un o'r dyngarwyr cynnar hyn oedd Thomas Guy, argraffydd a gwerthwr llyfrau cyfoethog a dalodd am sefydlu Ysbyty Guy yn 1724. Roedd yn arddel y gred Gristnogol y dylai'r cyfoethog helpu'r tlawd, a thrwy dderbyn cymorth o'r fath, byddai'r tlawd yn cael cyfle i fyw bywydau mwy pur a disgybledig.

Sefydlu ysbytai gwaddoledig

Yn ystod hanner cyntaf y ddeunawfed ganrif agorwyd llawer o ysbytai gwirfoddol newydd, diolch i gyfraniadau ariannol unigolion preifat fel Guy, elusennau lleol neu gynghorau tref a roddodd waddolion (*endowments*) i'r sefydliadau newydd er mwyn eu cynnal. Sefydlwyd 11 ysbyty newydd yn Llundain yn ystod y cyfnod hwn a 46 arall ar draws y wlad yn y trefi a'r dinasoedd diwydiannol oedd yn tyfu (gweler Tabl 5.1).

Dyddiad	Ysbyty	Lleoliad	Gwaddolwyd gan
1719	Ysbyty San Steffan	Llundain	Ariannwyd gan fanc preifat, C. Hoare & Co
1724	Ysbyty Guy	Llundain	Rhodd gan ŵr busnes cyfoethog, Thomas Guy
1729	Ysbyty'r Royal Infirmary	Caeredin	Derbyniwyd cyfraniadau ariannol gan noddwyr cyfoethog Caeredin
1735	Ysbyty'r Royal Infirmary	Bryste	Ariannwyd gan Paul Fisher, masnachwr cyfoethog yn y ddinas
1739	Ysbyty'r Foundling	Bloomsbury, Llundain	Sefydlwyd gan Thomas Coram, capten llong. Ei ddymuniad oedd i'r ysbyty ofalu am blant ifanc oedd wedi cael eu gadael
1752	Ysbyty'r Royal Infirmary	Manceinion	Sefydlwyd gan Charles White, meddyg, a Joseph Bancroft, diwydiannwr cyfoethog
1766	Ysbyty Addenbrooke	Caergrawnt	Gadawodd Dr John Addenbrooke £4500 yn ei ewyllys i sefydlu ysbyty
1779	Yr Ysbyty Cyffredinol	Birmingham	Cyfraniadau gan dirfeddianwyr a diwydianwyr cyfoethog, gan gynnwys Matthew Boulton

▲ Tabl 5.1: Enghreifftiau o rai o'r ysbytai gwaddoledig a sefydlwyd yn ystod y ddeunawfed ganrif

◀ **Ffynhonnell C:** Ysgythriad o'r 1820au yn dangos Ysbyty Guy yn Llundain. Hwn oedd un o'r ysbytai gwaddoledig gwirfoddol cyntaf i gael ei sefydlu yn 1724

Ffynhonnell CH: Rheolau Ysbyty Guy, a gyhoeddwyd ar ôl ei sefydlu yn 1724

Rhaid i'r bobl sâl gydnabod daioni Duw yn darparu lle mor gyfforddus, gofal, meddygaeth a sgìl, a hynny dan law dioddefus Duw. Rhaid iddyn nhw ymddwyn yn sobr a chrefyddol fel Cristnogion.

Rôl a swyddogaeth ysbytai gwaddoledig

Roedd sefydlu ysbytai gwaddoledig yn drobwynt yn natblygiad ysbytai. Erbyn hyn, roedd ysbytai wedi datblygu o fod yn lleoedd i ddarparu gofal sylfaenol i bobl sâl i fod yn ganolfan ar gyfer trin afiechydon a chyflyrau oedd yn gofyn am lawfeddygaeth. Daeth rhai o'r ysbytai hyn yn ganolfannau ar gyfer addysgu a hyfforddi meddygon a llawfeddygon.

Prif rôl y sefydliadau hyn oedd edrych ar ôl tlodion sâl, gan fod pobl ag arian fel arfer yn gallu talu am feddyg a nyrs i'w trin yn breifat yn y cartref. Roedd cynorthwywyr nyrsio yn gofalu am y cleifion a byddai'r rhain yn gwneud y gwaith corfforol ac yn gyfrifol am gadw cleifion yn gynnes, eu golchi a'u bwydo'n rheolaidd. Gallai prif nyrsys drin cleifion sâl â meddyginiaethau llysieuol. Meddygon oedd yn gyfrifol am lawdriniaethau syml fel tynnu cerrig y bledren a gosod esgyrn wedi torri. Roedd y driniaeth am ddim fel arfer.

Swyddogaeth arall yr ysbyty oedd rhoi meddyginiaethau neu foddion. Yn ystod yr 1770au sefydlwyd sawl fferyllfa – y Fferyllfa Gyhoeddus yng Nghaeredin yn 1776, Cronfa'r Fferyllfa Elusennol a Metropolitan yn 1779 a Fferyllfa Finsbury yn 1780, y ddwy olaf yng nghanol Llundain.

MEDDYLIWCH

1 Beth mae Ffynonellau C ac CH yn ei ddweud wrthon ni am ysbytai yn y ddeunawfed ganrif?

2 Cafodd y twf yn narpariaeth gofal ysbytai yn ystod y ddeunawfed ganrif ei ddylanwadu gan ddatblygiadau fel:

- ymchwil gwyddonol
- datblygiad diwydiannol
- nawdd gan unigolion preifat.

Rhowch y datblygiadau hyn yn eu trefn yn ôl pwysigrwydd eu dylanwad ar dwf y ddarpariaeth ysbytai. Esboniwch eich dewisiadau.

Sefydlu ysbytai gwirfoddol ar draws Cymru

Yng Nghymru, fel yn Lloegr, roedd cleifion sâl mewn ysbytai yn derbyn triniaeth mewn sefydliadau gwirfoddol. Un o'r ffactorau pwysicaf a arweiniodd at sefydlu sefydliadau o'r fath oedd y Chwyldro Diwydiannol. Arweiniodd hyn at drefoli a sefydlwyd rhai o'r ysbytai gwirfoddol cyntaf yng Nghymru yn y trefi diwydiannol newydd oedd yn tyfu'n gyflym. Sefydlodd Abertawe glafdy mor gynnar ag 1817, ac yn 1837 agorwyd clafdy a fferyllfa yng Nghaerdydd, 'Glamorgan and Monmouth Infirmary and Dispensary', a ailenwyd yn Ysbyty Caerdydd yn 1895. Agorwyd fferyllfa yng Nghasnewydd yn 1839 ac fe gafodd ei throi yn ysbyty yn ddiweddarach yn 1867. Sefydlwyd ysbytai gwirfoddol mewn trefi eraill yn Ne Cymru ychydig yn hwyrach: Aberdâr yn 1881, Merthyr yn 1887 a Phen-y-bont ar Ogwr yn 1895.

Yn nhref Dinbych yn 1807 sefydlwyd y 'Denbigh General Dispensary and Asylum for the Recovery of Health', y sefydliad cyntaf o'i fath yng Ngogledd Cymru. Roedd yn darparu lle i bobl sâl aros a chael gwellhad o dan lygad barcud y staff meddygol cymwysedig. Rhwng 1821 ac 1822 daeth dros 862 o gleifion drwy'r drysau; erbyn 1823 roedd wedi trin 9,041 o bobl ac agorwyd adain newydd yn 1823. Yn 1833 sefydlwyd fferyllfa yn nhref lofaol Wrecsam oedd yn prysur dyfu, ac yn dilyn hyn agorwyd clafdy yn 1838. Roedd y clafdy yn adlewyrchu gwerthoedd y cyfnod ac roedd ond yn trin pobl nad oedden nhw'n gallu fforddio talu (gweler Ffynhonnell D). Cafodd sefydliadau o'r fath eu hagor diolch i gyfraniadau a rhoddion gwirfoddol parhaus gan ddyngarwyr cyfoethog. Yn achos Dinbych, Dr George Cumming, meddyg cyntaf yr ysbyty, oedd y prif noddwr.

> **Ffynhonnell D:** Rhan o reolau Clafdy Wrecsam yn dyddio o 1838
> Bydd y cleifion yn bobl sydd yn rhy dlawd i dalu costau gofal meddygol.

Yn ogystal â'r clafdai cyffredinol hyn sefydlwyd nifer o ysbytai arbenigol ar ddiwedd y bedwaredd ganrif ar bymtheg, gan gynnwys sawl ysbyty a wasanaethodd gymuned forwrol y genedl.

Ysbyty Morwyr Stanley, Caergybi

Sefydlwyd Ysbyty Morwyr Stanley ar Ynys yr Halen, Caergybi, ym mis Tachwedd 1861. Talwyd am y gwaith adeiladu gan y dyngarwr lleol, William Owen Stanley o Benrhos, a morwyr yn unig a gafodd eu trin yno yn y lle cyntaf. Chwaraeodd y Fonesig Jane Henrietta Adeane (1842–1926), nith W. O. Stanley, ran amlwg yn y gwaith o redeg yr ysbyty o 1881 ymlaen, gan godi arian a helpu gyda'r gwaith gweinyddol. Pan gafodd yr awenau eu trosglwyddo i'r awdurdodau milwrol yn ystod y Rhyfel Byd Cyntaf, cymerodd y teitl 'cadlywydd' gan barhau i weithio yn yr ysbyty. Daeth yr ysbyty yn ysbyty cyffredinol yn y pen draw a'i roi yn nwylo'r GIG yn 1948.

Ysbyty'r Royal Hamadryad, Caerdydd

Syniad Dr Henry Paine, Swyddog Iechyd Meddygol Caerdydd rhwng 1853 ac 1889 oedd yr Hamadryad, sef ysbyty i forwyr yn ardal y dociau yn y dref. Roedd Dr Paine wedi bod yn pryderu y gallai morwyr gario clefydau heintus fel colera, y frech wen a theiffoid i'r dref. Yn 1866, trefnodd fod ffrigad 43 oed o'r enw HMS *Hamadryad* yn cael ei phrynu a'i thynnu o Dartmouth i Gaerdydd a'i throi yn llong gleifion ar gost o £2,791. Agorodd y llong gleifion ym mis Tachwedd 1866, ac yn ystod y flwyddyn gyntaf derbyniodd 400 o gleifion. Roedd y driniaeth am ddim yn cael ei hariannu gan dreth o ddau swllt am bob 100 tunnell o nwyddau a laniwyd yn nociau Caerdydd. Erbyn troad y ganrif roedd dros 10,000 o forwyr yn derbyn triniaeth yno bob blwyddyn. Yn 1905, rhoddwyd y gorau i ddefnyddio'r llong bren ac adeiladwyd ysbyty parhaol i forwyr ar ddarn o dir gerllaw. Roedd 54 gwely, golau trydan a chyfleusterau pelydr X yn yr ysbyty hwnnw. Roedd yn ysbyty i forwyr tan 1948.

▲ Ffynhonnell DD: Agorodd HMS *Hamadryad*, a oedd wedi'i docio yn Noc Dwyrain Caerdydd, fel ysbyty i forwyr yn 1866

MEDDYLIWCH

1 Gan ddefnyddio enghreifftiau, esboniwch pam roedd dyngarwyr mor bwysig o ran sefydlu ysbytai gwirfoddol ar draws Cymru.

2 Pa ddadleuon gafodd eu cyflwyno i sicrhau bod ysbyty Hamadryad yn cael ei adeiladu yn nociau Caerdydd yn hytrach nag yn y dref ei hun?

Newidiadau yn y bedwaredd ganrif ar bymtheg

Cafwyd dau ddatblygiad pwysig o ran gofal cleifion yn ystod y bedwaredd ganrif ar bymtheg. Un oedd datblygiad nyrsio fel proffesiwn a'r llall oedd y dull o gynllunio ysbytai. Cafodd un unigolyn ddylanwad mawr ar y ddau ddatblygiad hyn – Florence Nightingale.

Twf yn nifer yr ysbytai

Wrth i boblogaeth y wlad barhau i dyfu drwy gydol y bedwaredd ganrif ar bymtheg, arweiniodd y pwysau i ddarparu gofal meddygol at sefydlu ysbytai cyffredinol mewn dinasoedd ar draws y wlad. Yn 1800 roedd tua 3000 o gleifion mewn ysbytai ar draws Cymru a Lloegr, ac erbyn 1851 roedd y ffigur hwn wedi codi i 7619. Roedd ysbytai arbenigol hefyd wedi dechrau ymddangos, yn ymdrin â meysydd fel gofal mamolaeth, orthopaedeg, a'r llygaid, y trwyn a'r gwddf (gweler Tabl 5.2). Erbyn yr 1860au, roedd mudiad yr ysbytai bwthyn wedi arwain at sefydlu ysbytai bach mewn ardaloedd gwledig dan ofal meddygon teulu.

Dyddiad sefydlu	Datblygiadau mewn gofal meddygol penodol
1800	Agor Coleg Brenhinol y Llawfeddygon
1814	Ysbyty'r Frest Llundain
1828	Sefydlu Ysbyty y Royal Free gan William Marsden
1834	Ysgol Feddygol San Steffan
1851	Ysbyty Canser Brenhinol Marsden
1852	Ysbyty Plant Great Ormond Street
1860	Ysgol Nyrsio Nightingale

▲ Tabl 5.2: Prif ysbytai a sefydliadau hyfforddi arbenigol a sefydlwyd rhwng 1800 ac 1900

Amodau yn yr ysbytai newydd

Er bod mwy o ysbytai ar gael, roedd yr amodau i'r cleifion yn yr ysbytai yn wael yn gyffredinol. Roedd heintiau yn gallu lledaenu'n gyflym yn y wardiau cyfyng, myglyd ac oherwydd nad oedden nhw'n cael eu glanhau'n aml roedd y gyfradd marwolaethau oherwydd heintiau yn uchel. Roedd ansawdd y nyrsio yn wael, a daeth nyrsys heb eu hyfforddi yn adnabyddus am fod yn fudr, yn anwybodus ac yn aml yn feddw. Doedden nhw ddim yn cael llawer o hyfforddiant, os unrhyw hyfforddiant o gwbl, ac roedden nhw'n aml yn gwybod dim am safonau hylendid sylfaenol. Y cwynion mwyaf cyffredin yn erbyn nyrsys oedd eu bod yn fudr ac yn feddw yn rhy aml (gweler Ffynhonnell E). Ym marn llawer o bobl, roedd nyrsio yn swydd ar gyfer menywod heb addysg nad oedden nhw'n gallu gwneud dim byd arall. Doedd nyrsio ddim yn cael ei ystyried yn broffesiwn parchus ac yn sicr doedd nyrsio ddim yn yrfa addas ar gyfer menyw barchus, ifanc fel Florence Nightingale.

> **Ffynhonnell E: Disgrifiad o'r nyrsio yn ysbyty St Bartholomew, Llundain, yn 1877. Cafodd ei ysgrifennu yn 1902 gan nyrs oedd yn brif weinyddes nyrsio yn yr ysbyty yn yr 1870au**
>
> *Roedd bod yn feddw yn gyffredin iawn ymhlith y nyrsys staff. Roedd y rhan fwyaf ohonyn nhw'n debyg i fenywod glanhau, yn aml yn flin eu tymer, a heb gael llawer o addysg. Doedd nyrsio fel rydych chi'n gwybod amdano nawr, ddim yn bod. Doedd cleifion ddim yn cael eu nyrsio, roedden nhw'n derbyn gofal, mwy neu lai. Roedd y gwaith yn galed – loceri a byrddau i'w sgrwbio bob dydd. Doedden ni ddim yn sgrwbio'r lloriau. Bydden ni'n gwneud gwelyau'r cleifion unwaith y dydd, a fyddech chi'n meddwl dim am newid 14 neu 15 powltis ddwy neu dair gwaith y dydd. Doedd nyrsys byth yn defnyddio thermomedr, y cynorthwywyr a'r clercod oedd yn cymryd tymheredd.*

MEDDYLIWCH

'Yn ystod hanner cyntaf y bedwaredd ganrif ar bymtheg agorwyd sawl ysbyty newydd ond ni wnaeth yr ysbytai hyn arwain at unrhyw welliant yng ngofal cleifion.' Pa dystiolaeth gallwch chi ddod o hyd iddi yn yr adran hon i gefnogi'r gosodiad hwn?

Florence Nightingale a phroffesiynoli nyrsio

Fel rydyn ni wedi gweld, yn ystod hanner cyntaf y bedwaredd ganrif ar bymtheg roedd safonau nyrsio yn wael iawn. Yr hyn a newidiodd nyrsio oedd gweithredoedd nifer o fenywod – Florence Nightingale, Mary Seacole a Betsi Cadwaladr – a fu'n nyrsio milwyr Prydeinig yn ystod Rhyfel y Crimea (1853–6).

Effaith Rhyfel y Crimea

Rhyfel y Crimea oedd y rhyfel cyntaf lle gwelwyd gohebwyr yn anfon adroddiadau yn ôl i bapurau newydd ym Mhrydain drwy'r system delegraff newydd. Yn fuan iawn, dechreuodd y cyhoedd ddarllen am yr amodau erchyll oedd yn wynebu'r milwyr clwyfedig a sâl oedd yn ymladd yn y Crimea. Dechreuodd Florence Nightingale gymryd diddordeb yn y rhyfel ar ôl darllen adroddiadau ym mhapur newydd *The Times*.

Ganwyd Nightingale i deulu cyfoethog, ac roedd yn credu bod Duw yn dymuno iddi ddod yn nyrs. Er gwaethaf gwrthwynebiad ei rheini, roedd wedi hyfforddi fel nyrs yn yr Almaen ac ym Mharis yn ystod yr 1850au cynnar. Ar ôl dychwelyd i Loegr gweithiodd mewn sawl ysbyty cyn i Ryfel y Crimea ddechrau yn 1853.

> **Ffynhonnell F: Yn fuan ar ôl cyrraedd Scutari, ysgrifennodd Florence Nightingale at Sydney Herbert, yn disgrifio'r amodau lle'r oedd milwyr clwyfedig a sâl yn cael eu trin. Dyddiad y llythyr yw 25 Tachwedd 1854**
>
> *Yn yr ysbytai hyn, mae'n ymddangos bod golchi dillad gwely a golchi'r dynion yn cael eu hystyried yn bethau dibwys. Does neb wedi golchi'r dynion na'r gwelyau – heblaw amdanon ni. Pan ddaethon ni yma, doedd dim basn, tywel, na sebon ar y Wardiau. Canlyniadau hyn yw Twymyn, Colera, Madredd, Llau (lice), Llau Gwely (bugs), Chwain.*

▲ Ffynhonnell FF: Amodau yn yr ysbyty milwrol yn Scutari yn 1854 cyn i Florence Nightingale gyrraedd

Florence Nightingale yn mynd i'r Crimea

Ar ôl cael arian gan y llywodraeth, aeth Nightingale â 38 o'r nyrsys gorau y llwyddodd i ddod o hyd iddyn nhw a theithiodd i'r ysbyty milwrol Prydeinig yn Scutari ar arfordir y Môr Du yn Nhwrci. Pan gyrhaeddon nhw Scutari ar 4 Tachwedd 1854 cawson nhw eu harswydo gan yr olygfa oedd yn eu hwynebu. Roedd 1700 o filwyr clwyfedig a sâl yn yr ysbyty maes, llawer ohonyn nhw yn dioddef o golera a theiffoid, a phawb mewn wardiau budr iawn. Doedd dim digon o welyau na chyflenwadau meddygol. Ar ben hyn, roedd meddygon y fyddin yn gwrthwynebu presenoldeb ac ymyrraeth Nightingale.

Fodd bynnag, roedd Sydney Herbert, Gweinidog Cyflenwadau'r Rhyfel, a Dr Andrew Smith, pennaeth Adran Feddygol y Fyddin, yn cefnogi Nightingale. Sicrhaodd Dr Smith ei bod hi'n derbyn cyflenwadau digonol o'r eitemau meddygol roedd eu hangen arni, a chafodd gefnogaeth ariannol gan *The Times* a gyhoeddodd adroddiadau am ei gwelliannau.

Un o dasgau cyntaf Nightingale oedd glanhau'r wardiau. Byddai cleifion yn cael eu golchi'n rheolaidd, yn cael dillad glân, a byddai eu dillad gwely'n cael eu newid yn aml. Er mwyn atal clefydau rhag lledaenu, byddai cleifion yn cael eu gwahanu yn ôl eu hafiechyd, byddai digon o le rhwng pob gwely a byddai aer ffres yn dod i mewn drwy'r ffenestri agored. Cafodd y mesurau hyn ganlyniadau dramatig. Ar ôl chwe mis yn unig dim ond 100 o'r 1700 o gleifion oedd yn dal i fod yn eu gwelyau, ac roedd cyfradd marwolaethau'r ysbyty wedi gostwng o 42 marwolaeth o bob 100 claf i 2 o bob 100. Yn sgil y diwygiadau hyn roedd Nightingale wedi gosod safonau newydd o ran gofal cleifion.

> **MEDDYLIWCH**
>
> 1 Beth mae Ffynonellau F ac FF yn ei ddweud wrthoch chi am amodau y milwyr clwyfedig a sâl yn ysbytai'r fyddin ar ddechrau Rhyfel y Crimea yn 1853?
>
> 2 Disgrifiwch y newidiadau gafodd eu cyflwyno gan Florence Nightingale i ofalu am filwyr clwyfedig a sâl yn ysbyty'r fyddin yn Scutari.

▲ Ffynhonnell G: Ward ysbyty yn Scutari yn 1856 yn dangos y newidiadau i ofal cleifion a gyflwynwyd gan Florence Nightingale

▲ Ffynhonnell NG: Florence Nightingale

Florence Nightingale a chychwyn nyrsio modern

Ar ôl iddi ddychwelyd i Brydain yn 1856, sefydlodd Nightingale gronfa gyhoeddus a llwyddodd i godi bron £50,000. Defnyddiwyd llawer o'r arian hwn i sefydlu Ysgol Nyrsio Nightingale mewn adain o Ysbyty St Thomas yn Llundain.

Yn 1859 cyhoeddodd *Notes on Nursing* a oedd yn nodi'r hyfforddiant y dylai nyrsys ei dderbyn. Roedd yr hyfforddiant yn ymarferol iawn ac yn canolbwyntio ar y wardiau. Roedd dulliau hyfforddi'r ysgol yn llym iawn:

- Roedd yn rhaid i nyrsys fod mewn parau wrth fynd allan o'r ysbyty.
- Roedd yn rhaid iddyn nhw fyw yn yr ysbyty.
- Roedd yn rhaid iddyn nhw gadw dyddiadur gwaith, a byddai hwn yn cael ei archwilio bob mis.

Cawson nhw eu dysgu i fod mor lân â phosibl, i newid gorchuddion ac i fod yn gynorthwywyr go iawn i feddygon a llawfeddygon. Yn hytrach na gwneud gwaith gofalu a glanhau fel yn y gorffennol, roedd nyrsys erbyn hyn yn cael eu hystyried yn rhan hanfodol o'r gwaith o ofalu am gleifion a'u trin. Erbyn 1900 roedd ysgolion nyrsio wedi agor ar draws y wlad ac roedden nhw'n defnyddio syniadau Nightingale.

Dylanwad Florence Nightingale ar gynllun ysbytai newydd

Yn 1863, cyhoeddodd Nightingale *Notes on Hospitals*, a oedd yn cyflwyno syniadau newydd am gynllun ysbytai. Yn ei barn hi, dylai ysbytai newydd ystyried pwysigrwydd 'y defnydd cywir o aer ffres, golau, gwres, glendid, tawelwch a dewis a gweinyddu'r deiet cywir'. Pan ailadeiladwyd Ysbyty St Thomas yn 1868, hwn oedd un o'r ysbytai cyntaf i fabwysiadu 'egwyddor y pafiliwn' a ddyfeisiwyd gan Nightingale. Roedd y cynllun hwn yn gosod chwe ward ar wahân ar onglau sgwâr i goridor hir, cysylltiedig ac roedd hyn yn annog cylchrediad da o aer.

Pwysigrwydd Florence Nightingale

Yn 1850 doedd dim nyrsys hyfforddedig ym Mhrydain, ond erbyn 1901 roedd 68,000. Yn 1899 sefydlwyd Cyngor Rhyngwladol y Nyrsys yn Llundain. O'r diwedd, roedd nyrsio wedi cael ei gydnabod yn broffesiwn, ac roedd hynny yn bennaf oherwydd ymdrechion Florence Nightingale. Roedd cynllun ysbytai hefyd wedi ei newid yn llwyr. Erbyn diwedd y bedwaredd ganrif ar bymtheg roedd sawl tref a dinas wedi adeiladu ysbytai newydd ac roedd eu cynlluniau yn ymgorffori nifer o'r argymhellion a gafodd eu cyflwyno gan Florence Nightingale.

MEDDYLIWCH

1 Esboniwch **ddau** newid a gyflwynwyd gan Florence Nightingale a wnaeth wella ansawdd y nyrsio.

2 Pa nodweddion allweddol roedd Florence Nightingale yn eu hystyried yn hanfodol yng nghynllun ysbytai newydd? Eglurwch pam.

Problemau yn 1850	Atebion a gafwyd erbyn 1900
Nyrsys heb eu hyfforddi	Nyrsys hyfforddedig
Diffyg parch at nyrsys	Cydnabod nyrsio yn broffesiwn
Wardiau cyfyng, myglyd	Wardiau eang, golau â llawer o aer
Glanweithdra, cyfleusterau toiled a dulliau gwaredu carthion gwael	Glanweithdra da, wedi'u cysylltu â phrif ddraeniau a chyflenwadau dŵr tap
Diffyg glendid	Wardiau glân
Llawfeddygaeth a gorchuddion anhylan	Llawfeddygaeth a gorchuddion aseptig

▲ Tabl 5.3: Newidiadau mewn nyrsio ac ysbytai rhwng 1850 ac 1900

Cyfraniad Mary Seacole (1805–81)

Nyrs arall a wnaeth argraff yn Rhyfel y Crimea oedd Mary Seacole. Yn ferch i forwr o'r Alban, ganwyd Seacole yn Kingston, Jamaica. Roedd ei mam yn rhedeg canolfan feddygol ar gyfer milwyr a morwyr Prydeinig ar yr ynys, a dechreuodd Seacole gymryd diddordeb mawr yn y gwaith nyrsio. Teithiodd i Brydain yn 1854 gan wirfoddoli i wasanaethu gyda'r fyddin yn y Crimea.

Yn 1855 agorodd yr 'Ysbyty Prydeinig' rhwng Balaclava a Sebastopol i drin milwyr clwyfedig a sâl. Bu'n trin achosion o'r clefyd melyn, dolur rhydd, dysentri ac ewinrhew, a byddai'n aml yn mentro i faes y gad â'i bag meddygol. Ar ddiwedd y rhyfel daeth yn ôl i Brydain ac yn 1857 cyhoeddodd hunangofiant, *The Wonderful Adventures of Mrs Seacole in Many Lands*, gan helpu i godi ymwybyddiaeth am gyfraniad nyrsio yn ystod Rhyfel y Crimea.

Cyfraniad Betsi Cadwaladr (1789–1860)

Fel Seacole, bu Elizabeth 'Betsi' Cadwaladr yn nyrsio milwyr yn y Crimea. Ganwyd Betsi yn y Bala, yng Ngogledd Cymru, yn 1789, yn un o 16 o blant. Pan oedd yn 14 oed rhedodd i ffwrdd o'i chartref, gan deithio i Lerpwl ac yna i Lundain lle dechreuodd gymryd diddordeb yn y byd nyrsio. Rhwng 1815 ac 1820 roedd yn forwyn i gapten llong, a theithiodd i Dde America, Affrica ac Awstralia. Ar ôl iddi ddychwelyd i Lundain hyfforddodd fel nyrs ac yn 1854, yn 65 oed, aeth i'r Crimea er mwyn helpu i nyrsio'r milwyr clwyfedig.

Doedd hi ddim yn cyd-dynnu'n dda â Florence Nightingale ac roedd y ddwy yn amlwg yn anghytuno. Roedden nhw'n dod o draddodiadau gwahanol – roedd Nightingale yn parchu rheolau, rheoliadau a biwrocratiaeth ac roedd Betsi yn ymateb yn reddfol i anghenion milwyr oedd wedi'u hanafu yn ôl y galw, heb ystyried rheoliadau. Roedd Betsi yn credu bod biwrocratiaeth yn amddifadu'r milwyr clwyfedig o fwyd, dillad a rhwymynnau. Gan deimlo'n rhwystredig â'r ffordd roedd Florence yn rhedeg yr ysbyty yn Scutari, aeth Betsi i'r ysbyty yn Balaclava ar arfordir y Môr Du lle gweithiodd yn ddiflino i wella ansawdd gofal cleifion. Byddai'n glanhau clwyfau ac yn newid rhwymynnau, gan weithio rhwng 6 a.m. ac 11 p.m. Fodd bynnag, effeithiodd y rhyfel ar ei hiechyd a daliodd golera a dysentri. Bu'n rhaid iddi adael y Crimea yn 1855 a bu farw yn 1860. Mae'n cael ei choffáu gan Ymddiriedolaeth GIG Betsi Cadwaladr yng Ngogledd Cymru.

MEDDYLIWCH ?

1 I ba raddau roedd Mary Seacole a Betsi Cadwaladr yn bwysig yn hanes nyrsio?

2 Pam nad oedd Betsi Cadwaladr yn cyd-dynnu'n dda gyda Florence Nightingale?

▲ Ffynhonnell H: Mary Seacole

▲ Ffynhonnell I: Betsi Cadwaladr

Effaith diwygiadau Rhyddfrydol ar ddechrau'r ugeinfed ganrif

Yn ystod degawdau cyntaf yr ugeinfed ganrif, gwelwyd dechrau sefydlu'r **Wladwriaeth Les** pan ddechreuodd y llywodraeth gymryd rhywfaint o gyfrifoldeb dros reoli gofal a thriniaeth pobl sâl a phobl mewn angen.

Newid yn agwedd y llywodraeth

Yn ystod y bedwaredd ganrif ar bymtheg roedd llywodraethau wedi dilyn polisi *laissez-faire*, gan gredu nad eu cyfrifoldeb nhw oedd ymyrryd ym mywydau pobl oni bai bod yn rhaid gwneud hynny. Fodd bynnag, ar ddechrau'r ugeinfed ganrif, dechreuodd agweddau newid ac aeth llywodraethau Rhyddfrydol 1906–14 yn groes i arferion y gorffennol, gan gyflwyno cyfres o ddiwygiadau lles a gynlluniwyd i helpu pobl oedd yn cael trafferthion oherwydd salwch, henaint neu ddiweithdra. Roedd y diwygiadau yn mynd i'r afael â meysydd fel darparu addysg, cynnal archwiliadau meddygol o ddisgyblion ysgol, gweithwyr, hawliau iawndal a darparu pensiynau henoed (gweler Tabl 5.4).

Blwyddyn	Deddf a basiwyd	Effaith y ddeddfwriaeth
1906	Deddf Iawndal Gweithwyr	Yn rhoi iawndal am anafiadau yn y gwaith
	Deddf Addysg (Darparu Prydau Bwyd)	Yn cyflwyno prydau bwyd ysgol am ddim
1907	Deddf Addysg (Darpariaethau Gweinyddol)	Yn cyflwyno archwiliadau meddygol mewn ysgolion
	Deddf Achosion Priodasol	Taliadau cynnal i'w talu i fenywod ar ôl ysgariad
1908	Deddf Plant a Phobl Ifanc (Siarter Plant)	Yn ei gwneud yn anghyfreithlon i werthu alcohol, tybaco a thân gwyllt i blant
	Deddf Pensiynau Henoed	Pobl dros 70 oed i dderbyn 5 swllt yr wythnos (25c), 7 swllt a 6 cheiniog i gyplau priod
1909	Deddf Swyddfeydd Cyflogi	Yn helpu pobl i ddod o hyd i waith
	Deddf Tai a Chynllunio Tref	Yn ei gwneud yn anghyfreithlon i adeiladu tai cefn-wrth-gefn
1911	Deddf Yswiriant Gwladol	Cyflwynwyd tâl salwch a diweithdra os oeddech yn talu cyfraniadau i'r cynllun

▲ Tabl 5.4: Diwygiadau Rhyddfrydol ar ddechrau'r ugeinfed ganrif

MEDDYLIWCH ?

Astudiwch Ffynhonnell J.

- Beth sy'n digwydd i bwysau plant yn ystod tymor yr ysgol?
- Beth sy'n digwydd i bwysau plant yn ystod y gwyliau?
- Ydy'r ffynhonnell hon yn awgrymu bod darparu prydau bwyd ysgol am ddim i 'blant mewn angen' wedi gweithio?
- Ydy'r ffynhonnell hon yn profi bod y diwygiadau lles Rhyddfrydol wedi gweithio?

Astudiaeth achos: Prydau bwyd ysgol yn Bradford

Cyflwynodd awdurdodau lleol Manceinion a Bradford brydau bwyd ysgol ar gyfer 'plant mewn angen' gan arwain yr ymgyrch i gyflwyno prydau bwyd ysgol yn genedlaethol. Un o'r pethau cyntaf a wnaeth y llywodraeth Ryddfrydol yn 1906 oedd cyflwyno prydau bwyd ysgol am ddim, ond doedd hi ddim yn orfodol i awdurdodau lleol eu darparu tan 1914, pan gafodd 14 miliwn o brydau bwyd eu gweini dros y flwyddyn. Gellid gofyn i rieni gyfrannu at y gost os oedden nhw'n gallu fforddio hynny, ac roedd yn rhaid i weddill yr arian ddod o ardrethi lleol.

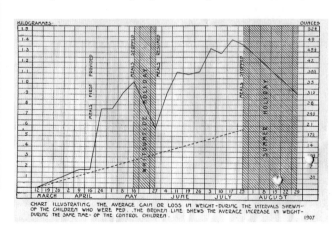

◀ Ffynhonnell J: Darn o adroddiad gan swyddog meddygol Dinas Bradford ar effeithiau prydau bwyd ysgol, 1907

Beth oedd cyflawniadau llywodraeth Ryddfrydol 1906–14?

Wrth gyflwyno Cyllideb 1909, dywedodd Lloyd George: 'Cyllideb ryfel yw hon ... i ymladd rhyfel didostur yn erbyn tlodi ac aflendid.' Ond a gafodd y mesurau hyn gymaint o effaith ag y dywedodd y bydden nhw? Cyflwynwyd archwiliadau meddygol yn 1907, ond doedd teuluoedd tlawd ddim yn gallu fforddio talu am driniaeth angenrheidiol. Cyflwynwyd pensiynau ar gyfer pobl dros 70 oed (oedran cyfartalog pobl yn marw oedd tua 50), ond roedd yn rhaid eich bod wedi gweithio ar hyd eich oes ac yn gallu profi nad oeddech yn yfwr mawr. Roedd y cynllun Yswiriant Gwladol yn gymwys os oeddech yn talu cyfraniadau rheolaidd yn unig, ond un o achosion tlodi oedd diffyg gwaith rheolaidd. Cafodd Cyllideb 1909 ei daflu allan o Dŷ'r Arglwyddi gan yr arglwyddi Ceidwadol a oedd yn gwrthwynebu talu am y diwygiadau hyn. Arweiniodd hyn at argyfwng cyfansoddiadol. Roedd hyd yn oed rhai Rhyddfrydwyr yn meddwl eu bod yn rhy ddrud. Roedd eraill, fel aelodau'r Blaid Lafur oedd newydd ei sefydlu, yn credu nad oedden nhw'n mynd yn ddigon pell.

Deddf Yswiriant Gwladol 1911

Un o'r mesurau mwyaf arwyddocaol oedd cyflwyno'r Ddeddf Yswiriant Gwladol yn 1911, gan osod y camau cyntaf tuag at greu'r wladwriaeth les. Y gweinidog a oedd yn gyfrifol am y Ddeddf hon oedd David Lloyd George, Canghellor y Trysorlys. Cynigiodd Lloyd George gynllun yswiriant oedd yn golygu bod gweithwyr a'u cyflogwyr yn cyfrannu'n wythnosol at gronfa ganolog a fyddai'n cael ei defnyddio i roi budd-dal salwch i weithwyr a gofal meddygol am ddim gan feddyg panel pe baen nhw'n cael eu taro'n wael. Byddai'r gweithwyr a fyddai'n cyfrannu i'r cynllun yn gymwys i dderbyn sylw meddygol am ddim a thaliad o 10 swllt (50c) yr wythnos am 26 wythnos os oedden nhw'n absennol o'r gwaith oherwydd afiechyd, ac yn dilyn hynny byddai

pensiwn anabledd o 5 swllt (25c) yr wythnos ar gael. Fodd bynnag, roedd llawer o feddygon yn gwrthwynebu'r cynllun ond llwyddodd Lloyd George i ddatrys hyn drwy dalu mwy o arian i bob meddyg am bob claf y bydden nhw'n ei weld.

Pasiwyd ail Ddeddf Yswiriant Gwladol yn 1913 gan ymestyn y cynllun i gynnwys yswiriant diweithdra. Roedd hyn yn galluogi gweithwyr oedd yn colli eu gwaith i hawlio budd-dal diweithdra o 7 swllt yr wythnos am uchafswm o 15 wythnos.

Er bod hwn yn gam mawr ymlaen i ddarparu gofal lles roedd y cynllun yn cynnwys nifer o gyfyngiadau hefyd. Cafodd y cynllun ei gyfyngu i rai swyddi a galwedigaethau ac nid oedd yn cynnwys teuluoedd (gwragedd a phlant). Y gwŷr yn unig oedd wedi'u hyswirio. Doedd y cynllun ddim yn cynnwys y di-waith, yr henoed, pobl â salwch meddwl na phobl â salwch cronig.

Gofal lles yn ystod yr 1920au a'r 1930au

Ar ôl y Rhyfel Byd Cyntaf, roedd David Lloyd George, a oedd yn Brif Weinidog erbyn hyn, wedi addo 'gwlad addas i arwyr' ac aeth ati i gyflwyno cynllun ar gyfer adeiladu 200,000 o dai newydd erbyn 1922 i gymryd lle'r slymiau. Hefyd, ehangodd y Cynllun Yswiriant Gwladol i gynnwys mwy o'r gweithlu, gan alluogi pobl oedd wedi'u hyswirio i hawlio budd-dal salwch a diweithdra. Yr enw a gafodd ei roi ar y taliadau hyn oedd 'y dôl'.

Yn ystod dirwasgiad economaidd yr 1930au, daeth yn fwy anodd cael gofal meddygol da ac fe wnaeth y llywodraeth leihau ei chyfraniadau yswiriant gwladol hyd yn oed. Aeth yn anodd iawn i lawer o bobl ddi-waith barhau i dalu i mewn i'r cynllun, ac erbyn 1934 roedd arian yn ddyledus yn achos 4 miliwn o bolisïau yswiriant. Gan nad oedd gan bobl lawer o arian roedd yn rhaid iddyn nhw ddibynnu ar feddyginiaethau rhad, hawdd eu cael, a gafodd eu trosglwyddo o genhedlaeth i genhedlaeth.

◄ Ffynhonnell L: Taflen y llywodraeth a gyhoeddwyd yn 1911 i esbonio sut byddai'r cynllun Yswiriant Gwladol newydd yn gweithio

Adroddiad Beveridge

Roedd Lloyd George a llywodraethau Rhyddfrydol 1906–14 wedi sefydlu gwasanaeth iechyd am ddim i weithwyr a oedd yn talu yswiriant, ond roedd yn rhaid i'w gwragedd a'u plant dalu am unrhyw driniaeth angenrheidiol. Roedd rhaid talu am ymweliadau â'r meddyg ac am ymweliadau ganddo, ac am feddyginiaethau, sbectolau a thriniaeth ddeintyddol. Yn ystod yr Ail Ryfel Byd, dechreuodd rhai pobl ofyn cwestiynau am y ffordd orau o drefnu gofal meddygol ar ôl i'r rhyfel ddod i ben.

▲ Ffynhonnell LL: William Beveridge, economegydd a diwygiwr cymdeithasol, yn 1942

Adroddiad Beveridge, 1942

Ym mis Mehefin 1941 sefydlodd llywodraeth y rhyfel bwyllgor i ystyried y ddarpariaeth les. Cadeirydd y pwyllgor oedd William Beveridge, gŵr a oedd wedi helpu i lunio diwygiadau lles Rhyddfrydol 1906–14. Cyhoeddwyd Adroddiad Beveridge ym mis Rhagfyr 1942 a daeth yn un o'r adroddiadau a werthodd orau – gwerthwyd dros 600,000 o gopïau. Tynnodd sylw at y 'pum cawr drwg' roedd angen i'r llywodraeth fynd i'r afael â nhw, sef 'Angen, Clefyd, Anwybodaeth, Aflendid a Diogi'. Er bod Churchill, Prif Weinidog Ceidwadol y rhyfel, yn amharod i weithredu ar sail awgrymiadau'r adroddiad, gwnaeth y Blaid Lafur addo, o dan ei arweinydd Clement Attlee, y byddai'n gweithredu'r cynigion hyn pe bai'n cael ei hethol ar ôl y rhyfel.

Mynd i'r afael â'r 'pum cawr drwg'

Ar ôl i'r Blaid Lafur ddod i rym yn dilyn buddugoliaeth etholiadol ysgubol mis Gorffennaf 1945, aeth ati ar unwaith i weithredu argymhellion Adroddiad Beveridge. Pasiodd nifer o Ddeddfau oedd yn gosod y seiliau ar gyfer sefydlu'r 'Wladwriaeth Les'.

Brwydr yn erbyn angen

■ Roedd Deddf Yswiriant Gwladol 1946 yn rhoi budd-daliadau i fenywod beichiog a phobl ddi-waith, pensiynau i bobl oedd wedi ymddeol, a lwfansau i bobl sâl, gweddwon, mamau a phlant

Brwydr yn erbyn aflendid

■ Roedd Deddfau Tai 1946 ac 1949 yn rhoi cymorth ariannol i awdurdodau lleol ailadeiladu tai a dinasoedd ac yn darparu ar gyfer codi tai cyngor
■ Roedd Deddf Trefi Newydd 1946 yn rhoi caniatâd i adeiladu 14 tref newydd
■ Deddf Mynediad i Gefn Gwlad 1949

Brwydr yn erbyn diogi ac anwybodaeth

■ Roedd Deddf Addysg 1944 yn darparu addysg gynradd ac uwchradd am ddim
■ Codwyd yr oedran gadael ysgol i 15 yn 1947
■ Ceisiodd Deddf Cyflogaeth a Hyfforddiant 1948 sefydlu gweithlu medrus

Brwydr yn erbyn clefyd

■ Roedd Deddf Gwasanaeth Iechyd Gwladol 1946 yn cynnig sefydlu gwasanaeth iechyd am ddim i bawb

---

MEDDYLIWCH

Sut gwnaeth llywodraeth Lafur 1945–51 ddelio â'r 'pum cawr drwg' a nodwyd gan Beveridge?

Aneurin Bevan a gwreiddiau'r GIG

Ganwyd Aneurin Bevan yn 1897 yn Nhredegar, tref lofaol yng nghymoedd De Cymru. Roedd yn un o ddeg o blant, ond dim ond chwech wnaeth fyw i fod yn oedolion. Roedd ei dad yn löwr ac yn undebwr llafur gweithgar a bu farw'n ifanc o niwmoconiosis, clefyd y llwch glo du oedd mor gyffredin ymhlith glowyr. Yn 1910, pan oedd yn 13 oed, aeth Bevan i weithio yn y pwll glo gyda'i dad. Nid oedd yn mwynhau'r gwaith a'r oriau hir, a chyn bo hir daeth yn weithgar yn y mudiad undebau llafur, gan ymgyrchu i wella amodau ar gyfer glowyr a'u teuluoedd. Yn 1919, enillodd ysgoloriaeth i'r Coleg Llafur Canolog yn Llundain ond ar ôl iddo ddychwelyd i Gymru roedd yn anodd iddo ddod o hyd i waith. Yn y pen draw, cafodd waith fel swyddog undeb ac yn 1922 cafodd ei ethol yn aelod o Gyngor Tref Tredegar.

Yn 1929, etholwyd Bevan yn Aelod Seneddol Llafur Glynebwy ac yn 1945, ar ôl ethol llywodraeth Lafur o dan Clement Attlee, cafodd ei benodi yn Weindog Iechyd a Thai. Roedd gwreiddiau Bevan ym maes glo De Cymru wedi rhoi gwybodaeth a dealltwriaeth gadarn iddo o'r caledi oedd yn wynebu cymdeithas Prydain yng nghanol yr ugeinfed ganrif (gweler Ffynhonnell M). Fel cynghorydd roedd wedi gwasanaethu ar bwyllgor ysbyty Cymdeithas Cymorth Meddygol Gweithwyr Tredegar. Byddai aelodau yn talu tanysgrifiad wythnosol bach, a byddai'r gymdeithas yn rhoi cymorth meddygol a thriniaeth ysbyty am ddim i'r gweithwyr. Drwy gymryd cyfrifoldeb am eu hysbytai a'u cartrefi gwella, ariannu eu meddygon, roedd cymdeithasau Cyfeillgar o'r fath yn ddarparwyr gofal meddygol pwysig. Roedden nhw'n gweithredu fel gwasanaeth iechyd gwladol ar raddfa fach, a dyma'r model a ddefnyddiodd Bevan yn 1946 i ddrafftio ei gynigion ar gyfer creu gwasanaeth iechyd gwladol ar draws y wlad (gweler Ffynhonnell O).

> **Ffynhonnell M:** Mewn araith yn Nhŷ'r Cyffredin yn ystod darlleniad o'r Mesur Gwasanaeth Iechyd Gwladol ar 30 Ebrill 1946, eglurodd Aneurin Bevan, y Gweinidog Iechyd, beth oedd rhai o wendidau'r system gofal meddygol ar y pryd.
>
> Mae ysbytai gwirfoddol ... wedi'u dosbarthu yn wael ar draws y wlad. Mae'n anffodus mai gwaddolion yn aml iawn sydd yn ariannu ysbytai yn y rhannau hynny o'r wlad lle mae'r bobl gyfoethog yn byw, ac mewn sawl rhan arall o'r ardaloedd diwydiannol a gwledig does dim digon o le mewn ysbytai. Mae llawer o'r ysbytai gwirfoddol hyn yn llawer rhy fach ... ar ben hynny, yn fy marn i, mae'n gwbl warthus mewn cymdeithas wâr bod yn rhaid i ysbytai ddibynnu ar elusennau preifat.

> **Ffynhonnell O:** Datganiad gan Aneurin Bevan, sylfaenydd y GIG, yn 1951
>
> Nid braint yw afiechyd y dylai pobl orfod talu amdano, na throsedd y dylen nhw gael eu cosbi amdani, ond yn hytrach mae'n anffawd, a dylai'r gost amdano gael ei rannu gan y gymuned.

▲ Ffynhonnell N: Aneurin Bevan, y Gweinidog Iechyd, yn traddodi araith yn 1947 lle dadleuodd o blaid yr angen i greu gwasanaeth iechyd gwladol

> **MEDDYLIWCH** ?
>
> 1 Astudiwch Ffynonellau M ac O. Pa ddadleuon mae Bevan yn eu cyflwyno o blaid creu gwasanaeth iechyd gwladol?
>
> 2 Sut gwnaeth cefndir a magwraeth Bevan yn Ne Cymru ddylanwadu ar ei ddyhead i greu gwasanaeth iechyd gwladol?

Darpariaeth o dan y GIG ar ôl 1946

Mae Deddf Gwasanaeth Iechyd Gwladol 1946 yn cael ei hystyried yn gonglfaen sefydlu'r Wladwriaeth Les. Nod y Ddeddf oedd sefydlu gwasanaeth iechyd a fyddai 'am ddim' ac ar gael i bawb. Dyma oedd prif nodweddion y Ddeddf:

- am y tro cyntaf gallai pob dinesydd Prydeinig gael triniaeth feddygol am ddim – daeth ysbytai, meddygon, nyrsys, fferyllwyr, optegwyr a deintyddion at ei gilydd o dan un sefydliad ymbarél
- roedd yr holl ysbytai i gael eu rheoli gan y wladwriaeth (**gwladoliad**) o dan reolaeth y Gweinidog Iechyd
- roedd meddygon ymgynghorol mewn ysbytai yn derbyn cyflogau ac roedd pob triniaeth i gleifion mewn ysbytai am ddim
- roedd hi'n fwriad sefydlu system genedlaethol o feddygon teulu; bydden nhw, yn ogystal â deintyddion ac optegwyr, yn derbyn ffioedd yn ôl nifer y cleifion ar eu cofrestri, nid yn ôl y driniaeth a roddwyd. Roedd pob triniaeth am ddim i'r claf
- roedd hi'n fwriad sefydlu canolfannau iechyd – talwyd awdurdodau lleol i ddarparu brechiadau, gofal mamolaeth, nyrsys ardal, ymwelwyr iechyd ac ambiwlansys
- y nod oedd darparu cymorth 'o'r crud i'r bedd', wedi ei ariannu gan drethi a dalwyd gan gyfraniadau Yswiriant Gwladol.

Cymerodd ddwy flynedd i gwblhau'r newidiadau hyn a gyhoeddwyd yn 1946. Un o'r prif resymau am hyn oedd oherwydd bod y Gweinidog Iechyd, Aneurin Bevan, yn wynebu llawer o wrthwynebiad i'w gynigion, yn enwedig gan Gymdeithas Feddygol Prydain (*BMA: British Medical Association*) a nifer o Aelodau Seneddol Ceidwadol.

- Roedd y *BMA* yn gwrthwynebu'r newidiadau – dangosodd arolwg o'i haelodau ym mis Ionawr 1948 y byddai 90 y cant o'r aelodau yn gwrthod cydweithredu â'r GIG.
- Roedd llawer o awdurdodau lleol a chyrff gwirfoddol yn gwrthwynebu gwladoli ysbytai, gan ofni y bydden nhw'n colli rheolaeth drostyn nhw.
- Roedd llawer o ddadleuon am y costau anferthol oedd yn gysylltiedig â'r cynllun.

Fodd bynnag, llwyddodd Bevan i ennill y dadleuon drwy gytuno ar gyfaddawd oedd yn caniatáu i feddygon gymryd cleifion oedd yn talu ffioedd cyn belled â'u bod yn trin cleifion y GIG hefyd. Erbyn gwanwyn 1948 roedd y gwrthwynebiad wedi gwanhau, ac erbyn i'r GIG gael ei lansio'n swyddogol ar 5 Gorffennaf 1948 roedd dros 90 y cant o feddygon wedi cofrestru ar y cynllun newydd.

> **MEDDYLIWCH ?**
> 1 Esboniwch pam roedd y *BMA* yn gwrthwynebu sefydlu GIG yn y lle cyntaf.
> 2 Astudiwch Ffynhonnell P. Pa ddadleuon mae Aneurin Bevan yn eu cyflwyno i gefnogi ei syniad o greu gwasanaeth iechyd gwladol?

> **Ffynhonnell P: Darn o araith gan Aneurin Bevan, y Gweinidog Iechyd, yn 1946**
> *Dylid sicrhau bod triniaeth feddygol ar gael i bobl gyfoethog a thlawd fel ei gilydd, yn ôl eu hanghenion meddygol yn hytrach nag unrhyw feini prawf eraill. Mae poeni am arian mewn cyfnod o salwch yn llesteirio gwellhad, ac mae'n greulondeb diangen. Mewn teulu cyffredin, mae'r cofnodion yn dangos mai'r fam sy'n dioddef fwyaf yn sgil absenoldeb gwasanaeth iechyd llawn. Wrth geisio mantoli ei chyllideb, mae'n rhoi ei hanghenion ei hun yn olaf. Ni all unrhyw gymdeithas ei galw ei hun yn waraidd pan wrthodir rhoi cymorth meddygol i unigolyn sâl oherwydd prinder [arian]. Hanfod gwasanaeth iechyd boddhaol yw trin y bobl gyfoethog a'r bobl dlawd yr un fath, heb i dlodi fod yn rhwystr nac i gyfoeth fod yn fantais.*

> **Ffynhonnell PH: Darn o'r *British Medical Journal*, 18 Ionawr 1946**
> *Os caiff y Bil ei basio, ni fydd unrhyw glaf na meddyg yn teimlo'n ddiogel rhag ymyrraeth rhyw orchymyn neu reoleiddiad gweinidogol. Bydd ysbiwyr y Gweinidog ym mhobman, a bydd cynllwynio'n rheoli'r dydd.*

Hill meets mountain!

◀ **Ffynhonnell R:** Cartŵn a gyhoeddwyd yn y *Daily Mirror* yn 1946, yn awgrymu bod cynigion Bevan i greu GIG yn boblogaidd

Ffynhonnell RH: Adroddiad a ymddangosodd yn y *Daily Mail* ar 5 Gorffennaf 1948, y diwrnod cafodd y GIG ei sefydlu'n swyddogol

Fore Llun byddwch chi'n deffro mewn Prydain Newydd, gwladwriaeth sy'n gofalu am ei dinasyddion chwe mis cyn iddyn nhw gael eu geni, gan ddarparu gofal a gwasanaethau am ddim ar gyfer eu genedigaeth, eu haddysg, salwch, diwrnodau heb waith, gweddwdod ac ymddeoliad. Yn olaf, bydd yn helpu i dalu'r costau pan fyddan nhw'n ymadael â'r byd hwn. Hyn oll, gyda gofal meddygol, gofal deintyddol a meddyginiaethau am ddim – seddi bath am ddim hefyd, os oes eu hangen – am 4s. 11d [25c] o'ch cyflog wythnosol.

Ym mis Hydref 1949 dyfynnodd Bevan ffigurau i ddangos faint o bobl oedd wedi defnyddio'r GIG ers iddo gael ei lansio y mis Gorffennaf blaenorol:

- ysgrifennwyd 187 miliwn o brescripsiynau
- rhoddwyd 5.2 miliwn pâr o sbectolau
- roedd 8.5 miliwn o bobl wedi derbyn triniaeth ddeintyddol am ddim.

Erbyn 1951, 1.5 y cant o'r boblogaeth yn unig oedd ddim yn rhan o'r GIG a phan ddaeth y llywodraeth Geidwadol i rym y flwyddyn honno cytunodd i gadw'r GIG.

Datblygiad y GIG ers 1948

Mae'r GIG yn wasanaeth drud iawn i'w redeg ac yn ystod 68 mlynedd ei oes, mae ymdrechion wedi eu gwneud i gyflwyno newidiadau. Roedd y galw am ofal iechyd yn enfawr, yn llawer mwy na'r disgwyl. Yn 1950 roedd cyllideb y GIG o dan bwysau ac yn 1952 cyflwynwyd taliadau am sbectolau, roedd prescripsiynau yn costio 1 swllt (5c) a thriniaeth ddeintyddol yn costio £1. Dyma oedd diwedd GIG oedd yn gyfan gwbl am ddim.

Cyflwynwyd newidiadau eraill dros y degawdau dilynol:

- Ar ddechrau'r 1960au, dechreuwyd ar raglen adeiladu newydd i gymryd lle ysbytai hen ffasiwn.
- Ceisiodd llywodraethau Thatcher (1979–90) dorri costau'r GIG gan annog pobl i dalu am ofal meddygol preifat.
- Yn ystod yr 1990au, cafodd ysbytai yr hawl i ddod yn ymddiriedolaethau a chafodd meddygon teulu yr hawl i ddod yn ddeiliaid cronfa, gan brynu gwasanaethau gan ysbytai a darparwyr eraill.
- Yn 1998 lansiwyd Galw Iechyd Cymru (*NHS Direct*), gwasanaeth ffôn 24 awr yn rhoi cyngor ar iechyd.
- Yn 2002 lansiwyd ymddiriedolaethau gofal sylfaenol er mwyn gweinyddu a chyflenwi gofal iechyd yn lleol.
- Yn 2004 lansiwyd ymddiriedolaethau sefydledig, yn cael eu rhedeg gan reolwyr lleol, staff a'r cyhoedd.

MEDDYLIWCH ?

1 Defnyddiwch Ffynhonnell RH a'r hyn rydych chi'n ei wybod i ddisgrifio nodweddion allweddol y GIG pan gafodd ei sefydlu yn 1948.

2 Sut mae'r GIG wedi newid ers 1948 i adlewyrchu y galw sydd ar wasanaeth iechyd modern?

AILYMWELD Â'R DASG FFOCWS ❓

Wrth i chi weithio drwy'r bennod hon, rydych chi wedi cwblhau siart amser sydd wedi amlinellu'r prif ddatblygiadau mewn ysbytai, gofal nyrsio a gofal cleifion. Bydd hwn yn rhoi trosolwg i chi o'r newidiadau allweddol, pryd gwnaethon nhw ddigwydd, pam gwnaethon nhw ddigwydd, a'u heffaith. Mae'n bwysig eich bod yn defnyddio'r ffeil ffeithiau hon i adeiladu llun o'r datblygiadau yng ngofal cleifion dros amser.

Defnyddiwch eich siart amser i nodi:

1 pa gyfnodau welodd y newid mwyaf dramatig yn swyddogaethau a chynllun ysbytai

2 pa gyfnodau welodd y newid mwyaf dramatig yn safonau nyrsio a gofal cleifion

3 y rhesymau pam gwnaeth y newidiadau hyn ddigwydd ar yr amser hwnnw.

GWEITHGAREDD ❓

Pa dystiolaeth gallwch chi ddod o hyd iddi i gefnogi'r farn bod y llywodraeth wedi cymryd lle mudiadau gwirfoddol yn gynyddol ers dechrau'r ugeinfed ganrif fel y corff pwysicaf sy'n gyfrifol am ddarparu gofal i gleifion?

CRYNODEB O'R TESTUN

■ Yn ystod yr oesoedd canol yr eglwys oedd yn bennaf cyfrifol am ddarparu cyfleusterau ysbytai a gofalu am gleifion.

■ Doedd cleifion ddim yn mynd i ysbytai canoloesol i gael eu gwella o'u hafiechydon, ond yn hytrach i gael eu gwarchod gan Dduw ac i weddïo a mynychu gwasanaethau crefyddol.

■ Cafodd diddymu'r mynachlogydd yng nghanol yr unfed ganrif ar bymtheg effaith fawr ar ofal cleifion gan nad oedd yr eglwys yn chwarae rhan mor bwysig ar ôl hyn.

■ Yn ystod yr unfed ganrif ar bymtheg a'r ail ganrif ar bymtheg dechreuodd mudiadau gwirfoddol ddod yn gyfrifol am sefydlu ac ariannu ysbytai a gofalu am gleifion.

■ Roedd y rhain yn tueddu i gael eu sefydlu mewn trefi mawr a dinasoedd, a daeth rhai i arbenigo mewn gofalu am fathau penodol o gleifion.

■ Yn ystod y ddeunawfed ganrif, cafodd llawer mwy o ysbytai eu hadeiladu a'u hariannu gan waddolion unigolion cyfoethog.

■ Er bod ysbytai newydd yn cael eu hadeiladu, roedd ansawdd y nyrsio yn dal i fod yn wael, yn ogystal â'r amodau ar gyfer y cleifion.

■ Fe wnaeth Rhyfel y Crimea helpu i newid gofal nyrsio ac roedd hyn yn bennaf oherwydd gweithredodd un fenyw, sef Florence Nightingale.

■ Sefydlodd Nightingale safonau newydd o ran gofal nyrsio a gofal cleifion, gan droi nyrsio yn broffesiwn oedd yn cael ei barchu.

■ Ar ddechrau'r ugeinfed ganrif dechreuodd y llywodraeth gymryd cyfrifoldeb am les ei phobl, gan sefydlu cynllun Yswiriant Gwladol i ddarparu gofal meddygol am ddim i'r rheini oedd yn cyfrannu at y cynllun.

■ Y trobwynt o ran gofal gan y wladwriaeth genedlaethol oedd Adroddiad Beveridge 1942, oedd yn argymell y dylai'r llywodraeth weithredu a sefydlu system genedlaethol i ddarparu gofal meddygol am ddim.

■ Canlyniad hyn oedd creu'r Gwasanaeth Iechyd Gwladol yn 1948 a oedd yn cynnig gofal meddygol am ddim i bawb 'o'r crud i'r bedd'.

Cwestiynau ymarfer

1 Cwblhewch y brawddegau isod gan ddefnyddio'r term cywir:

Cafodd y rhan fwyaf o ysbytai canoloesol eu cau ar ôl i Harri VIII ddiddymu'r ....

Un o'r nyrsys oedd yn trin milwyr yn ystod Rhyfel y Crimea oedd Betsi ....

Cafodd Deddf Yswiriant Gwladol 1911 ei chreu gan y Canghellor, David Lloyd ....

Cafodd y GIG ei sefydlu yn y flwyddyn .... (*Am arweiniad, gweler tudalen 119.*)

2 Astudiwch Ffynhonnell C (*tudalen 77*), Ffynhonnell DD (*tudalen 79*) a Ffynhonnell G (*tudalen 81*). Defnyddiwch y tair ffynhonnell hyn i nodi un tebygrwydd ac un gwahaniaeth yng ngofal cleifion mewn ysbytai dros amser. (*Am arweiniad, gweler tudalennau 120–121.*)

3 Disgrifiwch dwf ysbytai gwaddoledig gwirfoddol yn ystod y ddeunawfed ganrif. (*Am arweiniad, gweler tudalen 123.*)

4 Esboniwch pa ddatblygiadau ym maes nyrsio yn ystod y bedwaredd ganrif ar bymtheg a'r ugeinfed ganrif oedd yn bwysig i ddatblygiad gofal cleifion. (*Am arweiniad, gweler tudalen 124.*)

5 I ba raddau mae'n bosibl dweud mai sefydlu'r GIG fu'r datblygiad mwyaf effeithiol yng ngofal cleifion dros amser? (*Am arweiniad, gweler tudalennau 126–128.*)

Mae'r bennod hon yn canolbwyntio ar y cwestiwn allweddol: Pa mor effeithiol oedd ymdrechion i wella iechyd a lles y cyhoedd dros amser?

Mae pobl wedi ceisio eu cadw eu hunain yn lân ac yn iach drwy gydol hanes, ond ddim yn llwyddiannus bob amser. Hefyd, mae cynghorau tref a llywodraethau wedi gwneud ymdrechion i basio deddfau i lanhau plaon (*nuisances*), cadw dŵr yfed yn lân, ac ati. Ond pa mor llwyddiannus fu'r rhain? A oedd pobl yr oesoedd canol, er enghraifft, yn fwy budr na phobl oes Fictoria? Ac os yw'r mesurau a gafodd eu defnyddio i wella iechyd y cyhoedd *wedi* bod yn llwyddiannus, pam mae cymaint o bobl yn dal i fyw mewn amodau afiach? Mae'r bennod hon yn ystyried y datblygiadau yn iechyd a lles y cyhoedd dros tua'r 1000 o flynyddoedd diwethaf.

TASG FFOCWS

1 Yn y bedwaredd ganrif ar bymtheg cafodd y bobl oedd eisiau diwygio iechyd y cyhoedd eu galw yn 'Blaid Lân', a chafodd y bobl oedd yn gwrthwynebu hyn eu galw yn 'Blaid Fudr'. Wrth i chi weithio drwy *bob* adran yn y bennod hon, lluniwch restr, fel yr un isod, o'r camau a allai fod wedi cael eu cynnig, neu a gafodd eu cynnig, gan y Blaid Lân, hynny yw, y rhai oedd eisiau newid; a pham cawson nhw eu cynnig. Mae'r un cyntaf wedi'i wneud i chi fel enghraifft.

Y Blaid Lân	
Gweithred	Rheswm
Deddf Seneddol 1388	Glanhau plaon o'r strydoedd

2 Yn yr un modd, lluniwch restr o'r camau a gafodd eu cynnig, neu a allai fod wedi cael eu cynnig gan y Blaid Fudr.

Y Blaid Fudr	
Gweithred	Rheswm

Bydd angen y rhestri hyn arnoch chi ar ôl i chi orffen astudio'r bennod.

Iechyd a hylendid y cyhoedd yng nghymdeithas yr oesoedd canol

Yn ystod yr oesoedd canol, roedden nhw'n dweud y gallech chi arogli tref ymhell cyn i chi ei chyrraedd. Yng Nghaerwysg, er enghraifft, wrth gyrraedd y dref roedd yn rhaid croesi pont dros afon oedd yn cael ei galw'n 'Shitebrook', oherwydd mai dyna lle'r oedd y dynion casglu carthion yn taflu'r gwastraff i mewn i'r afon. Roedd mwy o farwolaethau yn y trefi a'r dinasoedd nag yn yr ardaloedd gwledig. Roedd pobl yn byw'n agosach at ei gilydd, wrth ymyl eu hanifeiliaid a'u budreddi. Rydyn ni wedi gweld yn barod ym Mhennod 1 fod trefi a dinasoedd yn lleoedd afiach i fyw. Ond a oedd pob tref a dinas yr un peth?

MEDDYLIWCH

Edrychwch ar Ffynhonnell A. Nodwch yr holl beryglon iechyd gallwch chi eu gweld yn y llun hwn o dref ganoloesol.

▲ Ffynhonnell A: Tref ganoloesol gan yr arlunydd modern Norman Meredith, 1969

Astudiaeth achos o Coventry: a oedd pob tref ganoloesol yn lle budr ac afiach i fyw?

Yn annisgwyl efallai, yr ateb i'r cwestiwn hwn yw 'nac oedd'. Mewn papur academaidd diweddar 'What to do with waste', mae'r hanesydd Dolly Jorgensen yn dadlau ag argyhoeddiad fod cyngor Coventry wedi gwneud ymdrech bendant a chyson i lanhau'r ddinas.

Yn 1421, roedd proclamasiwn y maer yn ei gwneud yn ofynnol i bob dyn lanhau'r stryd o flaen ei dŷ bob dydd Sadwrn neu dalu dirwy o 12 ceiniog, heb unrhyw eithriadau. Mae cofnod ar gyfer gwasanaethau casglu gwastraff yn 1420, pan roddodd y cyngor hawl i William Oteley gasglu 1 geiniog gan bob preswylydd a siop, bob chwarter, ar gyfer ei wasanaeth glanhau strydoedd a chasglu gwastraff wythnosol. Roedd y gwastraff yn cael ei werthu i ffermwyr cyfagos.

Roedd y cyngor hefyd yn dynodi lleoliadau penodol ar gyfer gwaredu gwastraff. Ymddangosodd tomenni tail a phyllau gwastraff o amgylch cyrion y dref. Rhoddodd y cyngor hawl i ddefnyddio safleoedd penodol ar gyfer mathau penodol o wastraff. Erbyn 1427, mae cyfeiriad at bum lleoliad gwaredu gwastraff yn Coventry (dim ond pedwar sy'n cael eu rhestru gan Dolly Jorgensen):

- tomen dail y tu allan i'r dref tu hwnt i Greyfriar Gate
- pwll yn Little Park Street Gate
- tomen dail ger y groes tu hwnt i New Gate, yn Derne Gate
- pwll yn Poodycroft.

Rhwng 1421 ac 1475 roedd yn rhaid i gyngor Coventry wahardd gwaredu gwastraff yn afon Sherbourne naw gwaith. Wrth gwrs, mae dwy ffordd o edrych ar hyn. Roedd y cyngor wedi gweithredu, ond doedd neb yn cymryd sylw. Neu, efallai, roedd y camau a gymerwyd yn gweithio a phan ddechreuodd un neu ddau unigolyn fynd yn ôl i'w hen arferion cwynodd y trigolion i'r cyngor a gweithredodd y cyngor.

Yn 1421 rhoddwyd gorchymyn i dynnu pob un o'r **geudai** dros nant 'Red Ditch', er mwyn i'r dŵr lifo'n rhwydd, ac er mwyn atal llifogydd. Hefyd, gwnaed ymdrechion i atal stablau lleol a chigyddion rhag taflu gwastraff i afon Sherbourne, unwaith eto er mwyn atal llifogydd. Mae'r holl dystiolaeth yn dangos bod maer a chorfforaeth Coventry wedi cymryd camau i ymyrryd ar ôl derbyn cwynion gan drigolion am gyflwr y dref.

MEDDYLIWCH ?

1 A yw papur Dolly Jorgenson ar ddinas Coventry (mae hi'n defnyddio Efrog fel enghraifft hefyd) yn profi bod trefi yn lanach nag rydyn ni'n ei feddwl?

2 Pa gamau eraill gallai Coventry fod wedi eu cymryd i lanhau'r ddinas?

3 Pa mor arwyddocaol yw achos Coventry o ran deall pa mor lân oedd trefi Prydain yn y cyfnod hwn?

4 Pa ffynhonnell yw'r gorau am adlewyrchu'r Coventry a ddisgrifiwyd gan Dolly Jorgenson, Ffynhonnell A neu Ffynhonnell B? Pa ffynhonnell yw'r un mwyaf realistig? Pam?

▲ Ffynhonnell B: Gwnaeth rhai trefi, fel yr Amwythig sy'n cael ei dangos yma, ymdrechion i ddod yn lân ac yn drefnus

Iechyd a hylendid y cyhoedd yn yr unfed ganrif ar bymtheg a'r ail ganrif ar bymtheg

Edrychwch unwaith eto ar 'fil marwolaethau' wythnosol Llundain ar gyfer yr wythnos 21–28 Chwefror 1664 (Ffynhonnell D, tudalen 24). Pa mor iach oedd Llundain fel lle i fyw yn 1664? Roedd achosion o'r pla yn 1563 (pan fu 17,000 o bobl farw yn Llundain yn ôl pob sôn), 1575, 1584, 1589, 1603, 1636, 1647 ac wrth gwrs yr achos mwyaf o'r cyfan yn 1665. Yn Aberdeen yn 1647, pasiodd y gorfforaeth reoliadau i reoli'r pla gan gynnwys 'gosod gwenwyn i lawr i ddinistrio'r llygod a'r llygod Ffrengig'. Roedd trefi a dinasoedd yn dal i fod yn lleoedd budr ac afiach iawn i fyw ynddyn nhw.

Eto i gyd, cafodd rhai ymdrechion eu gwneud i wella iechyd y cyhoedd. Roedd Harri VII yn cydnabod bod lladd-dai yn beryglus i iechyd a phasiodd ddeddf yn eu gwahardd mewn dinasoedd a threfi, 'rhag ofn y byddan nhw'n achosi salwch, ac yn lladd y bobl'. Yn 1532, pasiodd Harri VIII ddeddf seneddol yn rhoi pwerau i drefi a dinasoedd osod treth er mwyn adeiladu carthffosydd. Prin iawn oedd y lleoedd a wnaeth hynny. Yn 1547, gwaharddwyd pobl rhag mynd i'r toiled yng nghwrtiau'r Palasau Brenhinol – roedd yn rhaid iddyn nhw ddod o hyd i rywle arall ar ôl hyn. Mae'n debyg mai unwaith y mis yn unig byddai Elisabeth I yn cael bath. Yn ei ddyddiadur yn 1666, dywed Samuel Pepys fod ei wraig Elisabeth wedi gwrthod gadael iddo ddod i'r gwely priodasol nes iddo ymolchi a chael bath. Roedd pobl yn amlwg yn gwneud cysylltiad rhwng budreddi a chlefydau. Eto i gyd, roedd trefi a dinasoedd, yn enwedig Llundain, yn tyfu mor gyflym roedd yn amhosibl eu cadw yn lân.

Ar ôl Tân Mawr Llundain yn 1666, pasiwyd deddf seneddol. Cafodd y 'Ddeddf i ailadeiladu Llundain ... ac i gael gwell rheoleiddio, unffurfiaeth a cheinder yn yr adeiladau newydd a fydd yn cael eu codi i bobl fyw ynddyn nhw', ei chynllunio i atal difrod yn sgil tân, drwy wneud strydoedd yn fwy llydan a mynnu bod tai yn cael eu hadeiladu o gerrig â thoeau teils neu lechi. Mae rhai haneswyr yn dadlau bod y gwaith o ailadeiladu Llundain ar ôl y tân wedi gwneud y ddinas yn lle mwy iach. Eto i gyd, yn 1690 pasiwyd deddf seneddol arall yn ei gwneud yn ofynnol i osod palmentydd a glanhau strydoedd Llundain a'r ardaloedd cyfagos. Pasiwyd sawl deddf arall dros y blynyddoedd dilynol yn ei gwneud yn ofynnol i symud tail a glanhau grisiau cyhoeddus, a gwahardd cadw moch mewn tai.

MEDDYLIWCH ?

1 'Roedd trefi canoloesol yn gymharol lân o'u cymharu â'r unfed ganrif ar bymtheg a'r ail ganrif ar bymtheg'. I ba raddau rydych chi'n cytuno â'r gosodiad hwn?

2 Pa mor debyg oedd yr ymdrechion i lanhau Coventry yn yr oesoedd canol ac yn yr unfed ganrif ar bymtheg a'r ail ganrif ar bymtheg?

3 Ym mha ffordd mae Ffynhonnell C yn cadarnhau'r farn bod Llundain yn lle afiach i fyw?

◀ Ffynhonnell C: Ysgythriad gan Wenceslaus Hollar, arlunydd o Tsiecoslofacia a oedd yn byw ac yn gweithio yn Llundain, tua 1653. Mae'n dangos rhan o Lundain cyn Tân Mawr Llundain

Effaith diwydiannu ar iechyd y cyhoedd yn y bedwaredd ganrif ar bymtheg

Yn ystod y bedwaredd ganrif ar bymtheg, symudodd llawer o bobl i fyw i'r dinasoedd (gweler Tabl 6.1). Dyna lle'r oedd y swyddi. Roedd Manceinion yn cynhyrchu cotwm, Birmingham yn cynhyrchu nwyddau metel, Bradford yn nyddu a gwehyddu brethyn gwlân, Stoke on Trent yn cynhyrchu crochenwaith, a'r cyfan mewn gweithdai a ffatrïoedd newydd. Erbyn 1851 roedd mwy o bobl yn byw yn y trefi nag yn y wlad, ac roedd Prydain yn cael ei galw yn 'Weithdy y Byd'. Daeth Prydain yn gyfoethog drwy gynhyrchu pethau a'u hallforio i weddill y byd.

Roedd yn rhaid i bobl fyw yn agos at eu lle gwaith, a doedd dim llawer o reoliadau adeiladu. Cafodd cyflenwadau dŵr, nwy, a thrydan yn ddiweddarach, eu gadael yn nwylo cwmnïau preifat a oedd angen gwneud elw, felly roedd cyflenwadau yn debygol o fod yn well yn yr ardaloedd lle'r oedd pobl gyfoethog yn byw, a'r gwasanaeth yn israddol yn yr ardaloedd mwyaf tlawd. Fel rydyn ni wedi gweld yn barod ym Mhennod 5, roedd y llywodraeth yn credu yn athroniaeth *laissez-faire* neu 'gadael iddo fod', hynny yw, nad cyfrifoldeb y llywodraeth oedd rheoleiddio pethau fel amodau gwaith, tai, cludiant ac ati – cyfrifoldeb unigolion oedd gwneud hynny drostyn nhw eu hunain. O ganlyniad, roedd amodau tai dosbarth-gweithiol y dinasoedd diwydiannol yn gallu bod yn wael iawn (gweler Ffynonellau CH a D). Yn 1842, oedran marwolaeth cyfartalog aelod o deulu o labrwyr yn ardal wledig Rutland oedd 38 oed; ym Manceinion, roedd yn 17 oed. Fel rydyn ni wedi gweld yn barod ym Mhennod 1, yn ardal Bethnal Green, Llundain, yr oedran cyfartalog oedd 16 oed.

MEDDYLIWCH

1 Edrychwch ar Dabl 6.1. Pa broblemau gallai twf cyflym trefi a dinasoedd eu hachosi i iechyd a lles y cyhoedd?

2 Edrychwch ar Ffynhonnell D. Sut brofiad fyddai byw yn un o'r tai hyn?

   Sut byddech chi'n eich cadw eich hun a'ch teulu yn lân, yn gynnes ac yn sych?

3 I ba raddau mae'r dehongliad o drefi yn Ffynhonnell CH yn adlewyrchu Tabl 6.1 a hefyd Ffynhonnell D o ran ei bortread o ddinasoedd oes Fictoria?

4 Yn eich barn chi, pa dystiolaeth mae Chesney wedi ei defnyddio i greu ei ddehongliad? Ydych chi'n gwybod am unrhyw dystiolaeth y byddai wedi gallu ei defnyddio i newid ei ddehongliad er mwyn rhoi gwell argraff o ddinasoedd oes Fictoria?

Tref	1801	1851	1901
Llundain	957,000	2,362,000	4,536,000
Birmingham	71,000	233,000	523,000
Manceinion	70,409	303,000	645,000
Lerpwl	82,000	376,000	704,000
Bradford	13,000	104,000	280,000
Caerdydd	2,000	18,000	164,000

▲ Tabl 6.1: Twf trefi, 1801–1901

Ffynhonnell CH: O '*The Victorian Underworld*', Kellow Chesney

Slymiau afiach, rhai ohonyn nhw'n erwau/aceri ar eu traws, rhai yn ddim mwy na thyllau o ddiflastod pur, yw'r rhan fwyaf o'r metropolis [Llundain] ... Mewn tai mawr, oedd unwaith yn rhai crand, efallai bydd tri deg neu fwy o bobl o bob oedran yn byw mewn un ystafell.

Ffynhonnell D: Un o slymiau ▶ Glasgow, 1868

Saltaire

Yn ogystal â'r felin, adeiladodd Salt bentref model ar gyfer ei weithwyr o'r enw Saltaire. Enwyd strydoedd yn y pentref ar ôl ei 11 o blant. Roedd yno dros 800 o dai (ond dim tafarndai) yn ogystal â thai golchi â dŵr tap; baddondai; ysbyty; institwt yn cynnwys ystafelloedd darllen, llyfrgell, ystafell filiards, labordy gwyddoniaeth a neuadd gyngerdd; ysgol; eglwys; elusendai; rhandiroedd; parc; a thŷ cychod. Hefyd, rhoddodd dir ar gyfer adeiladu capel Methodistaidd. Dywedodd ei fod wedi adeiladu'r pentref 'i wneud daioni, a rhoi gwaith i'w feibion'. Mae Saltaire yn cael ei ystyried yn un o'r enghreifftiau gorau o gynllunio trefol yn y bedwaredd ganrif ar bymtheg ac mae bellach yn un o Safleoedd Treftadaeth y Byd.

Cymhellion Salt

Mae haneswyr yn anghytuno ynglŷn â chymhellion Salt dros adeiladu Saltaire. Honnodd ei fod am helpu ei weithwyr i fyw 'bywydau iach, rhinweddol'. Mae rhai pobl yn dweud mai rhesymau economaidd oedd y tu ôl i'r cyfan. Yma, roedd yn gallu rheoli ei weithwyr yn well a rhedeg ei ffatrïoedd am amser hirach. Hefyd, adeiladodd y pentref wrth ymyl camlas Leeds–Lerpwl (gweler Ffynhonnell FF) gan olygu ei fod yn hawdd symud defnyddiau i mewn ac allan. Mae eraill yn dadlau bod y cyfan yn gyfle i Salt arddangos ei awdurdod a'i gyfoeth. Neu efallai fod cysylltiad â'i gredoau crefyddol; ei ddyletswydd Cristnogol oedd ceisio gwneud pethau'n well i bobl oedd yn llai ffodus nag ef. Pan fu farw yn 1876, amcangyfrifir bod tua 100,000 o bobl ar strydoedd Bradford yn gwylio gorymdaith ei angladd. Ysgrifennodd golygydd y *Bradford Observer* : 'Efallai mai Syr Titus Salt oedd prif gapten diwydiant Lloegr, nid yn unig am iddo gasglu miloedd i weithio iddo, ond hefyd, oherwydd y goleuni oedd y tu mewn iddo, am iddo geisio gofalu am bob un o'r miloedd hynny ... roedd yn ddyn busnes cywir, yn glodwiw yn ei gysylltiadau preifat, a heb chwilio am anrhydedd ef oedd cynrychiolydd gorau y Dosbarth o Gyflogwyr yn y rhan hon o'r Wlad os nad yn y Deyrnas gyfan.'

MEDDYLIWCH ?

1 Edrychwch yn ofalus ar Ffynonellau F ac FF. A fyddai'n well gennych chi fyw yn Bradford neu yn Saltaire? Pam?

2 A oedd gweithwyr Saltaire yn well eu byd neu'n waeth eu byd nag yn Bradford?

3 Yn eich barn chi, pam gwnaeth Titus Salt adeiladu pentref model ar gyfer ei weithwyr?

4 Beth mae bywyd Titus Salt yn ei ddweud wrthon ni am iechyd y cyhoedd yn y bedwaredd ganrif ar bymtheg ym Mhrydain?

▲ Ffynhonnell FF: Saltaire – ysgythriad o tua 1860

Birmingham a 'sosialaeth drefol': tref yn gweithredu i wella iechyd y cyhoedd

Fel rydyn ni wedi gweld, yn ystod yr 1840au a'r 1850au daeth llywodraeth leol a chenedlaethol yn raddol i ymyrryd mwy ym maes iechyd y cyhoedd, er bod hynny o anfodd ac yn ôl athroniaeth gwirfoddoliaeth bob amser – roedd Deddf Iechyd y Cyhoedd 1848 hyd yn oed yn caniatáu i gynghorau lleol wella amodau *os oedden nhw'n dymuno gwneud*.

Mae Birmingham yn astudiaeth achos ddiddorol o gyngor lleol a benderfynodd achub y cyfle i gyflwyno gwelliannau yn iechyd y cyhoedd. Yn yr 1840au a'r 1850au, roedd y cyngor yn cael ei reoli gan drethdalwyr oedd yn gwrthwynebu galwadau i wario arian. Llwyddon nhw i rwystro ymgais i brynu Gwaith Dŵr Birmingham (roedd yn rhy ddrud) a diswyddwyd peiriannydd y fwrdeistref, gan benodi ei ddirprwy i gymryd ei le ar hanner y cyflog. Torrwyd y gwariant ar y ffyrdd 50 y cant. O ganlyniad, yn ôl Thomas Carlyle, 'mae'r strydoedd wedi'u hadeiladu'n wael ac mae'r palmentydd yn wael hefyd, a bob amser yn simsan eu golwg – maen nhw'n aml yn wael, weithiau'n druenus. Does dim mwy na rhyw un neu ddau yn cynnwys cerrig llorio ar eu hochrau.' Dywedodd golygydd y *Birmingham Daily Post* fod gan y dinasyddion gymaint o gywilydd o'r ddinas, roedden nhw'n gwrthod dangos canol y dref i ymwelwyr.

Newidiodd hyn i gyd pan ddaeth Joseph Chamberlain yn faer yn 1873. Dyfeisiodd yr hyn a alwodd yn 'sosialaeth nwy a dŵr', lle byddai'r cyngor yn cymryd drosodd y cwmnïau nwy a dŵr, yn gwella cyflenwadau ac yn defnyddio'r elw i wneud y dref yn lle gwell i fyw. Perswadiodd y cyngor i fenthyca £2 miliwn er mwyn prynu'r cwmnïau nwy yn 1875. Erbyn 1879 roedd y cyngor wedi gwneud elw o £165,000 i'w wario ar brojectau eraill, ac adeiladwyd parc cyhoeddus ar ddeg erw/acer o dir diffaith y cwmni nwy. Erbyn 1884, roedden nhw hefyd wedi gostwng prisiau nwy 30 y cant. Digwyddodd yr un peth i'r cwmni dŵr yn 1876, ac erbyn 1880 roedd cyfradd marwolaethau canol Birmingham wedi gostwng o 25.2 y fil i 20.7 y fil. Yn ogystal, llwyddodd y cyngor i basio Deddf Gwella Birmingham yn 1876. Yn sgil hyn cliriwyd 40 erw/acer o slymiau yng nghanol y ddinas, gan symud 9000 o bobl yn y broses, a chodwyd canolfan siopa yn lle'r slymiau (ffynhonnell incwm arall ar gyfer y cyngor), tŷ i'r cyngor, oriel gelf, llyfrgell gyhoeddus a strydoedd newydd llydan â phalmentydd da. Mewn llythyr at ffrind ym mis Mehefin 1876, ysgrifennodd Chamberlain, 'rwyf yn teimlo fy mod bron â chwblhau fy rhaglen drefol yn awr. Bydd gan y dref ei pharciau, palmentydd, llysoedd ynadon, marchnad, nwy a dŵr ac y bydd wedi ei gwella – a'r cyfan o ganlyniad i dair blynedd o waith caled.'

MEDDYLIWCH ?

1 Sut roedd agweddau at iechyd y cyhoedd yn Birmingham wedi newid rhwng yr 1840au a'r 1880au?

2 Beth oedd 'sosialaeth drefol'? Sut roedd yn gweithio yn Birmingham?

3 Ydych chi'n meddwl bod iechyd y cyhoedd yn Birmingham wedi gwella erbyn 1886?

4 Cafodd Ffynhonnell FF ei chyhoeddi yn 1886, ar adeg y gwelliannau yn Birmingham. Ydy hynny'n golygu ei bod yn ffynhonnell ddibynadwy?

5 Yn eich barn chi, pa un gafodd yr effaith fwyaf yn Birmingham – Deddf Iechyd y Cyhoedd 1875 neu Joseph Chamberlain? Pam?

◀ Ffynhonnell G: Llun gan H. W. Brewer o *The Graphic*, 1886. Mae'n dangos canol tref Birmingham yn 1886 yn edrych dros Sgwâr Chamberlain a'r tŷ cyngor estynedig newydd a'r oriel gelf (yn y canol), neuadd y dref (yr adeilad â phileri ar y dde) ac Eglwys Crist yn eu canol

Yr angen am ddŵr ffres: adeiladu cronfeydd dŵr yng Nghymru

Yn ystod y bedwaredd ganrif ar bymtheg, roedd cynnydd enfawr yn y galw am ddŵr ym mhob tref a dinas fawr ym Mhrydain. Roedd poblogaeth dinasoedd fel Lerpwl a Birmingham yn tyfu'n gyflym. Yr hyn roedd ei angen oedd cyflenwad dŵr glân a fyddai'n helpu i wrthsefyll y clefydau, fel colera a theiffoid, oedd yn lledaenu o ganlyniad i gyflenwadau dŵr wedi'u halogi.

Lerpwl a Llyn Efyrnwy

Llyn Efyrnwy oedd y gronfa ddŵr gyntaf i gael ei hadeiladu yng Nghymru gan gorfforaeth o Loegr. Hyd yr 1870au, roedd Lerpwl yn cael dŵr o ffynonellau yn Sir Gaerhirfryn, ond wrth i'r galw gynyddu roedd yn rhaid i'r gorfforaeth chwilio ymhellach. Daethon nhw o hyd i safle yn Nyffryn Efyrnwy yng Nghanolbarth Cymru, ond er mwyn adeiladu'r gronfa ddŵr roedd yn rhaid i Gorfforaeth Lerpwl brynu hyd at ddeg fferm a phentref Llanwddyn. Dechreuodd y gwaith o adeiladu'r gronfa yn 1881 ac ni chafodd ei gwblhau tan fis Tachwedd 1889. Hon oedd yr argae garreg fwyaf ym Mhrydain. Wrth i'r argae lenwi, adeiladwyd traphont ddŵr a gosodwyd pibellau i gario'r dŵr i Lerpwl. Y tro cyntaf i'r dŵr gyrraedd Lerpwl o Lyn Efyrnwy oedd 14 Gorffennaf 1892, ac mae'r gronfa ddŵr yn dal i gyflenwi dŵr i'r ddinas hyd heddiw.

Birmingham a Chwm Elan

Wrth i Lyn Efyrnwy gael ei adeiladu, roedd Corfforaeth Birmingham hefyd yn edrych i gyfeiriad Cymru fel ffynhonnell bosibl i gyflenwi anghenion dŵr y ddinas. Ar ddechrau'r 1890au, prynodd dinas Birmingham dir yng Nghwm Elan yng Nghanolbarth Cymru, gyda'r bwriad o adeiladu cyfres o lynnoedd ar ôl codi argaeau ar afonydd Elan a Chlaerwen yng Nghwm Elan. Yna byddai dŵr o'r cronfeydd yn cael ei gario drwy rym disgyrchiant ar hyd pibell 116 cilomedr o hyd i ddinas Birmingham oedd yn tyfu'n gyflym.

Pasiwyd Deddf Dŵr Corfforaeth Birmingham yn 1892 gan alluogi'r Gorfforaeth i gael y tir yng Nghwm Elan drwy bryniant gorfodol. Bu'n rhaid i dros 100 o bobl oedd yn byw yn y cwm symud allan a chafodd eu cartrefi eu dymchwel. Yn eu plith roedd tri phlasdy, 18 fferm, ysgol ac eglwys. Dechreuodd y gwaith o adeiladu'r pedwar argae yn 1893 ac roedd yn rhaid i'r nafis (gweithwyr) fyw mewn cytiau pren dros dro ger y safle adeiladu.

Yn 1904, agorwyd Cronfa ddŵr Elan gan y Brenin Edward VII a'r Frenhines Alexandra. Roedd yn cyflenwi dŵr i ddinas Birmingham. Agorwyd tri argae yng Nghraig Goch, Penygarreg a Chaban Coch hefyd; ond ni chafodd pedwerydd argae yn Nôl-y-mynach ei orffen. Adeiladwyd argae ychwanegol, Argae Claerwen, flynyddoedd yn ddiweddarach a'i agor yn 1952 (gweler Ffigur 6.1).

Gyda chyflenwad o ddŵr ffres rheolaidd, gwelwyd gwelliant mawr yn iechyd y cyhoedd yn ninasoedd Lerpwl a Birmingham.

MEDDYLIWCH ?

1 Disgrifiwch sut gwnaeth dinasoedd Lerpwl a Birmingham lwyddo i ddatrys eu problem o gael cyflenwad rheolaidd o ddŵr ffres.

2 Pa effaith gafodd adeiladu cronfeydd dŵr ar y cymunedau Cymraeg oedd yn byw yn yr ardaloedd a foddwyd?

▲ **Ffynhonnell NG:** Argae Craig Goch yng Nghwm Elan. Y gronfa ddŵr y tu ôl iddi yw un o brif ffynonellau dŵr dinas Birmingham

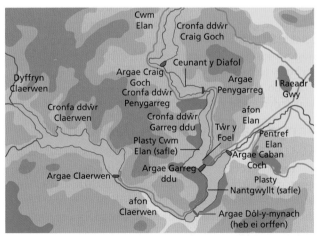

▲ **Ffigur 6.1:** Cronfeydd dŵr ac argaeau Cwm Elan yng Nghanolbarth Cymru. Mae'n dangos lleoliad y ddau blasdy mawr, Cwm Elan a Nantgwyllt, a gollwyd ar ôl boddi'r ddau gwm

Ymdrechion i wella tai a lleihau llygredd yn yr ugeinfed ganrif

Yn ystod yr ugeinfed ganrif, gwelwyd newid mawr yn rôl y llywodraeth mewn perthynas ag iechyd y cyhoedd. Cafodd agwedd *laissez-faire* oes Fictoria ei ddisodli ac erbyn hyn mae pobl yn derbyn mai rôl y llywodraeth yw gwneud yn siŵr bod pobl yn byw bywydau iach, ond mae union raddfa'r rôl honno yn dal i fod yn destun trafodaeth hyd yn oed heddiw.

Nodi'r broblem

Pan ddechreuodd **Rhyfel y Boer** yn 1899, doedd llawer o'r dynion a wirfoddolodd ar gyfer y fyddin ddim yn ddigon iach i wasanaethu. Roedd hyn yn sioc i bobl ar y pryd, ac arweiniodd at bryderon am dwf parhaus yr economi a chryfder yr Ymerodraeth Brydeinig. Cyflwr y dynion hyn a wirfoddolodd i'r fyddin oedd y sbardun i ymchwilio i amodau byw ac iechyd pobl gyffredin yn y dinasoedd diwydiannol newydd, gan arwain yn y pen draw at y newidiadau a gyflwynwyd gan y llywodraeth Ryddfrydol o 1906 ymlaen. O ganlyniad, cynhaliwyd rhai arolygon cymdeithasol er mwyn ceisio deall graddfa'r broblem. Yn ei astudiaeth *Life and Labour of the People* a gyhoeddwyd yn 1889, roedd Charles Booth wedi canfod bod 35 y cant o boblogaeth Llundain yn byw mewn tlodi truenus. Pwrpas gwreiddiol ei arolwg manwl oedd profi'r gred bod 25 y cant o'r boblogaeth yn byw mewn tlodi yn llawer rhy uchel.

Cafodd Seebohm Rowntree ei ysbrydoli gan waith Booth ac aeth ati i wneud yr un peth yn Efrog, lle'r oedd yn byw. Yn 1897 ac 1898, aeth ei ymchwilwyr ati i gyfweld dros 46,000 o ddinasyddion Efrog, a chyhoeddwyd y canlyniadau yn *Poverty, A Study in Town Life*, yn 1901. Darganfyddodd fod bron hanner pobl ddosbarth-gweithiol Efrog yn byw mewn tlodi. Mae'n cael ei gydnabod fel dyfeisiwr y term 'y llinell dlodi', a daeth yn ymgynghorydd i'r gwleidydd Rhyddfrydol Prydeinig Lloyd George ar ôl 1906.

Cafodd trydydd llyfr ddylanwad mawr ar newid barn. Yn 1913, cyhoeddodd Maud Pember Reeves *Round About a Pound a Week*. Roedd y llyfr hwn yn astudiaeth fanwl o'r ffordd roedd gweithwyr, llawer ohonyn nhw mewn gwaith rheolaidd fel heddweision, yn ei chael yn anodd byw ar y cyflog cyfartalog o £1 yr wythnos. Ei bwriad gwreiddiol oedd profi bod y teuluoedd hyn yn gwastraffu arian ar ddiod, ond darganfyddodd fod menywod yn aml yn mynd heb fwyd er mwyn i'r dyn (oedd yn ennill cyflog) a'r plant gael bwyd.

Cynnydd ar ôl y Rhyfel Byd Cyntaf

Bwriad Deddf Tai 1919 oedd adeiladu 500,000 o dai 'Addas ar gyfer Arwyr', yn ôl y slogan ar y pryd, ond dim ond hanner y tai hynny gafodd eu hadeiladu. Drwy gydol yr 1920au a'r 1930au, rhoddwyd cymorthdaliadau ar gyfer adeiladu tai cyngor i'w rhentu i weithwyr, a phasiwyd deddfau seneddol yn annog dymchwel slymiau, ond oherwydd problemau economaidd rhwng y rhyfeloedd doedd dim llawer o gynnydd. Dyma oedd y genhedlaeth gyntaf o dai i gynnwys trydan, dŵr tap, ystafelloedd ymolchi, toiledau tu mewn a gerddi blaen a chefn. Fodd bynnag, tan ddiwedd yr 1930au roedd rhai tai yn dal i gael

eu hadeiladu â thoiledau tu allan. Erbyn 1939 roedd cynghorau wedi adeiladu dros 1 miliwn o dai ar gyfer gweithwyr, ond roedd bron i 3 miliwn wedi cael eu codi ar gyfer teuluoedd mwy cyfoethog. Yn sgil difrod a dinistr yr Ail Ryfel Byd, roedd hyd yn oed mwy o alw am dai 'fforddiadwy'. Codwyd miliwn o dai ychwanegol gan lywodraeth Lafur Clement Attlee rhwng 1945 ac 1951. Yn ystod yr 1950au a'r 1960au, rhoddwyd mwy o bwyslais ar glirio slymiau o ganol trefi.

Datblygiadau yng Nghymru ar ôl yr Ail Ryfel Byd

Ers yr 1960au, cynhaliwyd arolygon yng Nghymru i asesu cyflwr stoc tai y genedl a hefyd i nodi tai oedd yn cael eu hystyried yn 'anaddas' i bobl fyw ynddyn nhw. Yn 1968 datgelodd yr Arolwg o Gyflwr Tai yng Nghymru fod 92,000 o gartrefi yn anaddas i bobl fyw ynddyn nhw, ffigur a oedd yn cyfateb i 10 y cant o stoc tai y wlad. Er bod y ffigur hwn wedi gostwng mewn arolygon diweddarach, i lawr i 8.5 y cant (neu 98,000 annedd) yn 1998, roedd yn dal i fod yn uchel o'i gymharu â Lloegr. Roedd y ganran uchaf o dai anaddas yn 1998, sef 12.5 y cant, ym Merthyr Tudful ac roedd y ganran isaf, sef 4.4 y cant, ar Ynys Môn.

Un canlyniad adroddiadau o'r fath oedd cyflwyno grantiau gwella. Erbyn 1968, roedd dros 70,000 o gartrefi yng Nghymru wedi cael eu gwella drwy grantiau o'r fath, ac roedd yr arian yn canolbwyntio ar dai a godwyd cyn 1945. Cyflwynwyd pecynnau ariannol hefyd er mwyn ysgogi adeiladu mwy o dai newydd ac roedd yr 1960au yn gyfnod o dwf parhaus o ran adeiladu tai (gweler Tabl 6.1).

Tabl 6.1: Twf parhaus o ran adeiladu tai

Blwyddyn	Tai a adeiladwyd
1960	11,604
1961	12,669
1962	15,110
1963	14,080
1964	18,969
1965	19,524
1966	19,360
1967	20,158

MEDDYLIWCH

1 Pam roedd *Life and Labour of the People*, *Poverty, A Study in Town Life* a *Round About a Pound a Week* mor ddylanwadol ar y pryd?

2 Pa mor debyg, a pha mor wahanol, yw'r problemau a nodwyd gan awduron y tri llyfr hwn i'r rhai a nodwyd gan Edwin Chadwick (tudalen 96)?

3 Pa fesurau gafodd eu cyflwyno yn ail hanner yr ugeinfed ganrif i fonitro a gwella ansawdd tai yng Nghymru?

Aer glân, trefi newydd a blociau tŵr: yr ateb pendant i iechyd y cyhoedd?

Ym mis Rhagfyr 1952, cafodd Llundain ei amgylchynu gan yr hyn a gafodd yr enw 'Y Mwrllwch Marwol'. Rhwng 5 a 9 Rhagfyr, cafodd llygredd aer a nwyon o'r tanau glo eu dal yn yr awyr uwchben y ddinas gan **antiseiclon**. Mae amcangyfrifon diweddar yn awgrymu bod dros 12,000 o bobl wedi marw a chymaint â 100,000 wedi cael eu taro'n wael o ganlyniad. Hon oedd yr enghraifft waethaf o lygredd aer ym Mhrydain ac arweiniodd y digwyddiad hwn at basio Deddfau Aer Glân yn 1956 ac 1968. Roedd y deddfau hyn yn annog perchenogion tai ar draws y wlad i newid o danau glo i ddefnyddio nwy neu drydan oedd yn lanach, neu i losgi golosg a mathau eraill o danwydd di-fwg. Cafwyd ymdrechion eraill i wella ansawdd aer yn Neddf Diogelu'r Amgylchedd 1990 a Deddf Aer Glân 1993. Roedd y ddwy ddeddf hon yn canolbwyntio ar faterion yn ymwneud â 'nwyon tŷ gwydr', a'u nod oedd cyfyngu ar allyriadau o ffatrïoedd a cheir modur. Mae'r ymchwil diweddaraf yn dal i ddangos bod hyd at 27,000 o bobl yn marw bob blwyddyn cyn eu hamser oherwydd effaith llygredd aer. Mae llygredd aer yn broblem mewn llawer o ddinasoedd o hyd.

Cafodd trefi a dinasoedd newydd eu datblygu hefyd, fel Milton Keynes a Telford, mewn ymgais i symud pobl o ardaloedd budr/brwnt, gorlawn i leoliadau 'mwy gwyrdd', lle'r oedd diwydiant a thai yn cael eu gosod ar wahân. Ebenezer Howard oedd yn gyfrifol am sefydlu Letchworth, y dref newydd gyntaf, yn 1903. Roedd y tai i fod yn ddeniadol ac eang, roedd gerddi yn rhan hollbwysig o'r cynllun, yn ogystal â pharciau cyhoeddus a chyfleusterau. Cafodd llwybrau beicio a cherdded eu cadw ar wahân i'r traffig, er diogelwch pawb. Erbyn 2014, roedd dros 2.7 miliwn o bobl yn byw mewn trefi neu ddinasoedd newydd yn y DU.

Yn yr 1960au, cafodd slymiau eu clirio yn yr hen drefi a'r dinasoedd hefyd, ac adeiladwyd datblygiadau tai cyngor enfawr mewn ymgais i ddarparu cartrefi da i bawb. Cafodd tai anaddas eu dymchwel a chodwyd blociau tŵr 'modern' yn eu lle yn aml iawn; roedd y blociau fflatiau uchel yn cynnwys pob cyfleuster modern fel gwres canolog, ystafelloedd ymolchi a cheginau gosod.

Ymddangosodd trefi fel Chelmsley Wood, ar gyrion Birmingham, dros nos. Cafodd ei hadeiladu o 1965 ymlaen ar safle tir glas, ac roedd yno dros 16,000 o dai a gynlluniwyd er mwyn cynnig cartref i'r 50,000 o bobl nad oedden nhw'n gallu dod o hyd i rywle i fyw yn y ddinas. Ar y pryd, hwn oedd y datblygiad preswyl mwyaf yn Ewrop. Dechreuwyd ar y gwaith adeiladu yn Cumbernauld, tref newydd arall ar gyrion Glasgow, yn 1956. Erbyn hyn, hi yw'r wythfed dref fwyaf yn yr Alban.

Mae ymateb y cyhoedd i'r trefi newydd yn aml yn gymysg. Er enghraifft, daeth canol tref Cumbernauld i'r brig mewn pleidlais i ddewis 'adeilad gwaethaf Prydain' yn 2005, ac eto i gyd hi oedd 'Tref Orau' yr Alban yn ôl pleidlais arall yn 2012. Adeiladwyd y blociau tŵr concrit newydd yn rhad yn aml iawn, a hynny ar safleoedd 'tir glas' y tu allan i'r trefi. Roedd pobl fel arfer yn hoffi'r tu mewn, ond yn teimlo eu bod wedi'u hynysu o'u cymunedau, ac yn gweld eisiau eu cymdogion, y siopau lleol a'r dafarn ar gornel y stryd. Mae diffyg gwaith cynnal a chadw ac adeiladwaith rhad wedi arwain at ddymchwel llawer o'r tai 'delfrydol' hyn yn yr awyr oherwydd doedd pobl ddim eisiau byw ynddyn nhw.

GWEITHGAREDDAU

1 Gwnewch eich gwaith ymchwil eich hun ar dref newydd sydd wedi cael ei chynnig neu sy'n cael ei hadeiladu yn agos at eich cartref chi.

2 Ym mha ffyrdd mae'n debyg, ac ym mha ffyrdd mae'n wahanol, i drefi newydd yr 1960au?

MEDDYLIWCH

Yn eich barn chi, pam cafodd cymaint o bwyslais ei roi ar adeiladu gwell tai i bobl?

◄ **Ffynhonnell H:** Tai tref newydd yn Cumbernauld, 1970, a gafodd eu hadeiladu i ateb y galw mawr am dai yn Glasgow ar ôl y rhyfel

Ymdrechion llywodraeth leol a chenedlaethol i wella iechyd a lles y cyhoedd yn ystod yr unfed ganrif ar hugain: ymgyrchoedd, ymgyrchoedd ffitrwydd, bwyta'n iach

Ffordd o fyw afiach?

Mae'n ymddangos bod straeon fel yr un yn Ffynhonnell I yn y newyddion bron bob dydd. Mae gwyddonwyr yn amcangyfrif bod llawer ohonon ni'n lleihau ein disgwyliad oes oherwydd ein ffordd o fyw. Rydyn ni'n bwyta gormod, gormod o'r bwydydd anghywir yn aml iawn, yn yfed gormod o alcohol, ddim yn gwneud digon o ymarfer corff ac yn ysmygu gormod. Rydyn ni hefyd yn treulio gormod o amser yn eistedd wrth ddesg neu'n chwarae gemau cyfrifiadurol yn hytrach na chadw'n heini. Mae'r cyfan yn rysáit perffaith ar gyfer gordewdra ac iechyd gwael. Gordewdra yw un o brif achosion clefyd y galon. Felly er gwaethaf gwell diagnosau o afiechydon a'r ffaith bod mwy o feddyginiaethau effeithiol a llawfeddygon dawnus ar gael, bydd y cyfan yn ofer os byddwn yn gwrthod dilyn ffordd o fyw iach.

MEDDYLIWCH ❓

1 Pa mor hawdd yw hi i fyw bywyd mwy iach?

2 A ddylai arian gael ei wario er mwyn atal clefydau yn hytrach na'u gwella?

> **Ffynhonnell I:** *Daily Telegraph*, 28 Medi 2015
>
> *Yn ôl yr astudiaeth fwyaf erioed, gall un can o ddiod befriog y diwrnod gynyddu'r risg o gael trawiad ar y galon un rhan o dair, a chynyddu'r siawns o gael diabetes a strôc yn ddramatig. Mae'r astudiaeth ... yn dilyn cyngor swyddogol newydd y DU sy'n dweud dylai oedolion fwyta dim mwy na 30 gram o siwgr y dydd, sef saith llwy de.*

Atal neu wella?

Drwy gydol yr ugeinfed ganrif a heddiw yn yr unfed ganrif ar hugain, mae llywodraethau wedi gwneud mwy a mwy o ymdrech i gyflwyno addysg iechyd, gan geisio perswadio pobl i fyw bywydau mwy iach ac edrych ar eu hôl eu hunain yn well. Mae rhai pobl yn dadlau nad lle'r llywodraeth yw gwneud hyn; ydych chi'n cofio'r llythyr a ymddangosodd ym mhapur newydd *The Times* ar adeg yr achos o golera yn 1854 (gweler tudalen 96)? Mae rhai pobl yn dal i gredu hyn, gan ddadlau mai cyfrifoldeb yr unigolyn yw gwneud ei benderfyniadau ei hun. Mae eraill yn dadlau bod cost yn gysylltiedig â dewisiadau ffordd o fyw wael. Er enghraifft, pe bai pobl yn rhoi'r gorau i ysmygu byddai hyn yn arbed miliynau o bunnoedd i'r GIG bob blwyddyn. Byddai llai o bobl yn mynd yn sâl, felly bydden nhw'n colli llai o amser o'r gwaith, ac felly byddai hyn yn helpu'r wlad i ddod yn gyfoethog. Mae'r ddadl hon yn gymwys i bron iawn pob agwedd ar iechyd. Yn ôl rhai pobl, mae'n well gwario arian ar waith ataliol yn hytrach na gorfod gwario arian ar wella clefydau y byddai'n bosibl eu hatal. Roedd yr un dadleuon yn cael eu clywed yn ystod oes Fictoria (gweler tudalen 96) pan oedd Chadwick a Southwood Smith yn dweud pethau tebyg iawn.

Mae Hackney, yn Llundain, wedi mabwysiadu dull gwahanol o gyflwyno mesurau ataliol. Sefydlodd gronfa 'Healthier Hackney'. Gall cymunedau a mudiadau gwirfoddol lleol ofyn am grantiau er mwyn gwneud eu hymdrechion eu hunain i ddod yn iach ac ymdrin â materion iechyd sy'n bwysig iddyn nhw. Datblygwyd y gronfa fel ffordd newydd i Gyngor Hackney weithio gyda'r sector gwirfoddol a chymunedol, a ffordd newydd o gomisiynu gwasanaethau iechyd. Mae'r rhaglen yn seiliedig ar yr egwyddor bod gan fudiadau sydd wrth galon y gymuned gysylltiadau cryf â'r trigolion, maen nhw'n gwybod beth yw'r problemau, ac yn aml iawn mae ganddyn nhw syniadau newydd am brojectau unigryw i ddelio â phroblemau iechyd heriol.

GWEITHGAREDDAU ❓

1 Ym mha ffyrdd mae Cronfa 'Healthier Hackney' yn debyg i'r ymdrechion ataliol eraill y cyfeiriwyd atyn nhw yn yr adran hon? Ym mha ffyrdd mae'n wahanol?

2 Yn eich barn chi, pa rai sy'n debygol o fod fwyaf effeithiol? Pam?

3 Gwnewch eich gwaith ymchwil eich hun i weld a oes unrhyw gynlluniau tebyg i 'Healthier Hackey' yn eich ardal chi.

Ymgyrchoedd ffitrwydd

Ym mis Awst 2009 dywedodd yr ysgrifennydd iechyd, 'Hybu ffordd weithgar o fyw yw'r ateb syml i lawer o'r heriau mawr sy'n wynebu ein gwlad heddiw. Gall hyn arbed arian i ni a lleddfu'r baich ar wasanaethau cyhoeddus. Mae gan y GIG ganiatâd i fod yn ddewr a chreadigol er mwyn helpu pobl i ddod yn fwy ffit ac yn fwy iach.' Mae 'Walking for health' (www.nhs. uk/Livewell/getting-started-guides/Pages/getting-started-walking.aspx) yn nodweddiadol o sawl ymgyrch ffitrwydd. Ymgyrch yw hon a gynlluniwyd er mwyn annog pobl i wneud mwy o ymarfer corff a cherdded 10,000 o gamau bob dydd, ar gyflymder canolig i gyflym. Mae'n cynnig cymorth i adeiladu'n raddol o wneud dim ymarfer corff i ymarfer corff digonol. Gallwch chi gael dosbarthiadau nofio rhad neu am ddim ac ymuno â champfa am bris rhatach. 'Be Active' yw cynllun Cyngor Dinas Birmingham i ddarparu gwasanaethau hamdden am ddim i'w thrigolion. Ar ôl cofrestru bydd pobl yn cael cerdyn sy'n eu caniatáu i ddefnyddio pob math o gyfleusterau, o byllau nofio a champfeydd i ddosbarthiadau ymarfer corff a chyrtiau badminton, am ddim ar amseroedd penodol. Mae traean o'r boblogaeth leol wedi cymryd rhan ers i'r project gael ei lansio yn 2008. Dangosodd gwaith ymchwil nad oedd tri-chwarter y defnyddwyr wedi bod yn aelodau o ganolfan hamdden, campfa na phwll nofio o'r blaen, ac roedd eu hanner dros eu pwysau neu'n ordew. Cafodd hyn effaith ar feysydd eraill a gwelwyd cynnydd yn nifer y bobl oedd yn gofyn am gymorth o ran ysmygu ac alcohol. Am bob £1 a wariwyd ar y cynllun, amcangyfrifwyd bod £23 wedi eu hadennill mewn buddiannau iechyd.

Bwyta'n iach

Mae'n debyg mai 'Pump y dydd' yw neges iechyd fwyaf adnabyddus y llywodraeth. Nod yr ymgyrch 'Pump y dydd' yw annog pobl i fwyta mwy o ffrwythau a llysiau (gweler Ffynhonnell J). Mae ymchwil wedi profi bod bwyta mwy o ffrwythau a llysiau yn lleihau eich risg o gael clefyd y galon a chanser.

Mae'r Canllaw Bwyta'n Iach, a gyhoeddwyd ym mis Mawrth 2016, yn nodweddiadol o ymgyrchoedd y llywodraeth genedlaethol. Mae'n dangos deiet cytbwys, iach sy'n cynnwys:

- bwyta o leiaf pum dogn o amrywiaeth o ffrwythau a llysiau bob dydd
- seilio prydau bwyd ar datws, bara, reis, pasta neu garbohydradau llawn startsh eraill, rhai grawn cyflawn yn ddelfrydol
- bwyta cynnyrch llaeth neu ddewis amgen (fel diodydd soia), gan ddewis opsiynau â llai o fraster a llai o siwgr
- bwyta rhywfaint o ffa, codlysiau, pysgod, wyau, cig a phroteinau eraill (gan gynnwys dau ddogn o bysgod yr wythnos, a dylai un o'r rhain fod yn olewog)
- dewis olew a thaeniadau annirlawn gan ddefnyddio ychydig bach yn unig
- yfed rhwng chwech ac wyth cwpanaid o hylif bob dydd
- os ydych chi'n bwyta bwydydd a diodydd sy'n cynnwys llawer o fraster, halen a siwgr yna dylid eu bwyta yn llai aml mewn dognau bach.

> **MEDDYLIWCH** ?
>
> A yw'r canllaw 'Bwyta'n Iach':
> a) yn esbonio'n glir beth yw buddion bwyta'n iach; ac
> b) yn ddigon i'ch perswadio i newid unrhyw arferion afiach sydd gennych chi?

▲ Ffynhonnell J: Logo'r ymgyrch i'n hannog ni i fwyta'n well

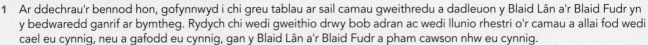

AILYMWELD Â'R DASG FFOCWS

1 Ar ddechrau'r bennod hon, gofynnwyd i chi greu tablau ar sail camau gweithredu a dadleuon y Blaid Lân a'r Blaid Fudr yn y bedwaredd ganrif ar bymtheg. Rydych chi wedi gweithio drwy bob adran ac wedi llunio rhestri o'r camau a allai fod wedi cael eu cynnig, neu a gafodd eu cynnig, gan y Blaid Lân a'r Blaid Fudr a pham cawson nhw eu cynnig.

2 Trefnwch eich rhestr yn nhrefn blaenoriaeth, gan roi'r dadleuon gorau ar ben y rhestr.

3 Yn eich barn chi, pa un o'r ddwy blaid oedd â'r dadleuon gorau? Pam?

4 Sut mae dadleuon y Blaid Lân a'r Blaid Fudr wedi newid dros amser?

5 Yn olaf, gan ddychwelyd i'r prif gwestiwn a osodwyd ar ddechrau'r bennod hon – pa mor effeithiol fu'r ymdrechion i wella iechyd a lles y cyhoedd dros amser? Sut rydych chi'n mynd i fesur 'effeithiol'?

GWEITHGAREDDAU

1 Gan weithio mewn parau, ewch ati i lunio taflen waith â'r pennawd, 'Gwella iechyd a lles y cyhoedd.' Y gynulleidfa darged yw myfyrwyr eraill fydd yn astudio'r cwrs hwn yn y dyfodol.

2 Efallai yr hoffech chi ystyried y syniadau hyn:
   a) Pam roedd iechyd a lles y cyhoedd yn bwnc trafod?
   b) Pa adeg oedd yr amser gorau i fyw mewn trefi a dinasoedd?
   c) Pa adeg oedd yr amser gwaethaf i fyw mewn trefi a dinasoedd?
   ch) Cyfrifoldeb pwy oedd gwella amodau yn y trefi a'r dinasoedd?
   d) Pa mor effeithiol oedd ymdrechion o'r oesoedd canol tan heddiw, i wella trefi a dinasoedd?

Wrth gwrs, awgrymiadau yn unig yw'r rhain. Cewch chi benderfynu sut i lunio eich taflen waith a pha weithgareddau gallech chi ofyn i fyfyrwyr eraill eu gwneud. Mwynhewch!

CRYNODEB O'R TESTUN

- Yn yr oesoedd canol, roedd trefi yn fwy afiach nag ardaloedd gwledig – ond weithiau roedden nhw'n gwneud ymdrech fawr i wella iechyd y cyhoedd.

- Doedd yr ymdrechion i lanhau trefi yn yr oesoedd canol ddim bob amser yn llwyddiannus.

- Yn yr ail ganrif ar bymtheg roedd trefi yn fwy iach nag erioed o'r blaen.

- Newidiodd y Chwyldro Diwydiannol bopeth er gwaeth, a doedd polisi *laissez-faire* y llywodraeth ddim yn helpu.

- Roedd yn ymddangos bod pobl wedi'u rhannu rhwng y Blaid Lân a'r Blaid Fudr.

- Gweithiodd rhai unigolion yn galed i wella iechyd y cyhoedd yn y bedwaredd ganrif ar bymtheg.

- Yn yr ugeinfed ganrif, gwnaeth y llywodraeth ymdrech fawr i wella iechyd y cyhoedd.

- Adeiladwyd nifer o 'drefi newydd' mewn ymgais i wella amodau byw.

- Nawr, mae mwy o bwyslais ar waith ataliol yn hytrach na gwella pobl. Yn benodol, mae llawer o bwyslais yn cael ei roi ar fyw'n iach.

Cwestiynau ymarfer

1 Astudiwch Ffynhonnell A (*tudalen 91*), Ffynhonnell D (*tudalen 94*) a Ffynhonnell G (*tudalen 100*). Defnyddiwch y ffynonellau hyn i nodi un tebygrwydd ac un gwahaniaeth yn iechyd y cyhoedd dros amser. (*Am arweiniad, gweler tudalennau 120–121.*)

2 Disgrifiwch sut gwnaeth rhai trefi fel Coventry geisio gwella iechyd y cyhoedd yn ystod y bymthegfed ganrif. (*Am arweiniad, gweler tudalen 122.*)

3 Esboniwch pam roedd gwaith diwygwyr cymdeithasol yn bwysig i wella iechyd y cyhoedd yn ystod ail hanner y bedwaredd ganrif ar bymtheg. (*Am arweiniad, gweler tudalen 124.*)

4 I ba raddau mae'n bosibl dweud mai gweithredu gan y llywodraeth oedd y dull mwyaf effeithiol o wella iechyd y cyhoedd a lles dros amser? (*Am arweiniad, gweler tudalennau 126–128.*)

Yn ystod y bedwaredd ganrif ar bymtheg, wrth i'r Chwyldro Diwydiannol gyflymu, tyfodd poblogaeth Cymru a Lloegr yn gyflym. Tyfodd llawer o aneddiadau (*settlements*) bach yn drefi diwydiannol mawr, gan gyflogi cannoedd o weithwyr yn eu ffatrïoedd. Gan fod teithio yn anodd, roedd yn rhaid i'r gweithwyr hyn fyw yn agos at eu man gwaith ac roedd hyn yn golygu bod yn rhaid codi llawer o dai gerllaw. Daeth peryglon iechyd i'r amlwg yn fuan. Roedd sbwriel a charthion heb eu trin yn cael eu taflu ar y stryd ac roedd y cyflenwad dŵr yn aml wedi'i halogi. Mewn amodau byw mor afiach roedd achosion o glefydau yn gyffredin. Cafodd clefydau fel teiffoid a cholera effaith ddramatig. Yn ystod y cyfnod hwn tyfodd tref fach Caerdydd yn dref fwyaf Cymru, a daeth y twf trefol cyflym hwn â nifer o broblemau o ran iechyd y cyhoedd. Yn yr uned hon byddwch chi'n archwilio sut gwnaeth twf dramatig Caerdydd achosi problemau iechyd mawr, a byddwch chi hefyd yn ysytyried pa mor llwyddiannus oedd awdurdodau'r dref wrth fynd i'r afael â'r materion oedd yn effeithio ar iechyd y cyhoedd.

TASG FFOCWS

Wrth i chi weithio drwy'r bennod hon, cwblhewch y tabl isod sy'n gofyn i chi nodi'r prif broblemau o ran iechyd y cyhoedd, a sut gwnaeth yr awdurdodau geisio mynd i'r afael â'r problemau iechyd hyn. Yna lluniwch farn ynglŷn â pha mor llwyddiannus oedden nhw. Ychwanegwch res newydd ar gyfer pob problem.

Beth oedd y prif broblemau o ran iechyd y cyhoedd a ddaeth yn sgil twf trefi diwydiannol?	Pa ymdrechion gafodd eu gwneud gan bobl oes Fictoria i oresgyn y problemau hyn?	I ba raddau gwnaeth y newidiadau hyn arwain at welliant yn iechyd y cyhoedd?

Twf a datblygiad Caerdydd

Roedd twf Caerdydd yn y bedwaredd ganrif ar bymtheg yn ddramatig. Yng nghyfrifiad 1801, cofnodwyd mai 1,871 o bobl yn unig oedd yn byw yno. Roedd y rhan fwyaf o'r rhain yn siarad Cymraeg ac yn gweithio mewn diwydiannau masnach a gweithgynhyrchu bach, neu yn mewnforio ac yn allforio nwyddau o borthladd bach y dref. Ganrif yn ddiweddarach, yn 1901 roedd Caerdydd wedi tyfu yn dref fwyaf poblog Cymru ac roedd 164,333 o bobl yn byw yno. Roedd y twf dramatig hwn o ganlyniad i ddatblygiad y dociau ac adeiladu rheilffordd er mwyn cario glo a oedd yn cael ei gloddio yng nghymoedd De Cymru i'r porthladd yng Nghaerdydd, lle roedd yn cael ei allforio ar draws y byd (gweler Ffigur 7.1).

Erbyn 1901, roedd Caerdydd wedi datblygu'n ganolfan fasnachol oedd yn ffynnu lle'r oedd perchenogion llewyrchus y pyllau glo, perchenogion llongau, diwydianwyr, masnachwyr a bancwyr wedi helpu i ddatblygu'r dref yn fetropolis glo y byd. Roedd ei phoblogaeth bellach wedi Seisnigo llawer ac yn gosmopolitan iawn.

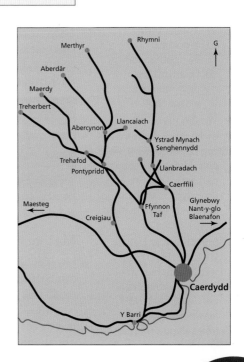

Ffigur 7.1: Safle daearyddol Caerdydd a ▶ threfi glofaol cymoedd De Cymru

Rhesymau dros dwf Caerdydd

Cafodd sawl ffactor ddylanwad ar dwf a datblygiad Caerdydd.

Adeiladu rheilffordd Taf

Yn sgil agor Camlas Morgannwg yn 1794 datblygodd y masnach glo yn araf. Cludwyd glo i'r dociau ac yna ar longau i farchnadoedd ar draws Prydain. Yr hyn a sbardunodd ddatblygiad masnachol Caerdydd oedd adeiladu rheilffordd Taf gan gysylltu Merthyr Tudful â Chaerdydd. Roedd y rheilffordd 26 milltir o hyd, a agorodd yn 1841, yn drobwynt yn natblygiad Caerdydd.

Agorwyd llinellau lleol yng nghymoedd y Rhondda a Chynon yn fuan wedyn, ac erbyn 1852 roedd y rheilffordd wedi'i chysylltu â Rheilffordd y Great Western. Roedd hyn yn cysylltu De Cymru â Chanolbarth Lloegr a Llundain. Roedd y rheilffordd yn ei gwneud yn bosibl i gario glo o'r pyllau i'r porthladd, ac erbyn 1900 De Cymru oedd ardal allforio glo bwysicaf Prydain.

Datblygiad y dociau

Yr unigolyn a chwaraeodd ran arwyddocaol yn natblygiad porthladd Caerdydd oedd ail Ardalydd Bute a benderfynodd adeiladu Doc Gorllewin Bute yn 1839. Wrth i'r masnach gynyddu roedd yn rhaid ehangu'r dociau ac yn 1855 adeiladwyd Doc y Dwyrain. Yn dilyn hyn, cloddiwyd Basn y Rhath yn 1874 ac adeiladwyd Doc y Rhath yn 1887. Er bod Caerdydd yn cystadlu yn erbyn porthladdoedd eraill ar hyd arfordir de-ddwyrain Cymru, fel y Barri, Penarth a Chasnewydd, llwyddodd i ennill y blaen ar y rhain, ac erbyn 1901 roedd wedi datblygu yn brif borthladd ar gyfer allforio glo o gymoedd y Rhondda, Rhymni a Chynon (gweler Tabl 7.1).

	1833	1851	1885	1905
Casnewydd	440,492	451,491	2,684,111	4,186,430
Abertawe	387,176	352,247	1,239,338	2,653,447
Caerdydd	171,978	501,002	6,678,133	7,294,020

▲ Tabl 7.1: Allforion glo a golosg o borthladdoedd yn Cymru (ffigurau mewn tunelli)

Twf poblogaeth

Yn sgil adeiladu'r dociau a safleoedd diwydiannol eraill, mudodd llawer o bobl o drefi bach y cymoedd a phentrefi gwledig Bro Morgannwg a Gorllewin Lloegr. Tyfodd poblogaeth Caerdydd yn gyflym iawn, ac erbyn 1841 roedd chwarter trigolion y dref yn enedigol o Loegr ac roedd dros ddeg y cant yn dod o Iwerddon. Erbyn 1871, roedd Caerdydd wedi cipio safle Merthyr fel tref fwyaf Cymru. Erbyn diwedd y ganrif roedd poblogaeth y dref yn cynnwys llawer o fewnfudwyr o'r Eidal, yr Almaen, India a Somalia. O ganlyniad, cafodd Caerdydd ei galw yn 'Chicago Cymru' (gweler Tabl 7.2).

	1801	1851	1901
Merthyr Tudful	7,750	46,378	69,228
Casnewydd	1,087	19,323	67,270
Abertawe	6,831	21,533	94,537
Caerdydd	1,871	18,351	164,333

▲ Tabl 7.2: Twf poblogaeth trefi De Ddwyrain Cymru rhwng 1801 ac 1901

Masnach, arian a diwydiant

Llwyddodd Caerdydd i achub y blaen ar borthladdoedd eraill cyfagos, fel y Barri, gan ddod yn brif borthladd allforio glo. Daeth yn ganolfan weinyddol i'r fasnach lo: yn y Gyfnewidfa Lo roedd pris glo ar y farchnad Brydeinig yn cael ei bennu, ac yno hefyd y cafodd y fargen miliwn o bunnoedd gyntaf ei gwneud yn 1907. Datblygodd y dref hefyd yn ganolfan ddiwydiannol bwysig ac roedd gweithfeydd haearn a dur, diwydiant adeiladu llongau, yn ogystal â diwydiannau gwneud rhaffau, bragdai, melinau a diwydiant cynhyrchu papur yn y dref.

MEDDYLIWCH ?

1 Sut gwnaeth pob un o'r datblygiadau isod helpu i wneud Caerdydd y dref fwyaf yng Nghymru erbyn 1871?
   a) Y rheilffordd
   b) Y dociau
   c) Twf poblogaeth
   ch) Datblygiadau diwydiannol a masnachol

2 Yn eich barn chi, pa un o'r ffactorau a restrwyd yng Nghwestiwn 1 yw'r pwysicaf wrth esbonio datblygiad cyflym Caerdydd? Rhowch resymau i gefnogi eich ateb.

3 Edrychwch ar Dablau 7.1 a 7.2. Beth mae'r wybodaeth hon yn ei ddweud wrthoch chi am dwf Caerdydd mewn perthynas â'r trefi cyfagos?

Amodau byw yng Nghaerdydd yn y bedwaredd ganrif ar bymtheg

Yn debyg i sawl tref ddiwydiannol arall yn ystod oes Fictoria, daeth y datblygiad cyflym â chyfres o broblemau yn ymwneud ag iechyd y cyhoedd. Doedd Caerdydd ddim yn eithriad.

Diffyg rheoleiddio a chynllunio

Wrth i Gaerdydd ddatblygu yn ganolfan fasnach a diwydiant, roedd angen tai ar gyfer y nifer cynyddol o weithwyr a oedd wedi mudo i'r dref. Oherwydd y diffyg cynllunio a rheoleiddio swyddogol roedd llawer o'r tai o ansawdd gwael, oherwydd iddyn nhw gael eu hadeiladu gan adeiladwyr oedd yn poeni mwy am elw nag am ystyriaethau iechyd a diogelwch. Cafodd llawer o'r tai eu hadeiladu gefn wrth gefn ar y safle rhataf oedd ar gael, heb awyru, draeniad a chyflenwad dŵr digonol. Doedd dim palmentydd ar y strydoedd cul ac roedden nhw'n aml yn dilyn llwybr nentydd oedd yn cario carthion a gwastraff y cartref (gweler Ffynhonnell A). Doedd dim rheoliadau ar gyfer y math o adeiladau oedd yn cael eu codi nac ar gyfer eu lleoliad.

Pryderon iechyd

Cyflwynodd Deddf Iechyd y Cyhoedd 1848 (gweler tudalen 113) system arolygu, a chyn hir roedd yr adroddiadau hyn yn tynnu sylw at bryderon iechyd difrifol iawn yn y trefi diwydiannol oedd yn ehangu'n gyflym. Y pryderon mwyaf cyffredin oedd draeniad gwael, dim darpariaeth ar gyfer gwaredu carthffosiaeth, diffyg cyflenwadau digonol o ddŵr glân, ac amodau budr, annymunol a gorlawn. Doedd Caerdydd ddim yn eithriad. Roedd y dref yn llawn clefydau a rhwng 1842 ac 1848 y gyfradd marwolaethau oedd 30 i bob 1,000, oedd yn cymharu'n wael â chyfartaledd y DU o 20 i bob 1,000. Hefyd, roedd 4 y cant yn fwy o farwolaethau nag o enedigaethau. Rhwng 1847 ac 1854, cafwyd dau achos difrifol o golera a'r clefyd hwnnw oedd yn cyfrif am 33 y cant o'r holl farwolaethau yn ystod y cyfnod hwnnw.

Diffyg glanweithdra

Mae adroddiad Swyddog Iechyd Meddygol Caerdydd ar gyfer 1858 yn nodi bod 2,920 o bobl yn byw mewn 222 o gartrefi yn ardal dlotaf y dref, fod 26 o bobl yn byw ym mhob cartref ar gyfartaledd, ac mai'r cyfartaledd mewn un stryd oedd 21 o bobl i bob cartref. Roedd yr ardal fwyaf gorlawn yn cynnwys Herbert Street, Stanley Street, Love Lane, Mary Anne Street a Little Frederick Street. Ar ddiwedd yr 1840au, roedd 18 tŷ yn Stanley Street ac roedd gan bob tŷ ddwy ystafell. Roedd safonau glanweithdra yn gyntefig: ym mhob tŷ roedd toiled mewn ystafell fach oedd yn agor yn syth i'r ystafell fyw. Anaml iawn y byddai'r gwastraff yn cael ei wagio a byddai'r arogl ffiaidd yn treiddio drwy'r tŷ. Roedd y stryd yn gul, pedwar metr a hanner o led yn unig, ac roedd gwastraff wedi ei daflu ar ei thraws. Llifai carthffosiaeth heb ei thrin drwy lawer o'r strydoedd ac weithiau byddai'n diferu i'r cyflenwad dŵr.

▲ **Ffynhonnell A:** Mason's Arms Court, oddi ar Little Frederick Street. Tai nodweddiadol Caerdydd yng nghanol y bedwaredd ganrif ar bymtheg

Gorlenwi ac iechyd gwael

Un o'r pethau a ychwanegodd at yr amgylchedd afiach oedd y gorlenwi difrifol, oherwydd roedd y rhan fwyaf o'r tai yn cymryd lletywyr i'w helpu i dalu'r rhent. Mae cyfrifiad 1851 yn datgelu bod 17 Stanley Street, yng ngofal Michael Harrington, yn gartref i 54 o ddynion, menywod a phlant, a bod 15 Stanley Street, cartref John Bryant, yn gartref i 36 o bobl. Roedd amodau byw gorlawn o'r fath yn berygl difrifol i iechyd y cyhoedd, a byddai unrhyw glefyd yn lledaenu'n gyflym mewn ardaloedd o'r fath. Y mwyaf dwys oedd y boblogaeth, y mwyaf oedd y perygl o glefydau a marw o afiechydon, a dyma'n union beth ddigwyddodd pan gafwyd achosion o'r clefyd colera yn 1849 ac 1854. Ar ben hyn, roedd y deiet gwael a oedd yn gwanhau imiwnedd y corff ac yn ei gwneud yn fwy anodd i'r unigolyn ymladd haint ac afiechyd (gweler Ffynhonnell B).

> **Ffynhonnell B: Darn o** *Adroddiad Blynyddol Swyddog Meddygol y Cyfrin Gyngor yng Nghymru* *(1863)*, o dan yr adran 'Amodau maeth'
>
> Rhaid cofio nad yw pobl yn fodlon derbyn diffyg bwyd ac, fel rheol, bydd deiet gwael yn dod i'r amlwg pan fydd diffyg hanfodion sylfaenol eraill eisoes wedi dod i'r amlwg. Cyn i ddeiet gwael ddod yn destun pryder o ran hylendid ... bydd yr aelwyd wedi mynd heb bob cysur materol arall: bydd dillad a thanwydd wedi bod yn fwy prin na bwyd – fyddai dim amddiffyniad digonol yn erbyn tywydd gwael ... Mae llawer o bethau yn achosi iechyd gwael yn uniongyrchol, a bydd achosion clefydau sy'n gysylltiedig yn llawer gwaeth oherwydd y prinder hwn.

Cyflenwad dŵr gwael

Un ffactor a gyfrannodd at achosion o glefydau o'r fath oedd y cyflenwad dŵr wedi'i halogi. Yng Nghaerdydd, byddai'r trigolion yn tynnu eu dŵr o Gamlas Morgannwg, Doc Bute, afon Taf neu bympiau yn y dref a rhai ffynhonnau preifat. Roedd y cyflenwad dŵr hwn yn aml wedi'i wenwyno ar ôl i garthbyllau gerllaw ollwng, gan olygu nad oedd y dŵr yn addas i'w yfed. Datgelodd arolwg o ddosbarthiad marwolaethau yn dilyn y ddau achos o golera yn 1849 ac 1854 nad oedd llawer o bobl o'r dosbarth canol a'r dosbarth uchaf wedi marw. Yn hytrach, roedd y rhan fwyaf o'r marwolaethau yn ardaloedd gorlawn y dref. Roedd 33 marwolaeth yn ardal Doc Bute, 24 yn yr hen dloty, 19 yn Stanley Street, 18 yn Millicent Street, 13 yn Mary Anne Street, ond un farwolaeth yn unig oedd yn ardal gefnog Crockherbtown.

O ystyried y gorlenwi difrifol, y dulliau gwael o waredu carthion a'r cyflenwadau dŵr wedi'u halogi, doedd dim syndod bod achosion o'r clefyd yn gyffredin yng Nghaerdydd, a chollodd llawer o bobl eu bywydau yn sgil yr achosion o golera a theiffoid.

MEDDYLIWCH ?

1 Beth mae Ffynonellau A a B yn ei ddweud wrthoch chi am amodau tai yng Nghaerdydd yng nghanol y bedwaredd ganrif ar bymtheg?

2 Astudiwch y wybodaeth ar dudalennau 109 ac 110. Yn eich barn chi, beth fyddai'r prif beryglon i iechyd y cyhoedd yng Nghaerdydd yn ystod ail hanner y bedwaredd ganrif ar bymtheg? Esboniwch eich pwyntiau.

Achosion o golera a theiffoid

Roedd achosion o'r clefyd teiffoid yn gyffredin yn y rhan fwyaf o drefi diwydiannol yn ystod y bedwaredd ganrif ar bymtheg. Byddai'r haint bacteriol hwn yn lledaenu drwy'r corff gan effeithio ar sawl organ, ac roedd llawer o bobl yn marw ohono. Roedd yn cael ei ledaenu mewn dŵr neu fwyd wedi'i halogi, ac roedd yn fwyaf tebygol o daro ardaloedd tlotaf safleoedd trefol. Cafwyd sawl achos o'r clefyd teiffoid yng Nghaerdydd ond doedden nhw ddim mor ddifrifol â'r achosion o golera.

Roedd colera Asiaidd yn glefyd heintus oedd yn lladd llawer o bobl. Y symptomau oedd chwydu a dolur rhydd difrifol. Cyfeiriwyd at y dolur rhydd yn aml fel 'dŵr reis'. Roedd y clefyd yn aml yn cael ei achosi gan gyflenwad dŵr wedi'i halogi. Byddai'r clefyd yn effeithio ar bobl o bob oedran, ac roedd y rheini oedd eisoes yn wan oherwydd diffyg bwyd ac amodau byw anhylan yn fwy tebygol o gael eu heintio.

Roedd pedwar achos mawr o golera yng Nghymru, yn 1832, 1849, 1854 ac 1866. Ymddangosodd y clefyd am y tro cyntaf yn y DU yn Sunderland yng ngogledd-ddwyrain Lloegr ar 23 Hydref 1831. Yna, lledaenodd ar draws Cymru a Lloegr gan ladd tua 21,832 o bobl. Cyrhaeddodd Gaerdydd wedi i forwr gael ei daro'n wael ar y llong *The Traveller* ar ôl hwylio o Gaerloyw. Roedd Caerdydd yn ffodus y tro hwn oherwydd bu farw llai na hanner dwsin o bobl o'r clefyd yn y dref.

Achos colera 1849

Ailymddangosodd colera ym Mhrydain ym mis Medi 1848, ac yn ystod y ddwy flynedd dilynol arweinodd at 52,293 o farwolaethau.

Y tro hwn, cafodd Caerdydd ei tharo'n wael iawn. Cofnodwyd yr achos cyntaf o golera yng Nghymru yng Nghaerdydd ar 13 Mai 1849, pan fu farw gweithiwr camlas 19 oed ar ôl bod yn sâl am lai na 24 awr. Yn ystod y misoedd dilynol, lledaenodd y clefyd i gymoedd De Cymru, gan ladd llawer iawn o bobl.

Yn ystod misoedd yr haf yn 1849, aeth y sefyllfa o ddrwg i waeth. Cofnodwyd y nifer mwyaf o farwolaethau rhwng mis Mehefin a mis Medi (gweler Tabl 7.3) ac erbyn dyddiad y farwolaeth olaf ym mis Tachwedd, roedd 396 o bobl wedi marw o golera, 206 o ddynion ac 190 o fenywod. Cafodd effaith ddinistriol ar y dref.

Mis	Marwolaethau
Mai	39
Mehefin	135
Gorffennaf	69
Awst	91
Medi	55
Hydref	3
Tachwedd	1

▲ Tabl 7.3: Marwolaethau o golera yng Nghaerdydd yn ystod 1849

Ymdrechion i reoli'r clefyd

Y Bwrdd Gwarcheidwaid oedd yn gyfrifol am geisio atal y clefyd rhag lledaenu. Mewn cyfarfod ar 26 Mai, rhannwyd y dref yn dair ardal ac ar 8 Mehefin penodwyd pwyllgor i weithredu'r rhagofalon colera a orchmynnwyd gan y Bwrdd Iechyd Cyffredinol. Rhoddwyd pwerau i'r Bwrdd Gwarcheidwaid benodi swyddogion ychwanegol er mwyn ymweld â chartrefi ddwywaith y dydd yn yr ardaloedd tlotaf. Roedd ganddyn nhw bwerau i orchymyn 'glanhau a gwyngalchu yn aml ac yn effeithiol a chael gwared â'r holl fudreddi, arogleuon a phlaon (*nuisances*).' Archwiliwyd tai llety ac roedd yn ofynnol i landlordiaid eu hawyru. Wrth i nifer y marwolaethau gynyddu, cafodd y dref ei rhannu yn saith ardal lai a phenodwyd swyddogion meddygol i bob un. Agorwyd fferyllfeydd ar draws y dref lle rhoddwyd 'meddyginiaethau' yn ogystal â chyngor ar sut i ddelio â phroblemau yn ymwneud ag anhwylderau'r perfeddion.

Cafwyd peth anghytuno rhwng y swyddogion iechyd ynglŷn ag union achos y clefyd colera a pham roedd wedi lledaenu yng Nghaerdydd. Ym marn Dr John Sutherland, arolygydd meddygol y Bwrdd Iechyd Cyffredinol, cafodd ei achosi gan ddŵr wedi'i halogi o ganlyniad i ddraenio rhan o Gamlas Morgannwg (gweler Ffynhonnell C), ond roedd cofrestrydd meddygol Caerdydd o'r farn mai'r amodau gorlawn difrifol oedd ar fai (gweler Ffynhonnell CH).

> **Ffynhonnell C:** Sylwadau Dr John Sutherland, Arolygydd Meddygol y Bwrdd Iechyd Cyffredinol, a gofnodwyd yn *Report of the General Board of Health on the Epidemic Cholera of 1848 and 1849*, cyhoeddwyd yn 1850
>
> Ar 26 Mai cafodd y darn o'r gamlas sydd agosaf at y môr ei wagio er mwyn atgyweirio'r loc. Wrth wneud hyn, cafodd darn mawr o fwd drewllyd ei agor i'r haul poeth, ac o ganlyniad roedd arogleuon ffiaidd iawn ar unwaith.

> **Ffynhonnell CH:** Sylwadau cofrestrydd Caerdydd a ddyfynnwyd yn *Report on the Mortality of Cholera in England, 1848–49*, cyhoeddwyd yn 1852
>
> [Achos yr haint] ... oedd cyflwr gorlawn iawn y strydoedd a'r tai yn yr ardaloedd tlawd lle mae'r clefyd wedi'i ynysu ei hun hyd yma.

Y bai am yr epidemig

Un nodwedd frawychus am epidemig 1849 oedd yr ymdeimlad gwrth-Wyddelig a ddaeth yn ei sgil, a hynny oherwydd bod y clefyd wedi cael effaith mor wael ar yr ardal lle'r oedd y Gwyddelod yn byw. Fel rhan o'r senoffobia hwn, cafodd y Gwyddelod y bai am ledaenu'r clefyd. Honnwyd bod y clefyd wedi cynyddu rhwng 5 ac 8 y cant oherwydd 'yr holl Wyddelod oedd wedi mewnlifo i'r dref' (gweler Ffynhonnell D). Rhoddwyd y bai hefyd ar arferion drwg fel meddwdod ac arferion gwario anghyfrifol y bobl dlotaf.

> **Ffynhonnell D:** Adroddiad yn y *Cardiff and Merthyr Guardian*, 16 Mehefin 1849, lle rhoddwyd y bai ar y gymuned Wyddelig am ledaenu'r clefyd
>
> Rydyn ni wedi arfer cysylltu syniadau am fudreddi, aflendid a thlodi truenus â phopeth Gwyddelig oherwydd y nifer mawr o frodorion diog, segur a gwael o'r chwaer ynys sydd yn croesi ein llwybrau yn barhaus.

Achosion 1854, 1866 ac 1893

Ailymddangosodd colera yng Nghaerdydd ym mis Awst 1854 ac erbyn i'r clefyd ddechrau diflannu ar ddechrau'r hydref, roedd 225 o bobl wedi marw ohono. Er bod hwn yn ffigur uchel, roedd yn llawer is na'r 455 o farwolaethau ym Merthyr Tudful, y dref a gafodd ei heffeithio waethaf yng Nghymru. Roedd yr achos mawr nesaf o golera yng Nghaerdydd yn 1866 pan fu farw 76 o bobl. Y tro diwethaf i golera effeithio ar gymdeithas y DU oedd yn ystod misoedd yr haf yn 1893. Effeithiwyd ar Gaerdydd lle bu farw tri o bobl, ond erbyn hynny roedd gwelliannau fel dŵr tap a charthffosydd wedi lleihau effaith yr haint.

> **MEDDYLIWCH ?**
>
> 1 Astudiwch Ffynonellau C, CH a D. Defnyddiwch y wybodaeth yn y ffynonellau, a'r hyn rydych chi'n ei wybod, i gwblhau'r tabl hwn.
>
> | | Beth yw'r rheswm sy'n cael ei roi am yr achos o golera? | Pa dystiolaeth gallwch chi ddod o hyd iddi i gefnogi'r rheswm hwn? |
> | --- | --- | --- |
> | Ffynhonnell C | | |
> | Ffynhonnell CH | | |
> | Ffynhonnell D | | |
>
> 2 Allwch chi feddwl pam gwnaeth yr achosion o golera yn 1866 ac 1893 arwain at lai o farwolaethau yng Nghaerdydd na'r achosion yn 1849 ac 1854? Esboniwch eich casgliadau.

Ymdrechion i wella iechyd y cyhoedd

Pasiodd y llywodraeth sawl deddf o ganol y bedwaredd ganrif ar bymtheg ymlaen mewn ymgais i wella iechyd y genedl. Yn 1847, roedd achos difrifol o deiffoid yng Nghaerdydd a lladdwyd bron i 200 o bobl. Ymchwiliodd meddyg yn y dref, Henry James Paine, i achos y clefyd ac ar ôl ystyried 283 achos daeth i'r casgliad bod cysylltiad uniongyrchol rhwng diffyg glanweithdra ac achosion o'r clefyd. Sylwodd fod y rhan fwyaf o'r achosion yn ardaloedd mwyaf tlawd a gorlawn y dref. Fodd bynnag, ni chymerodd neb lawer o sylw o gasgliadau Dr Paine ac roedd yn rhaid aros i'r llywodraeth basio deddfwriaeth iechyd y cyhoedd cyn i Gaerdydd ddechrau cymryd camau i wella iechyd ei dinasyddion.

Deddf Iechyd y Cyhoedd 1848

Mewn sawl ffordd, Deddf Iechyd y Cyhoedd 1848 oedd y man cychwyn ar gyfer cyflwyno gwelliannau graddol yn iechyd y cyhoedd. Roedd yn rhoi caniatâd i drefi sefydlu Byrddau Iechyd Lleol lle'r oedd galw mawr amdanyn nhw. Cyfrifoldeb y Byrddau oedd y pethau hyn:

- carthffosydd a draeniau
- ffynhonnau a chyflenwadau dŵr
- gwastraff a systemau carthffosiaeth
- rheoli lladd-dai
- cael gwared â phlaon
- rheoli tai oedd yn anaddas i bobl fyw ynddyn nhw
- darparu mynwentydd, parciau hamdden, baddondai cyhoeddus a chyfleusterau eraill.

Trefnwyd deiseb yng Nghaerdydd, a lofnodwyd gan dros un rhan o ddeg o'r boblogaeth, yn galw am sefydlu Bwrdd Iechyd yn y dref. Un o gamau cyntaf y Bwrdd oedd penodi Dr Henry James Paine yn Swyddog Iechyd Meddygol cyntaf y dref, a daliodd y swydd honno rhwng 1853 ac 1889.

Adroddiad Rammell, 1850

Yn 1849, cynhaliodd Thomas Rammell, Uwch-arolygydd y Bwrdd Iechyd Cyffredinol, ymchwiliad i gyflwr iechyd y cyhoedd yng Nghaerdydd. Cyhoeddodd adroddiad yn 1850 oedd yn rhestru nifer o bryderon ynglŷn ag iechyd – carthffosydd agored, cyflenwad dŵr nad oedd yn lân, tai annigonol, rhent uchel a gorlenwi. Cyflwynodd argymhellion ar gyfer sawl newid allweddol i wella iechyd y cyhoedd yn y dref:

- cyflenwad diogel o ddŵr pur
- system ddraenio
- system i ddelio â charthffosiaeth
- casglu gwastraff
- mwy o dai o ansawdd gwell ar gyfer y tlodion
- agor mynwent newydd ar gyrion y dref.

Aeth sawl degawd heibio cyn i Gorfforaeth Caerdydd (y cyngor) gyflwyno'r gwelliannau hyn, ond dechreuwyd ar y gwaith gan Swyddog Iechyd Meddygol cyntaf y dref, Dr Paine.

Gwaith Dr Henry James Paine

Yn 1850, rhoddodd Deddf Gwaith Dŵr Caerdydd ganiatâd i ddrilio am ffynhonnau er mwyn cael cyflenwad dŵr yfed i'r dref. Erbyn 1856, gyda chefnogaeth Dr Paine, roedd system garthffosiaeth a draeniad newydd wedi ei chwblhau ar gost o £200,000. O ganlyniad i'r gwelliant hwn yn y cyflenwad dŵr, pan gafwyd achos arall o'r clefyd colera yn 1866, bu farw 66 o bobl yn unig. Roedd hwn yn ostyngiad sylweddol ers yr achosion blaenorol. Mewn ymgais i leihau'r perygl y byddai colera yn cael ei gario i'r dref gan forwyr yn y dociau, roedd Dr Paine yn allweddol yn y penderfyniad i brynu a gosod y llong gleifion HMS *Hamadryad* a gafodd ei hangori yn ardal y dociau, ardal a ddaeth yn fwy adnabyddus yn ddiweddarach fel Tiger Bay (gweler tudalen 79). Fel Swyddog Meddygol, cymerodd Dr Paine gamau i leihau effeithiau'r frech wen yng Nghaerdydd drwy gyflwyno gwrth-heintio. Hefyd, pasiodd is-ddeddfau i atal pobl rhag taflu sbwriel a gwastraff yn afon Taf.

Drwy ei ymdrechion arloesol i gadw Caerdydd yn rhydd rhag clefydau a gwella glanweithdra, amcangyfrifwyd bod Dr Paine wedi achub dros 15,000 o fywydau erbyn iddo ymddeol yn 1889.

▲ **Ffynhonnell DD:** Dr Henry James Paine, Swyddog Meddygol Caerdydd rhwng 1853 ac 1889. Chwaraeodd ran flaenllaw i wella iechyd y cyhoedd yn y dref

Cyflenwad dŵr glân

Yn dilyn pasio Deddf Glanweithdra 1866, yr awdurdodau lleol oedd yn gyfrifol am y carthffosydd, y cyflenwad dŵr a glanhau strydoedd. Yng Nghaerdydd, roedd camau wedi eu cymryd cyn hyn i wella'r cyflenwad dŵr. Arweiniodd Deddf Gwaith Dŵr Caerdydd 1850 at adeiladu gorsaf bwmpio yn Nhrelái a gosodwyd pibellau dŵr ar draws y dref yn ystod yr 1850au i gyflenwi dŵr wedi'i hidlo. Wrth i'r dref dyfu adeiladodd y cwmni gronfa i storio dŵr yn Llanisien.

Yn 1879, cymerodd Corfforaeth Caerdydd y cyfrifoldeb am gyflenwi dŵr i'r dref ac adeiladwyd cronfeydd dŵr ychwanegol i storio dŵr ar ddiwedd yr 1880au.

Ysbyty'r dref

Twf trefol oedd y sbardun yn aml iawn ar gyfer adeiladu ysbytai yn ystod y ddeunawfed ganrif a'r bedwaredd ganrif ar bymtheg. Yn 1823, sefydlwyd fferyllfa yng Nghaerdydd i ddarparu cymorth meddygol i'r tlodion. Arweiniodd hyn at bwysau i adeiladu ysbyty, a diolch i gyfraniad o £3,550 gan gyfreithiwr cyfoethog, Daniel Jones o Gastell Beaupré, adeiladwyd clafdy y dref. Agorodd y 'Glamorgan and Monmouth Infirmary and Dispensary' yn 1837 i drin y 'tlodion haeddiannol' am ddim, ond codwyd tâl ar y bobl oedd yn gallu fforddio talu.

Wrth i Gaerdydd barhau i dyfu'n gyflym, rhoddwyd mwy o bwysau ar yr ysbyty i ehangu ac adeiladwyd estyniadau yn aml. Agorwyd ysbyty newydd yn 1883 ond cyn bo hir roedd yn rhy fach i fodloni anghenion y boblogaeth gynyddol, ac ychwanegwyd estyniad yn 1894 (gweler Ffynhonnell E). Yn 1895, cafodd ei ailenwi yn Ysbyty Caerdydd. Roedd poblogaeth y dref wedi tyfu o 65,811 yn 1831 i 885,000 yn 1914.

> **Ffynhonnell E:** Sylw gan y Parchedig W. E. Winks ar gynllun newydd i ymestyn Ysbyty Caerdydd yn *Programme, Guide and Souvenir of a Grand Bazaar in Aid of the Building Fund of Cardiff Infirmary, 1896*
>
> Mae'n ymddangos erbyn hyn nad oes unrhyw adeilad sy'n eiddo i unrhyw sefydliad cyhoeddus yn y dref hon, yn ddigonol i ateb y galw am fwy na rhyw ddeng mlynedd. Mae'r dref fel bachgen ifanc sy'n tyfu mor gyflym nes bod ei ddillad yn mynd yn rhy fach iddo, er eu bod nhw'n gymharol newydd.

Tabl 7.4: Nifer y gwelyau yn Ysbyty Caerdydd

Blwyddyn	Nifer y gwelyau
1837	20
1862	50
1873	60
1883	120
1903	154
1911	270

Baddondai a thai golchi cyhoeddus

Roedd Deddf Baddondai a Thai Golchi Cyhoeddus 1846 yn galluogi awdurdodau lleol i godi arian drwy ardrethi i adeiladu baddondai cyhoeddus. Roedd pobl oes Fictoria yn sylweddoli y byddai iechyd y cyhoedd yn gwella wrth roi cyfleoedd i bobl ymolchi a golchi eu dillad.

Ym mis Mai 1862, agorodd Cwmni Baddondai Caerdydd gyfleusterau newydd yn Guildford Street. Roedd yno ddau bwll nofio mawr, dau bwll dŵr poeth a baddon Twrcaidd. Fodd bynnag, doedd y lle ddim yn gwneud elw gan nad oedd llawer o bobl yn mynd yno, a bu'n rhaid ei gau erbyn dechrau'r 1870au. Doedd llawer o bobl dlawd ddim yn gallu fforddio'r pris mynediad. Cafodd y baddondy ei roi yng ngofal Corfforaeth Caerdydd ac erbyn diwedd y ganrif roedd yn llawer mwy poblogaidd, a bu'n rhaid ailfodelu'r pyllau rhwng 1895 ac 1896.

> **Ffynhonnell F:** Dorothy Scannell yn disgrifio ymweliad â'r baddondy cyhoeddus yn yr 1890au, rhywbeth yr oedd miloedd o bobl yn ei wneud bob wythnos
>
> Pan oedden ni'n rhy hen i mam ein golchi yn yr hen fath tun, bydden ni'n ymuno â'r rhai hŷn bob dydd Gwener ac yn mynd i'r baddondy cyhoeddus. Byddai'n rhaid i ni fynd yn gynnar oherwydd roedd torf fawr yn ymgasglu yn yr ystafell aros pan fyddai'r bobl ifanc yn dod adref o'r gwaith. Roedd yn amhosibl i ferch fynd i'r baddondy cyn mynd i ddawns, oherwydd byddai'n rhaid aros dros ddwy awr weithiau i gael bath. Bydden ni bob amser yn gweld priodferch yn mynd yno y noson cyn iddi briodi.

Gwelliannau eraill ym maes iechyd y cyhoedd

Roedd Deddf Iechyd y Cyhoedd 1875 yn adeiladu ar gyfreithiau blaenorol ac yn gorchymyn awdurdodau lleol i roi caeadau ar garthffosydd, eu cadw mewn cyflwr da, cyflenwi dŵr ffres i'w dinasyddion, casglu sbwriel a darparu goleuadau stryd.

> **MEDDYLIWCH** ?
>
> 1. A wnaeth deddfwriaeth y llywodraeth helpu i wella iechyd y cyhoedd yng Nghaerdydd yn ystod y bedwaredd ganrif ar bymtheg? Rhowch enghreifftiau penodol i gefnogi eich ateb.
> 2. Pa mor bwysig oedd cyfraniad Dr Henry James Paine i welliannau yn iechyd y cyhoedd yng Nghaerdydd yn ystod y cyfnod hwn?
> 3. Astudiwch Ffynhonnell F. Sut gwnaeth agor y baddondai a'r tai golchi cyhoeddus wella iechyd y cyhoedd?

Effeithlonrwydd yr ymdrechion i wella iechyd y cyhoedd

Er bod yr achosion niferus o deiffoid a cholera wedi tynnu sylw at yr amodau byw budr ac annymunol iawn yn rhannau o Gaerdydd, ni wnaethon nhw ddod â gwelliannau parhaol i iechyd y cyhoedd yn y dref. Ar ôl unrhyw haint, byddai ymdrech yn cael ei wneud i lanhau tai, lleihau gorlenwi, gwyngalchu adeiladau a chasglu gwastraff, ond ymateb tymor byr oedd hyn yn amlach na pheidio a chyn hir byddai'r amodau yn mynd yn ôl i'r sefyllfa oedd yn bodoli cyn yr achosion o glefydau.

Fel rydyn ni wedi gweld, y sbardun gwirioneddol ar gyfer cyflwyno newidiadau mwy parhaol oedd ymchwiliadau'r llywodraeth a phasio deddfwriaeth benodol:

- Deddf Iechyd y Cyhoedd 1848. Yng Nghaerdydd, arweiniodd y ddeddf at sefydlu Bwrdd Iechyd Lleol a phenodi Swyddog Iechyd (Dr H. J. Paine) i oruchwylio iechyd y cyhoedd.
- Adroddiad Rammell, 1850. Tynnodd sylw at yr angen i gymryd camau er mwyn gwella iechyd y cyhoedd. Defnyddiodd Dr H. J. Paine yr adroddiad hwn fel sail ar gyfer y newidiadau a gyflwynodd.
- Deddf Glanweithdra 1866. Roedd yn gorfodi awdurdodau lleol i fod yn gyfrifol am sicrhau bod cyflenwad diogel o ddŵr. Cymerodd Corfforaeth Caerdydd y cyfrifoldeb hwn oddi ar gwmnïau preifat yn 1879.
- Deddf Baddondai a Thai Golchi Cyhoeddus 1846. Roedd yn galluogi awdurdodau lleol i adeiladu baddondai cyhoeddus. Cymerodd Corfforaeth Caerdydd y cyfrifoldeb am redeg baddondai'r dref oddi ar gwmnïau preifat ar ddechrau'r 1870au.

Sbardun arall a arweiniodd at gyflwyno gwelliannau oedd y newid yn agwedd pobl tuag at iechyd y cyhoedd. Yn ystod hanner olaf y bedwaredd ganrif ar bymtheg mabwysiadodd awdurdodau lleol agwedd fwy dyngarol, gan gyflwyno mesurau â'r nod penodol o wella amodau byw y trigolion. Fe wnaeth Corfforaeth Caerdydd ysgwyddo'r cyfrifoldeb hwn, gan sicrhau bod parciau cyhoeddus yn cael eu hagor ar draws y dref: Parc y Rhath yn 1894, Parc Victoria yn 1897 a Pharc Cathays yn 1897. Hefyd, cymerodd gamau i osod palmentydd ar y strydoedd a'u goleuo yn y nos, gan fod Gwaith Nwy Caerdydd wedi ei sefydlu mor gynnar ag 1821. Agorwyd mynwent newydd, Mynwent Cathays, yn 1859. Yn 1861, agorwyd cyfleusterau eraill fel llyfrgell gyhoeddus a baddondai cyhoeddus. Cyflwynwyd rheoliadau cynllunio hefyd yn ogystal ag adroddiadau meddygol blynyddol ar gyflwr iechyd y cyhoedd.

Gellir mesur effaith gwelliannau o'r fath drwy edrych ar y lleihad yn nifer y marwolaethau o bob epidemig colera, a hynny ar adeg pan oedd poblogaeth Caerdydd yn tyfu'n gyflym (gweler Tabl 7.5). Erbyn 1900, cyfradd marwolaethau babanod Caerdydd oedd y bedwaredd isaf am dref o'i maint ym Mhrydain (o'i chymharu â'r 1840au pan oedd chwarter y plant yn marw cyn eu pen-blwydd cyntaf). Roedd hyn yn welliant mawr.

Achosion o golera	Nifer y marwolaethau yng Nghaerdydd	Poblogaeth Caerdydd
1849	396	18,351 (cyfrifiad 1851)
1854	225	18,351 (cyfrifiad 1851)
1866	76	48,965 (cyfrifiad 1861)
1893	3	128,915 (cyfrifiad 1891)

▲ **Tabl 7.5:** Nifer y marwolaethau yng Nghaerdydd yn ystod pob epidemig colera, mewn perthynas â maint y boblogaeth

---

MEDDYLIWCH

Defnyddiwch y wybodaeth yn Nhabl 7.5, a'r hyn rydych chi'n ei wybod, i nodi unrhyw gysylltiadau rhwng achosion o golera a gwelliannau yn iechyd y cyhoedd yng Nghaerdydd.

Erbyn 1905, pan ddaeth Caerdydd yn ddinas, roedd ganddi brifysgol, sawl stadiwm chwaraeon a pharciau agored yng nghanol y ddinas, ac roedd adeiladau baróc hardd fel Neuadd y Ddinas a'r Amgueddfa Genedlaethol wedi eu hadeiladu. Roedd y dref yn datblygu balchder dinesig yn ei hymddangosiad (gweler Ffynhonnell FF). Eto i gyd, roedd rhai ardaloedd yn dal i fod yn fudr ac yn annymunol iawn, ac roedd tlodi yn amlwg mewn mannau tan ddechrau'r ugeinfed ganrif. Yn y strydoedd hŷn, fel Stanley Street, doedd dim llawer o welliannau amlwg ac mor ddiweddar ag 1891, roedd y papur newydd lleol yn adrodd am gyflwr afiach yr hen dai diwydiannol (gweler Ffynhonnell G).

▲ **Ffynhonnell FF:** Neuadd y Ddinas Caerdydd a'r Amgueddfa Genedlaethol a gafodd eu cwblhau yn 1905

Ffynhonnell G: Adroddiad am yr amodau byw budr ac annymunol iawn yn Stanley Street a ymddangosodd ym mhapur newydd y *Cardiff Argus*, 10 Ionawr 1891

Stanley Street ... stryd sydd droedfeddi yn unig o led, ac yn ei chanol mae sianel cul lle bydd yr holl hylif sy'n wastraff, slops, etc., yn llifo o'r tai o bob ochr. Mae'r drewdod sy'n dod o ran isaf y gwter agored hwn yn yr haf yn aml yn ofnadwy. Y stryd, sydd yn ddim mwy na llwybr cerdded wedi'i balmantu, yw man sychu holl drigolion y tai. Mae lein ddillad sydd ar gael i bawb, yn ymestyn o un pen o'r llwybr i'r llall ac yn ystod y tywydd braf, mae'n cael ei defnyddio drwy'r amser.

I ba raddau, felly, roedd iechyd y cyhoedd wedi gwella yng Nghaerdydd erbyn 1900? Er bod newidiadau mawr wedi digwydd yn ansawdd tai yn sgil cyflwyno deddfau cynllunio a rheoliadau adeiladu ac archwiliadau, roedd tlodi yn parhau o hyd, fel Stanley Street. Roedd sicrhau cyflenwad diogel o ddŵr yfed pur drwy osod pibellau o dan y ddaear wedi cael llawer mwy o effaith. Gwnaeth hyn leihau'r perygl o halogi, sef un o'r prif ffactorau oedd yn achosi colera. Yn ogystal â hyn, gwelwyd gwelliant yn y dull o waredu carthion drwy adeiladu carthffosydd tanddaearol a chasglu gwastraff y cartref. Roedd cyfleusterau meddygol gwell, fel clafdy i edrych ar ôl unigolion heintus ac agor baddondai cyhoeddus a chyfleusterau golchi dillad, i gyd yn helpu i wella safon cyffredinol iechyd y cyhoedd, gan wneud Caerdydd yn lle mwy iach i fyw.

MEDDYLIWCH

1 Astudiwch Ffynonellau FF a G. Beth maen nhw'n ei awgrymu am iechyd y cyhoedd yng Nghaerdydd erbyn 1905?

2 Pa mor llwyddiannus oedd Corfforaeth Caerdydd wrth wella iechyd y cyhoedd yn y dref erbyn diwedd y bedwaredd ganrif ar bymtheg?

AILYMWELD Â'R DASG FFOCWS

Edrychwch eto ar y dasg ffocws rydych chi wedi ei chwblhau wrth weithio drwy'r bennod hon. Gan weithio mewn parau, trafodwch y pwyntiau canlynol:

1 Yn eich barn chi, beth oedd y problemau mwyaf oedd yn wynebu pobl Caerdydd o safbwynt iechyd y cyhoedd yng nghanol y bedwaredd ganrif ar bymtheg?

2 I ba raddau cafodd y problemau hynny eu datrys erbyn diwedd y bedwaredd ganrif ar bymtheg? Defnyddiwch enghreifftiau penodol i egluro eich ateb.

GWEITHGAREDDAU

Rhannwch yn grwpiau o bedwar neu bump i gwblhau'r dasg hon.

Yn ein byd heddiw, mae pobl yn dweud wrthon ni bod mwy o siawns y bydd clefyd yn ymddangos a fydd yn gallu gwrthsefyll triniaeth gwrthfiotigau. Pe bai clefyd o'r fath, a fyddai'n heintus iawn ac yn achosi llawer o farwolaethau ar ôl i rywun gael ei heintio, yn dod i'r amlwg mewn dinas fawr fel Caerdydd, pa gamau ddylai'r llywodraeth eu cymryd, yn eich barn chi, er mwyn:

1 atal y clefyd rhag lledaenu

2 lleihau'r gyfradd marwolaethau uchel?

Rhannwch a chymharwch argymhellion y grwpiau gwahanol yn eich dosbarth.

CRYNODEB O'R TESTUN

■ Tyfodd poblogaeth Caerdydd yn gyflym iawn yn ystod y bedwaredd ganrif ar bymtheg.

■ Datblygodd Caerdydd o fod yn dref fach ag 1,871 o drigolion yn 1801, yn dref fwyaf Cymru erbyn 1901, â phoblogaeth o 164,333.

■ Tyfodd Caerdydd yn gyflym oherwydd cyfuniad o ffactorau – rheilffordd Taf, y dociau, mudo, a datblygiadau diwydiannol a masnachol.

■ Roedd amodau byw yn y dref oedd yn tyfu'n gyflym yn fudr ac yn annymunol oherwydd tai o ansawdd gwael, gorlenwi, diffyg dŵr glân, carthffosydd agored, a diffyg gwasanaeth casglu sbwriel.

■ Roedd achosion o glefydau yn gyffredin, yn enwedig teiffoid a cholera, a oedd yn cael eu lledaenu gan ddŵr wedi'i halogi.

■ Roedd pedwar achos o golera yng Nghaerdydd – 1849, 1854, 1866 ac 1893.

■ Pasiodd y llywodraeth ddeddfwriaeth gyda'r nod o wella amodau byw: Deddf Baddondai a Thai Golchi Cyhoeddus, Deddf Iechyd y Cyhoedd a'r Ddeddf Glanweithdra.

■ Mewn ymateb i Ddeddf Iechyd y Cyhoedd 1848, sefydlodd Caerdydd Fwrdd Iechyd Lleol.

■ Penodwyd Dr Henry James Paine yn Swyddog Iechyd Meddygol Caerdydd yn 1853, swydd y bu ef ynddi nes iddo ymddeol yn 1889.

■ Agorwyd Ysbyty Caerdydd yn 1837 ac adeiladwyd ysbyty newydd yn ei le yn 1883.

■ Agorodd Cwmni Baddondai Caerdydd bwll nofio a thŷ golchi cyhoeddus yn Guildford Street yn 1862.

■ Cyflwynodd Corfforaeth Caerdydd welliannau, gan agor parciau, mynwent newydd, llyfrgell gyhoeddus, gosod palmentydd a threfnu bod gwastraff yn cael ei gasglu.

■ Cafwyd gwelliannau ym maes iechyd y cyhoedd, fel y dangoswyd yn y gostyngiad mewn marwolaethau pan gafwyd achos o golera, ond roedd tlodi yn amlwg o hyd mewn rhannau o'r dref.

Cwestiynau ymarfer

1 Disgrifiwch amodau byw yng Nghaerdydd yn ystod adeg yr achosion o golera yn 1849 ac 1854. (*Am arweiniad, gweler tudalen 122.*)

2 Esboniwch pam roedd iechyd y cyhoedd wedi gwella mewn trefi diwydiannol fel Caerdydd erbyn diwedd y bedwaredd ganrif ar bymtheg. (*Am arweiniad, gweler tudalen 124.*)

Arweiniad ar Arholiadau CBAC

Yng Nghwestiwn 1 mae'n rhaid i chi gynnig term hanesyddol penodol i gwblhau'r frawddeg. Gall fod yn enw, dyddiad, dull penodol neu derm meddygol.

Yng Nghwestiwn 2 mae'n rhaid i chi gymharu a chyferbynnu beth rydych chi'n gallu ei weld yn y tair ffynhonnell. Bydd angen i chi ddewis nodweddion sydd yr un peth/ yn debyg a hefyd pethau sy'n wahanol/yn cyferbynnu.

Yng Nhwestiwn 3 mae'n rhaid i chi ddangos yr hyn rydych chi'n ei wybod a'i ddeall am nodwedd allweddol, a chynnwys gwybodaeth benodol sy'n ymwneud â safle hanesyddol sy'n cael ei enwi yn y cwestiwn.

Yng Nghwestiwn 4 mae'n rhaid i chi ddangos yr hyn rydych chi'n ei wybod a'i ddeall am nodwedd allweddol. Dylech chi geisio cynnwys manylion ffeithiol penodol.

Yng Nghwestiwn 5 mae'n rhaid i chi nodi nifer o resymau er mwyn esbonio pam roedd datblygiad/mater allweddol yn bwysig neu'n arwyddocaol. Dylech chi geisio cynnwys manylion ffeithiol penodol.

Yng Nghwestiwn 6 mae'n rhaid i chi ddefnyddio yr hyn rydych chi'n ei wybod i esbonio pwysigrwydd/arwyddocâd/ effeithiolrwydd mater allweddol gan ddefnyddio manylion ffeithiol penodol i gefnogi eich ateb. Bydd hyn yn eich galluogi chi i ddatblygu barn resymegol sydd wedi'i chadarnhau.

Bydd yr adran hon yn cynnig arweiniad cam wrth gam i chi ar sut i fynd ati i ateb y mathau o gwestiynau fydd yn yr arholiad. Isod cewch weld enghraifft o bapur arholiad gyda set o gwestiynau arholiad enghreifftiol (heb y ffynonellau).

Uned tri: astudiaeth thematig

3B Newidiadau ym maes Iechyd a Meddygaeth, tua 1340 hyd heddiw

Amser a ganiateir: 1 awr 15 munud

1 Cwblhewch y brawddegau isod gan ddefnyddio'r term cywir.

   a) Mae James Lister yn fwyaf enwog am ei waith gydag ....

   b) Ysgrifennodd William Harvey lyfr am gylchrediad y ....

   c) Cafodd y Gwasanaeth Iechyd Gwladol ei sefydlu ar ôl yr .... Ryfel Byd.

   ch) Cafodd adroddiad dylanwadol ar iechyd y cyhoedd ei ysgrifennu yn 1842 gan Edwin .... **[4 marc]**

2 Edrychwch ar y tair ffynhonnell sy'n dangos amodau byw dros amser ac atebwch y cwestiwn sy'n dilyn.

Defnyddiwch Ffynonellau A, B ac C i nodi un tebygrwydd ac un gwahaniaeth mewn amodau byw dros amser. **[4 marc]**

[Defnyddiwch o leiaf dwy o'r ffynonellau i ateb y cwestiwn]

3 Disgrifiwch yr amodau byw mewn trefi diwydiannol fel Caerdydd wnaeth arwain at achosion o'r clefyd colera yng nghanol y bedwaredd ganrif ar bymtheg. **[6 marc]**

4 Disgrifiwch y meddyginiaethau llysieuol traddodiadol gafodd eu defnyddio cyn yr oes fodern. **[6 marc]**

[Yn eich ateb, rydych chi'n cael eich cynghori i gyfeirio at feddyginiaethau llysieuol gafodd eu defnyddio yng Nghymru]

5 Esboniwch pam roedd datblygiadau mewn brechu yn bwysig o ran atal afiechyd a chlefydau yn y bedwaredd ganrif ar bymtheg a'r ugeinfed ganrif. **[12 marc]**

6 Pa mor effeithiol oedd datblygiad a'r defnydd o dechnegau sganio yn yr ugeinfed ganrif? **[12 marc]**

7 I ba raddau mae'n bosibl dweud mai datblygiad anaesthetig modern fu'r dull mwyaf effeithiol o drin a gwella afiechyd dros amser? **[16 marc]**

Yn eich ateb dylech chi wneud y canlynol:

- asesu pa mor effeithiol yw anaestheteg fodern fel dull o drin afiechyd
- trafod pa mor effeithiol oedd dulliau eraill o drin afiechyd dros dri chyfnod hanesyddol
- cyfeirio'n uniongyrchol at hanes Cymru.

Mae marciau am sillafu, atalnodi a defnyddio gramadeg a thermau arbenigol yn gywir yn cael eu rhoi am y cwestiwn hwn. **[4 marc]**

Cyfanswm marciau'r papur: 64

Yng Nghwestiwn 7 mae'n rhaid i chi ddatblygu ateb dwyochrog sy'n cynnig tystiolaeth benodol i gefnogi'r mater allweddol sydd wedi'i enwi yn y cwestiwn a dadlau yn ei erbyn. Rhaid i chi ymdrin â thri chyfnod hanesyddol **rhaid** i chi fanylu ar y **cyd-destun Cymreig**. Cofiwch wirio eich sillafu, atalnodi a gramadeg.

Arweiniad ar Arholiadau CBAC

Arweiniad ar Arholiadau ar gyfer Cwestiwn 1

Mae'r adran hon yn cynnig arweiniad ar sut i ateb y cwestiynau gwybodaeth ffeithiol. Edrychwch ar y cwestiwn canlynol:

> Cwblhewch y brawddegau isod gan ddefnyddio'r term cywir.
>
> a) Roedd meddygon yr oesoedd canol yn seilio eu gwybodaeth feddygol ar ddamcaniaeth y pedwar ....
>
> b) Yn ystod yr ail ganrif ar bymtheg, cafwyd achos yn Llundain o'r .... Mawr.
>
> c) Cyflwynodd Florence Nightingale newidiadau pwysig ym maes .... modern.
>
> ch) Cafodd adroddiad pwysig ar ddarpariaeth lles ei ysgrifennu yn 1942 gan William ....

Sut i ateb

- Gwnewch yn siŵr eich bod yn adolygu eich nodiadau yn drylwyr – mae angen gwybodaeth ffeithiol dda i ateb y cwestiynau hyn.
- Wrth adolygu, dylech ganolbwyntio ar faterion allweddol fel:
  - ☐ enwau unigolion pwysig yn natblygiad gwybodaeth feddygol
  - ☐ enwau'r dulliau gwahanol o drin afiechydon a chlefydau
  - ☐ enwau'r adroddiadau iechyd a meddygol allweddol a'r deddfau seneddol
  - ☐ termau meddygol allweddol
  - ☐ datblygiadau allweddol yn hanes iechyd a meddygaeth.
- Os nad ydych chi'n siŵr, dyfalwch – peidiwch byth â gadael lle gwag.

Enghraifft

> a) Roedd meddygon yr oesoedd canol yn seilio eu gwybodaeth feddygol ar ddamcaniaeth y pedwar gwlybwr.
>
> b) Yn ystod yr ail ganrif ar bymtheg, cafwyd achos yn Llundain o'r Pla Mawr.
>
> c) Cyflwynodd Florence Nightingale newidiadau pwysig ym maes nyrsio modern.
>
> ch) Cafodd adroddiad pwysig ar ddarpariaeth lles ei ysgrifennu yn 1942 gan William Beveridge.

> ### Nawr, rhowch gynnig ar ateb y cwestiynau canlynol:
>
> Cwblhewch y brawddegau isod gan ddefnyddio'r term cywir.
>
> a) Cafodd y Pla Du ei ledaenu gan chwain oedd yn byw ar ....
>
> b) Mae Edward Jenner yn fwyaf enwog am ei waith gydag ....
>
> c) Mae Addenbrooke a Guy yn enghreifftiau o .... gwaddoledig.
>
> ch) Cafodd y cysylltiad rhwng germau a chlefydau ei archwilio gan Louis ....

Arweiniad ar Arholiadau ar gyfer Cwestiwn 2

Mae'r adran hon yn cynnig arweiniad ar sut i ateb y cwestiwn 'tebygrwydd a gwahaniaeth'. Bydd yn rhaid i chi ddewis gwybodaeth o dair ffynhonnell er mwyn nodi tebygrwydd a gwahaniaethau. Edrychwch ar y cwestiwn canlynol:

> Edrychwch ar y tair ffynhonnell isod sy'n dangos sut roedd afiechydon yn cael eu trin dros amser. Defnyddiwch Ffynonellau A, B ac C i nodi un tebygrwydd ac un gwahaniaeth yn y ffordd roedd afiechydon yn cael eu trin dros amser.

▲ Ffynhonnell A: Dyn yn cael ei waedu gan ddefnyddio gelenod yn ystod yr oesoedd canol

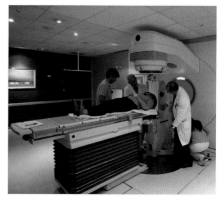

▲ Ffynhonnell C: Claf yn cael therapi ymbelydredd

▲ Ffynhonnell B: Yr Athro Alexander Fleming a Phenisilin

Sut i ateb

- Astudiwch y tair ffynhonnell – dewiswch nodweddion sydd yr un peth neu'n debyg.
- Dewiswch bwyntiau sy'n cyferbynnu – sy'n dangos bod pethau yn wahanol.
- Gwnewch yn siŵr eich bod yn cyfeirio at debygrwydd **a** gwahaniaeth yn eich ateb.

Enghraifft

Mae'r holl ffynonellau yn dangos ymdrechion gan bobl feddygol i drin afiechydon. Yn ystod eu cyfnod eu hunain, roedden nhw i gyd yn cael eu hystyried yn arbenigwyr meddygol – mae Ffynhonnell A yn dangos meddyg yn trin claf yn ystod yr oesoedd canol, mae Ffynhonnell B yn dangos athro meddygaeth, ac mae Ffynhonnell C yn dangos meddyg arbenigol.

Cam 1: Nodwch nodweddion sy'n debyg – pethau sydd yr un peth ym mhob un o'r ffynonellau.

Fodd bynnag, mae'r ffynonellau yn wahanol gan eu bod yn dangos gwahanol fathau o driniaethau. Mae Ffynhonnell A yn dangos dulliau cyntefig o waedu'r claf gan ddefnyddio gelenod. Mae Ffynhonnell B yn dangos datblygiad cyffuriau arbenigol i ymladd afiechydon a chlefydau, ac mae Ffynhonnell C yn dangos peiriannau sganio modern yn cael eu defnyddio i ganfod afiechydon a chlefydau. Mae'n dangos sut mae'r dulliau o drin afiechyd wedi newid dros amser.

Cam 2: Nodwch nodweddion sy'n wahanol – pethau sy'n cyferbynnu ac sydd ddim yr un peth ym mhob un o'r ffynonellau.

Nawr, rhowch gynnig ar ateb y cwestiwn canlynol:

Edrychwch ar y tair ffynhonnell isod sy'n dangos iechyd y cyhoedd dros amser. Defnyddiwch Ffynonellau A, B ac C i nodi un tebygrwydd ac un gwahaniaeth yn iechyd y cyhoedd dros amser.

▲ Ffynhonnell A: Golygfa o dref ganoloesol

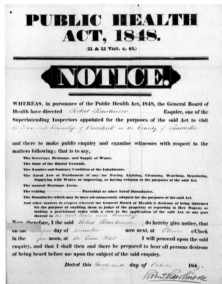

▲ Ffynhonnell B: Deddf Iechyd y Cyhoedd 1848

▲ Ffynhonnell C: Datblygiad tai o'r 1970au

Arweiniad ar Arholiadau ar gyfer Cwestiwn 3

Mae'r adran hon yn cynnig arweiniad ar sut i ateb cwestiwn yn ymwneud ag astudiaeth o safle hanesyddol sy'n gysylltiedig ag iechyd a meddygaeth. Cwestiwn 'disgrifio' yw hwn sy'n gofyn i chi ddangos gwybodaeth a dealltwriaeth o nodwedd allweddol. Edrychwch ar y cwestiwn canlynol:

> Disgrifiwch yr ymdrechion gafodd eu gwneud mewn trefi diwydiannol fel Caerdydd i wella iechyd y cyhoedd yn ystod ail hanner y bedwaredd ganrif ar bymtheg.

Sut i ateb

- Rhaid i chi nodi a disgrifio o leiaf dwy nodwedd allweddol.
- Dylech gynnwys gwybodaeth berthnasol yn unig.
- Byddwch yn benodol; dylech osgoi sylwadau cyffredinol.
- Rhowch fanylion penodol mewn perthynas â'r safle hanesyddol sy'n cael ei enwi yn y cwestiwn.

Enghraifft

Cam 1: Nodwch a datblygwch reswm/nodwedd allweddol. Dylech gynnwys gwybodaeth berthnasol mewn perthynas â'r safle hanesyddol sy'n cael ei enwi yn y cwestiwn.

Roedd amodau byw gwael a'r bygythiad parhaus o glefydau yn golygu bod gwelliannau yn iechyd y cyhoedd wedi dod yn bryder mawr yn ystod ail hanner y bedwaredd ganrif ar bymtheg. Ar ôl pasio Deddf Iechyd y Cyhoedd yn 1848, ymatebodd Corfforaeth Caerdydd drwy benodi Dr Henry James Paine yn Swyddog Meddygol cyntaf y dref. Fe wnaeth Dr Paine annog sefydlu Cwmni Gwaith Dŵr Caerdydd ac aeth y cwmni ati i osod pibellau dŵr i ddarparu dŵr yfed glân a diogel, gan leihau'r bygythiad o achosion o'r clefyd colera. Gosodwyd carthffosydd o dan y ddaear i gario carthffosiaeth y dref i ffwrdd. Pwysodd Dr Paine hefyd i sicrhau bod pobl yn cael eu brechu yn erbyn y frech wen. Prynodd long ysbyty a'i ffitio ag offer yn Tiger Bay i drin morwyr â chlefydau heintus er mwyn atal y clefydau rhag lledaenu i'r dref. Drwy'r gweithredoedd hyn helpodd i sicrhau gwelliannau yn iechyd y cyhoedd yn y dref.

Cam 2: Nodwch a datblygwch unrhyw resymau/neu nodweddion allweddol eraill. Dylech geisio ymdrin yn fanwl â dau neu dri rheswm/nodwedd sy'n benodol i'r safle hanesyddol sy'n cael ei enwi.

Chwaraeodd Corfforaeth Caerdydd ei rhan hefyd i sicrhau gwelliannau. Darparodd dir ar gyfer creu parciau cyhoeddus yn y Rhath a Cathays, a rhoddodd anogaeth i sefydlu Cwmni Baddondai Caerdydd er mwyn darparu pyllau nofio a baddondai dŵr poeth ar gyfer pobl y dref. Agorwyd mynwent newydd yn Cathays yn 1859 ac ailadeiladwyd clafdy'r dref yn yr 1880au. Cafodd ardaloedd o dai gwael eu dymchwel er mwyn gwneud lle ar gyfer adeiladau dinesig newydd, fel Neuadd y Ddinas a'r Amgueddfa Genedlaethol. Cyflwynwyd rheoliadau cynllunio ac mae'r Adroddiadau Meddygol blynyddol ar Gyflwr Iechyd y Cyhoedd yn datgelu bod llawer o gamau wedi eu cymryd i wella iechyd y cyhoedd mewn trefi fel Caerdydd rhwng 1848 ac 1900.

> **Nawr, rhowch gynnig ar ateb y cwestiwn canlynol:**
>
> Disgrifiwch yr effaith gafodd yr achosion o golera yn ystod ail hanner y bedwaredd ganrif ar bymtheg ar dref ddiwydiannol fel Caerdydd.

Arweiniad ar Arholiadau ar gyfer Cwestiwn 4

Mae'r adran hon yn cynnig arweiniad ar sut i ateb cwestiwn 'disgrifio'. Bydd yn rhaid i chi ddangos gwybodaeth a dealltwriaeth o nodwedd allweddol. Edrychwch ar y cwestiwn canlynol:

> Disgrifiwch ddatblygiad y dulliau a ddefnyddiwyd er mwyn atal y pla rhag lledaenu yn ystod y Pla Du.

Sut i ateb

- Rhaid i chi nodi a disgrifio o leiaf dwy nodwedd allweddol.
- Dylech gynnwys gwybodaeth berthnasol yn unig.
- Byddwch yn benodol; dylech osgoi sylwadau cyffredinol.

Enghraifft

Lledaenodd y Pla Du yn gyflym ar draws Ewrop yn ystod 1348–49 gan achosi marwolaeth hyd at 40 y cant o'r boblogaeth. Roedd yn heintus iawn a datblygwyd gwahanol ddulliau er mwyn ceisio ei atal rhag lledaenu. Un dull cyffredin oedd cwarantin. Byddai teithwyr yn cael eu rhoi mewn ardaloedd cwarantin cyn cael caniatâd i ddod i mewn i dref. Dull arall a fabwysiadwyd er mwyn atal clefydau rhag lledaenu o gyrff meirw oedd yn aros i gael eu claddu, oedd cyflymu'r broses drwy fynd â'r meirw i gael eu claddu mewn un twll mawr y tu allan i furiau'r dref. Roedd yn bwysig eu claddu mor fuan â phosibl. Roedd yn rhaid i deuluoedd oedd wedi'u heintio roi byrddau ar eu drysau a'u ffenestri er mwyn atal heintio'r cymdogion.

> **Cam 1:** Nodwch a datblygwch reswm/nodwedd allweddol, a rhowch fanylion penodol i'w gefnogi.

Roedd y dulliau eraill a ddatblygwyd yn cynnwys gwneud mwy o ddefnydd o ddiodydd fel theriac neu gario blodau persawrus a pherlysiau, gan gredu y bydden nhw'n lladd y pla. Cafodd dillad pobl a heintiwyd eu llosgi yn y gobaith y byddai'n lladd yr haint. Mewn ymgais i apelio at Dduw am drugaredd, byddai pobl yn eu chwipio eu hunain i ddangos eu dioddefaint, yn y gobaith y byddai'r penyd hwn yn golygu na fydden nhw'n dal y clefyd. Mewn ymgais i osgoi dal y pla, datblygodd meddygon ddillad amddiffynnol, gan wisgo gŵn a chwfl wrth alw i weld cleifion yn eu tai. Roedd eu cwfl yn cynnwys pig wedi'i stwffio â pherlysiau.

> **Cam 2:** Nodwch a datblygwch unrhyw resymau/nodweddion allweddol eraill. Dylech geisio ymdrin â dau neu dri rheswm/nodwedd yn fanwl.

> **Nawr, rhowch gynnig ar ateb y cwestiwn canlynol:**
>
> Disgrifiwch ddatblygiad damcaniaeth y pedwar gwlybwr yn ystod yr oesoedd canol.

Arweiniad ar Arholiadau ar gyfer Cwestiwn 5

Mae'r adran hon yn cynnig arweiniad ar sut i ateb cwestiwn 'esbonio'. Bydd yn rhaid i chi nodi a thrafod nifer o resymau er mwyn esbonio pam roedd datblygiad/mater allweddol yn bwysig neu'n arwyddocaol. Edrychwch ar y cwestiwn canlynol:

> Esboniwch pam roedd gwaith Pasteur a Koch yn bwysig yn natblygiad gwybodaeth feddygol yn ystod y bedwaredd ganrif ar bymtheg a'r ugeinfed ganrif.

Sut i ateb

- Dylech geisio rhoi amrywiaeth o resymau wedi'u hesbonio.
- Ceisiwch gynnwys manylion penodol fel enwau, dyddiadau, digwyddiadau, datblygiadau a chanlyniadau.
- Dylech bob amser roi enghreifftiau i gefnogi eich gosodiadau.
- Cofiwch fod angen i chi roi barn, gwerthuso pwysigrwydd neu arwyddocâd yr unigolyn sy'n cael ei enwi, y datblygiad neu'r mater dan sylw.

Enghraifft

Cam 1: Rhowch sawl rheswm i gefnogi'r farn bod y ffactor y cyfeirir ato yn y cwestiwn yn bwysig neu'n arwyddocaol. Dylech gynnwys manylion ffeithiol penodol i gefnogi eich barn.

> Roedd gwaith Louis Pasteur a Robert Koch yn bwysig iawn yn natblygiad gwybodaeth feddygol yn y bedwaredd ganrif ar bymtheg a'r ugeinfed ganrif. Datblygodd Pasteur 'y ddamcaniaeth germau', oedd yn awgrymu mai germau oedd yn achosi clefydau. Drwy archwilio achosion clefydau darganfyddodd fod y broses o gynhesu hylifau yn helpu i ladd germau, a daeth y broses hon i gael ei galw yn pasteureiddiad. Yn ogystal â hyn, adeiladodd ar waith arloeswyr cynharach fel Edward Jenner oedd wedi arbrofi gyda brechu yn erbyn y frech wen gan ddefnyddio clefyd brech y fuwch, a mynd â hyn gam ymhellach. Defnyddiodd fodel Jenner i ddatblygu brechiadau ar gyfer clefydau fel colera adar, anthracs a'r gynddaredd, ac arbrofodd mewn dulliau o frechu ac imiwneiddio. Cafodd ei waith ymchwil effaith fawr ar ddulliau o drin afiechydon.

Cam 2: Ychwanegwch ffactorau neu resymau ychwanegol er mwyn helpu i adeiladu achos cryf. Gwnewch yn siŵr bod eich gwybodaeth yn gywir ac yn berthnasol – ac yn ateb y cwestiwn.

> Datblygodd Koch waith Pasteur ymhellach drwy ynysu'r bacteria oedd yn gyfrifol am twbercwlosis, colera ac anthracs. Gwnaeth waith arloesol ym maes gwyddoniaeth newydd bacterioleg, gan brofi bod germ penodol yn achosi clefyd penodol. Hefyd, fe wnaeth ddarganfod bod gwrthgyrff yn helpu'r corff i ymladd yn erbyn germau drwy ddinistrio'r bacteria a thrwy wneud hynny maen nhw'n galluogi'r corff i adeiladu imiwnedd yn erbyn clefyd. Yn 1905, enillodd Wobr Nobel am ei waith ymchwil.

Cam 3: Gwnewch yn siŵr eich bod yn rhoi barn resymegol ar raddfa'r pwysigrwydd neu arwyddocâd. Cyfeiriwch at yr effaith tymor hir.

> Yn sgil eu harbrofion gyda germau, chwaraeodd Pasteur a Koch rôl bwysig ac arwyddocaol iawn yn natblygiad gwybodaeth feddygol. Roedd yn bosibl i wyddonwyr diweddarach ddefnyddio eu dulliau i ddatblygu brechiad yn erbyn diffheria a syffilis.

> **Nawr, rhowch gynnig ar ateb y cwestiwn canlynol:**
>
> Esboniwch pam roedd gwaith Edwin Chadwick yn bwysig o ran gwella iechyd y cyhoedd yn y bedwaredd ganrif ar bymtheg a'r ugeinfed ganrif.

Arweiniad ar Arholiadau ar gyfer Cwestiwn 6

Mae'r adran hon yn cynnig arweiniad ar sut i ateb cwestiwn sy'n gofyn am esboniad a dadansoddiad o fater penodol, ynghyd â barn.

> Pa mor effeithiol oedd datblygiad antiseptig a'r defnydd a wnaed ohono fel dull o drin a gwella afiechydon yn y bedwaredd ganrif ar bymtheg?

Sut i ateb

- Defnyddiwch yr hyn rydych chi'n ei wybod i roi'r mater allweddol yn ei gyd-destun.
- Esboniwch beth oedd yn digwydd ar yr amser hwnnw.
- Dylech gynnwys manylion ffeithiol penodol er mwyn helpu i lunio esboniad gwybodus.
- Dylech gyfeirio'n rheolaidd at y mater allweddol, gan roi rhywfaint o farn.
- Dylech gloi eich ateb drwy roi barn resymegol, gan gyfeirio'n glir at y cwestiwn.

Enghraifft

Roedd darganfod antiseptig a'r defnydd a wnaed ohono mewn llawfeddygaeth yn gam mawr ymlaen yn y dull o drin afiechydon yn y bedwaredd ganrif ar bymtheg. Tra oedd llawfeddygon yn gwella eu sgiliau ar y bwrdd llawdriniaeth roedd llawer o gleifion yn marw ar ôl llawdriniaeth gan fod eu clwyfau yn cael eu heintio â sepsis neu fadredd ysbyty. Haint oedd yn cael ei dal yn ystod neu ar ôl llawdriniaeth oedd hon, ac roedd y rhan fwyaf o bobl yn marw ohoni. Ar y pryd, doedd pobl ddim yn gwybod bod y dillad budr roedd y llawfeddygon yn eu gwisgo a'r defnydd o offer ansteril mewn gwirionedd yn cynyddu'r risg o haint i'r claf. Er bod llawer o gleifion yn goroesi'r llawdriniaeth, byddai llawer yn marw yn ddiweddarach oherwydd haint a gafodd ei hachosi gan y llawdriniaeth.

Cam 1: Dechreuwch drwy roi'r mater allweddol yn ei gyd-destun, gan ddarparu rhywfaint o fanylion cefndir.

Un llawfeddyg a gyflwynodd dechnegau arloesol newydd i leihau'r risg o haint gan wella siawns cleifion o oroesi llawdriniaethau oedd Joseph Lister. Roedd Lister wedi dysgu oddi wrth ddamcaniaeth germau Pasteur, a dechreuodd arbrofi gan ddefnyddio asid carbolig fel ffordd o ddiheintio ei offer llawfeddygol. Drwy gynnal arbrofion, darganfyddodd fod rhoi asid carbolig ar y clwyf a defnyddio gorchuddion wedi'u diheintio, yn lleihau'r risg o gael haint ar ôl llawdriniaeth yn sylweddol iawn. Yn 1871, dyfeisiodd beiriant oedd yn chwistrellu asid carbolig dros bob cornel o'r ystafell, a dros y llawfeddyg, y claf a'r cynorthwywyr yn ystod llawdriniaeth. Roedd ei ddulliau o ddefnyddio antiseptig i ddiheintio'r amgylchedd yn effeithiol iawn, a bu gostyngiad yn nifer ei gleifion a fu farw ar ôl llawdriniaeth o 47 y cant i 15 y cant mewn tair blynedd yn unig.

Cam 2: Dylech barhau i ddatblygu'r esboniad, drwy roi manylion penodol a chyfeirio at y mater allweddol, gan geisio rhoi rhywfaint o farn.

Aeth llawfeddygon eraill ati yn fuan iawn i fabwysiadu dulliau Lister ac fe gafodd y defnydd eang o antiseptig erbyn diwedd y bedwaredd ganrif ar bymtheg effaith ddramatig ar gyfraddau goroesi cleifion ar ôl llawdriniaethau. Cafodd Lister ei alw yn 'dad llawfeddygaeth antiseptig' a daeth ei ddefnydd arloesol o antiseptig yn effeithiol iawn i drin a gwella afiechydon yn ystod oes Fictoria.

Cam 3: Dylech gloi eich ateb drwy roi barn resymegol wedi'i chefnogi'n dda ar y mater allweddol.

> **Nawr, rhowch gynnig ar ateb y cwestiwn canlynol:**
>
> Pa mor effeithiol oedd datblygiad anastheteg a'r defnydd a wnaed ohono fel dull o drin a gwella afiechydon yn y bedwaredd ganrif ar bymtheg?

Arweiniad ar Arholiadau ar gyfer Cwestiwn 7

Mae'r adran hon yn cynnig arweiniad ar sut i ateb y cwestiwn synoptig, sy'n gofyn i chi ddefnyddio eich gwybodaeth i ddadansoddi a gwerthuso pwysigrwydd mater allweddol yn erbyn materion eraill. Edrychwch ar y cwestiwn canlynol:

> I ba raddau mae'n bosibl dweud mai datblygiad yr ysbytai gwirfoddol a gwaddoledig fu'r dull mwyaf effeithiol o wella gofal cleifion dros amser?

Sut i ateb

- Dylech ddatblygu ateb dwyochrog sy'n cynnwys cydbwysedd a chefnogaeth dda.
- Dylech ddechrau drwy drafod y mater allweddol y cyfeirir ato yn y cwestiwn, gan ddefnyddio'r hyn rydych chi'n ei wybod i esbonio pam mai'r ffactor hwn oedd y mwyaf effeithiol, pwysig neu arwyddocaol.
- Yna dylech ystyried yr wrth-ddadl, gan drafod amrywiaeth o ffactorau eraill.
- Gwnewch yn siŵr bod eich ateb yn ymdrin â thri chyfnod hanesyddol – yr oesoedd canol, y cyfnod modern cynnar a'r oes fodern.
- Dylech gynnwys nifer o gyfeiriadau penodol at y cyd-destun Cymreig, h.y. dweud beth oedd yn digwydd yng Nghymru.
- Dylech gloi eich ateb drwy roi barn resymegol sydd wedi'i chefnogi'n dda.

Enghraifft

Cam 1: Cyflwynwch y pwnc sydd i'w ddadansoddi a'i drafod yn yr ateb.

> Mae'r dulliau o ofalu am gleifion a'u trin wedi gwella'n sylweddol dros y canrifoedd. Weithiau mae'r newidiadau hyn wedi digwydd yn gyflym, yn enwedig yn ystod y canrifoedd diweddar ac i raddau, mae'r newidiadau hyn wedi arwain at welliant yn ansawdd gofal cleifion. Ymhlith y datblygiadau pwysicaf yn y maes hwn yr oedd sefydlu'r ysbytai gwirfoddol a gwaddoledig yn ystod yr ail ganrif ar bymtheg a'r ddeunawfed ganrif.

Cam 2: Trafodwch y mater allweddol a nodwyd yn y cwestiwn – dylai hyn ymwneud ag un cyfnod amser. Rhowch fanylion ffeithiol penodol, gan gofio cyfeirio at yr hyn oedd yn digwydd yng Nghymru.

> Ar ôl i'r mynachlogydd gael eu diddymu yn yr 1530au, gan gau y rhan fwyaf o'r ysbytai canoloesol oedd yn cael eu rhedeg gan yr eglwysi, dechreuodd elusennau gwirfoddol ac unigolion preifat wneud trefniadau i ofalu am bobl sâl. Er bod yr elusennau hyn yn aml yn rhai crefyddol, eu prif nod yn awr oedd trin cleifion am afiechydon penodol a chynnig canolfan ar gyfer gofal meddygol, yn hytrach na darparu arweiniad ysbrydol. Yn Llundain, cafodd ysbytai fel St Bartholomew, St Thomas a St Mary eu sefydlu. Roedden nhw'n cael eu cynnal gan waddolion, a dalwyd weithiau gan y brenin ond yn fwyaf aml gan unigolion preifat. Cafodd ysbytai gwirfoddol, gwaddoledig eu sefydlu hyd yn oed mewn trefi tu allan i Lundain, fel Norwich a Chaergrawnt. Datblygwyd y sefydliadau hyn ymhellach yn ystod y ddeunawfed ganrif drwy waddolion unigolion cyfoethog fel Thomas Guy a John Addenbrooke, gan arwain at sefydlu Ysbyty Guy yn Llundain yn 1724 ac Ysbyty Addenbrooke yng Nghaergrawnt yn 1766. Yng Nghymru, roedd y symudiad tuag at ysbytai gwirfoddol ychydig yn hwyrach, a'r cyntaf o'i fath oedd y Fferyllfa yn Ninbych a sefydlwyd yn 1807. Agorodd Abertawe glafdy yn 1817, ac yn fuan wedyn agorwyd clafdai yng Nghaerdydd a Wrecsam yn yr 1830au. Fodd bynnag, roedd llawer o drefi yng Nghymru heb unrhyw sefydliad gwirfoddol i ofalu am gleifion. Roedd y sefydliadau hyn yn drobwynt yn natblygiad gofal cleifion. Roedden nhw'n cyflogi meddygon i drin cleifion a nyrsys i ofalu amdanyn nhw ar y wardiau. Roedden nhw hefyd yn rhoi meddyginiaethau. Roedd hyn yn welliant mawr ar y math o ofal oedd yn cael ei gynnig yn ystod yr oesoedd canol.

Cydnabyddiaeth

Hoffai'r Cyhoeddwyr ddiolch i'r canlynol am roi caniatâd i atgynhyrchu deunyddiau o dan hawlfraint.

t.6 © Trinity Mirror/Mirrorpix/Alamy Stock Photo; **t.7** *(brig)* © Jochen Sands/DigitalVision/Thinkstock/Getty Images; *(canol)* © Ange/Alamy Stock Photo; *(gwaelod)* © Martin Siepmann/Stockbyte/Getty Images; **t.10** © Georgios Kollidas/iStock/Getty Images; **t.12** © Okea/iStock/Thinkstock; **t.16** © The British Library Board (Royal 20 C. VII, f.51); **t.20** Y Pla Du (gouache ar bapur), Nicolle, Pat (Patrick) (1907-95)/Casgliad Preifat/ © Look and Learn/Bridgeman Images; **t.23** © gbimages/Alamy Stock Photo; **t.24** © Wellcome Images (ar gael dan drwydded Creative Commons Attribution yn unig CC BY 4.0); **t.25** © INTERFOTO/Alamy Stock Photo; **t.26** © Wellcome Images (ar gael dan drwydded Creative Commons Attribution yn unig CC BY 4.0); **t.27** *(chwith)* © Mary Evans Picture Library/Alamy Stock Photo; *(de)* © Maidstone Museum & Bentlif Art Gallery; **t.29** © Liquid © Light/Alamy Stock Photo; **t.30** © Jean Williamson/Alamy Stock Photo; **t.31** © The National Library of Medicine; **t.34** © Niday Picture Library/Alamy Stock Photo; **t.35** © Heritage Image Partnership Ltd/Alamy Stock Photo; **t.36** © classicpaintings/Alamy Stock Photo; **t.37** © Mary Evans Picture Library/Alamy Stock Photo; **t.38** © Wellcome Images (ar gael dan drwydded Creative Commons Attribution yn unig CC BY 4.0); **t.39** © The Granger Collection/TopFoto; **t.41** © Wellcome Images (ar gael dan drwydded Creative Commons Attribution yn unig CC BY 4.0); **t.44** *(chwith)* © Wellcome Images (ar gael dan drwydded Creative Commons Attribution yn unig CC BY 4.0); *(de)* © Wellcome Images (ar gael dan drwydded Creative Commons Attribution yn unig CC BY 4.0); **t.47** *(brig)* © Robana/Rex/Shutterstock; *(canol)* © Wellcome Images (ar gael dan drwydded Creative Commons Attribution yn unig CC BY 4.0); *(gwaelod)* © Wellcome Images (ar gael dan drwydded Creative Commons Attribution yn unig CC BY 4.0); **t.48** *(de)* © The Art Archive/Alamy Stock Photo; *(chwith)* © age fotostock/Alamy Stock Photo; **t.50** © R. Paul Evans; **t.52** *(chwith)* © Wellcome Images (ar gael dan drwydded Creative Commons Attribution yn unig CC BY 4.0); *(de)* © Wellcome Images (ar gael dan drwydded Creative Commons Attribution yn unig CC BY 4.0); **t.53** © Wellcome Images (ar gael dan drwydded Creative Commons Attribution yn unig CC BY 4.0); **t.55** © World History Archive/Alamy Stock Photo; **t.56** © Science and Society/Superstock; **t.62** © Wellcome Images (ar gael dan drwydded Creative Commons Attribution yn unig CC BY 4.0); **t.64** © Wellcome Images (ar gael dan drwydded Creative Commons Attribution yn unig CC BY 4.0); **t.68** *(brig)* © Universal History Archive/Getty Images; *(gwaelod)* © Old Visuals/Alamy Stock Photo; **t.69** © Westend61 GmbH/Alamy Stock Photo; **t.70** © Science Photo Library/Alamy Stock Photo; **t.77** © Heritage Image Partnership Ltd/Alamy Stock Photo; **t.79** © DI002916 HMS HAMADRYAD © Amgueddfa Cymru; **t.81** *(chwith)* © Wellcome Images (ar gael dan drwydded Creative Commons Attribution yn unig CC BY 4.0); *(de)* © Wellcome Images (ar gael dan drwydded Creative Commons Attribution yn unig CC BY 4.0); **t.82** © Wellcome Images (ar gael dan drwydded Creative Commons Attribution yn unig CC BY 4.0); **t.83** *(chwith)* © Amoret Tanner/Alamy Stock Photo; *(de)* Cyflenwyd gan Lyfrgell Genedlaethol Cymru; **t.84** © Mary Evans/The National Archives, Llundain, Lloegr; **t.85** © Trades Union Congress Library Collections, London Metropolitan University; **t.86** © Pictorial Press Ltd/Alamy Stock Photo; **t.87** © Joseph McKeown/Getty Images; **t.89** © Mirrorpix; **t.91** trwy garedigrwydd John D Clare; **t.92** © North Wind Picture Archives/Alamy Stock Photo; **t.93** © London Metropolitan Archives; **t.94** © The Granger Collection/TopFoto; **t.96** © SSPL/Getty Images; **t.97** © The National Archives; **t.98** © Mary Evans Picture Library/Alamy Stock Photo; **t.99** © Pictorial Press Ltd/Alamy Stock Photo; **t.100** © Hulton Archive/Getty Images; **t.101** © Darren Grove – stock.abode.com; **t.103** © RDImages/Epics/Getty Images; **t.105** © Public Health England; **t.109** © Llyfrgelloedd Caerdydd; **t.113** © Llyfrgelloedd Caerdydd; **t.116** © Realimage/Alamy Stock Photo; **t.120** *(brig chwith)* © Bettmann/Contributor/Getty Images; *(gwaelod)* © Davies/Getty Images; *(brig de)* © Media Minds/Alamy Stock Photo; **t.121** *(brig chwith)* © trwy garedigrwydd John D Clare; *(gwaelod)* © RDImages/Epics/Getty Images; *(brig de)* © The National Archives.

t.43 'I'r gwrth-frechwyr: peidiwch â rhoi'r frech goch i'm darpar faban bach, digymorth.' Gan Lindy West *The Guardian*, 3 Chwefror 2015. Hawlfraint *Guardian News & Media Ltd* 2016; **t.46** O *The Knight With the Lion*, ysgrifennwyd gan Helen Lynch a dyluniwyd gan Helen Lynch a Susan Dunbar © 1996 Prifysgol Aberdeen; **t.104** *Daily Telegraph*; **t.118** atgynhyrchwyd diolch i CBAC.

Gwnaed pob ymdrech i olrhain deiliad pob hawlfraint, ond os oes unrhyw rai wedi'u hesgeuluso'n anfwriadol bydd y Cyhoeddwyr yn barod i wneud y trefniadau angenrheidiol ar y cyfle cyntaf.